Dr. Johann Georg Schnitzer

Bluthochdruck heilen
Risikofaktor Hypertonie
lebensbedrohend aber heilbar!

Dr. Johann Georg Schnitzer

Blut-hochdruck heilen

Risikofaktor Hypertonie
Lebensbedrohend
aber heilbar!

Schnitzer, Johann G.:
Bluthochdruck heilen
Risikofaktor Hypertonie: Lebensbedrohend, aber heilbar!
Dr. Johann Georg Schnitzer [Dr. Johann Georg Schnitzer]. -
Friedrichshafen/Bodensee: Dr. Johann Georg Schnitzer, 2011
Frühere Ausgabe u.d.T. Schnitzer, Dr. Johann G.: Bluthochdruck heilen -
Risikofaktor Bluthochdruck, Lebensbedrohend, aber heilbar

ISBN 978-3-938556-30-6

Buchauslieferung und Verlag:
Frau Azeb Schnitzer
Zeppelinstraße 88
D-88045 Friedrichshafen (Bodensee)
Deutschland – Allemagne – Germany
Fax +49-(0)7541-398561
Buchbestellungen via Internet:
<http://www.dr-schnitzer-buecher.de>

Besuchen Sie den Verfasser im Internet:
<http://www.dr-schnitzer.de>

Printed in Germany

Inhalt

Seite

Einführung 9
Einführung 11
Risikofaktor Bluthochdruck: Lebensbedrohend, aber heilbar 17
Die Höhe des Risikos 19
Behandlung der Symptome heilt nicht 20
Warum steigt der Blutdruck? 21
Die wirklichen Ursachen 21
Bedeutendste Grundursache ist die unnatürliche Zivilisationskost 25
Am gefährlichsten: Eiweiß-Überschüsse! 26
Die Rolle des Kochsalzes 32
Stress – zusätzliche Mitursache 34
Die Gefährlichkeit des Rauchens bei Bluthochdruck 35
Bewegungsmangel 37
Erhöhte Gerinnungsneigung des Blutes 37
Wirkungen der bisherigen symptomatischen Behandlung 38
Ursächliche Behandlungsmaßnahmen 41
Ursächliche (kausale) Behandlung 43
Mit kleinen Aderlässen sofort aus der Risikozone 43
Unverzüglich die Ernährung richtig stellen 45
Was ist die gesündeste Ernährung für den Menschen? 50
Bewegungsminimum sicherstellen 57
Das Rauchen einstellen 59
Gewohnheiten überprüfen 60
Wie Risiko und Erfolg kontrolliert werden können 61
Kontrolle des Hämatokrits 62
Kontrolle des Blutdrucks 62
Sonstige Warnsymptome 64
Wie praktisch vorgehen 65
Internet-Fragebogen Bluthochdruckstudie; Tabelle zur Kontrolle 68
Rezeptteil – Schnitzer-Intensivkost, Schnitzer-Normalkost 71

Küchengeräte, die Sie brauchen 73
Was vorrätig sein soll 74
Frisch einzukaufen 75
Worauf bei den Zubereitungen besonders zu achten ist 75
Die Handhabung der Rezepte 76
Getreidesuppendiät zur Einleitung 77
Getreidesuppe, gänzlich kurz aufgekocht 80
Getreidesuppe mit unerhitztem Anteil 81
Getreidesuppe mit rohem Getreideanteil, grünem Salat, Möhren 82
Getreidesuppe m. roh. G., Chicoree, Möhren, angek. Samen 82
Weitere Getreidesuppen m. roh. G.anteil, Vegetabilien, Samen .. 83
Gazpacho – spanische „Salatsuppe“ 83
Frischkornmüsli-Variationen zum Frühstück 84
Grundmischung des Frischkornmüslis 84
Weitere Zubereitungen des Frischkornmüslis in Variationen 85
Die Mittags- und Abendmahlzeiten 86
Natürliche Ernährung – Beispiel für einen Tag 88
Das Frühstück 88
Die Mittagsmahlzeit 90
Das Abendessen 92
Ausreichend Wasser zuführen 94
Wie sie ihren Bluthochdruck ausheilten 95
Bluthochdruckpatienten, die wieder gesund wurden 96
Frau H. St. (45) 98
Frau M. I. (67) 100
Frau M. H. (51) 102
Herr K. B. (36) 104
Frau F. B. (54) 106
Zwei weitere Fallbeispiele 108
Drama eines jungen Mannes mit Happy End 109
Der „Schnitzer-Report“ 112
Bluthochdruckstudie im Internet; Fallbeispiele 113
Bluthochdruckstudie im Internet 115

Bluthochdruck-Dogma – Ein fundamentaler Medizin-Irrtum! 116
Warum monokausale Ansätze in Sackgassen führen 116
Wie ein völlig anderer Ansatz zum Erfolg führte 117
Auf welche Kost ist der Mensch genetisch programmiert? 118
Die Probe aufs Exempel 119
Gesunde Zähne waren nur der Anfang 120
Erste Therapiestudie 1987 121
Neue Bluthochdruckstudie ab 2001 122
Fallbeispiele aus der Bluthochdruckstudie
(jeweils mit Anmerkungen von Dr. J. G. Schnitzer) 123
Bericht von Frau K. G. (48) aus Deutschland 123
Bericht von Herrn G. B. (52) aus Deutschland 127
Bericht von Herrn H. K. (42) aus Deutschland 132
Bericht von Frau G. B. (39) aus Deutschland 136
Bericht von Frau L. W. (56) aus der Schweiz 141
Bericht von Herrn M. F. (36) aus Deutschland 147
Bericht von Herrn M. P. (31) aus Deutschland 152
Bericht von Ms. D. R. (52) aus den USA 157
Bericht von Mrs. J. U. (73) aus England 161
Bericht von Herrn P. Q. (68) aus Deutschland 166
Bericht von Herrn H. W. (56) aus Deutschland 173
Bericht von Herrn H. R. (62) aus Deutschland 178
Bericht von Herrn I. F. (39) aus Deutschland 184
Bericht von Herrn J. M. (63) aus Deutschland 188
Bericht von Frau C. G. (68) aus Deutschland 193
Bericht von Herrn A. S. (55) aus der Schweiz 197
Bericht von Herrn S. H. (39) aus Deutschland 201
Bericht von Herrn W. E. (36) aus Deutschland 209
Bericht von Frau P. S. (46) aus Deutschland 213
Bericht von Frau S. M. (37) aus Deutschland 218
Bericht von Herrn B. R. (68) aus Deutschland 224
Bericht von Herrn H. S. (64) aus Australien 228
Bericht von Frau G. S. (49) aus Deutschland 233

Bericht von Frau E. W. (52) aus Deutschland 238
Bericht von Herrn O. I. (34) aus Deutschland 243
Bericht von Herrn W. B. (63) aus Deutschland 246
Bericht von Herrn T. Q. (66) aus Deutschland 249
Bericht von Mr. D. M. (60) aus den USA 254
Bericht von Frau U. H. (58) aus Deutschland 258
Bericht von Herrn W. K. (42) aus Deutschland 262
Bericht von Frau K. Z. (40) aus Deutschland 265
Bericht von Frau G. S. (61) aus Deutschland 269
Bericht von Herrn H. L. (64) aus Deutschland 273
Bericht von Frau K. F. (34) aus Deutschland 277
Bericht von Herrn B. D. (56) aus Frankreich 281
Bericht von Herrn G. C. (65) aus Deutschland 285
Bericht von Herrn E. W. (48) aus Österreich 288
Bericht von Herrn D. R. (61) aus Deutschland 293
Bericht von Frau A. K. (65) aus Deutschland 298
Bericht von Herrn R. M. (43) aus Österreich 302
Bericht von Herrn Dr. med. W. L. (59) aus Deutschland 307
Ergebnisse aus der Bluthochdruckstudie 317
Ergebnisse aus der Bluthochdruckstudie 319
Einige Ergebnisse der Auswertungen 320
Häufigkeit von Beschwerden 321
Ärzte: Wenig hilfreich bei der Gesundung 322
Zusammenfassende Feststellungen der Studie 326
Empfehlungen aufgrund der Studienergebnisse 326
Dank an die Probanden 328
Erkenntnisse und Konsequenzen 329
Bluthochdruck ist heilbar! 331
Die Konsequenzen 332
Je mehr Medizin, desto mehr Krankheiten. Wieso? 333
Einige weiterführende Informationen 338
Suchregister 342

Einführung

Einführung

Eines Tages bedankte sich bei mir der Prokurist eines deutschen Großflughafens für die Erhaltung seines Flugscheins. Bei einer routinemäßigen Untersuchung durch den Fliegerarzt war bei ihm erhöhter Blutdruck festgestellt worden. Seine Flugtauglichkeitsbescheinigung, unentbehrliche Grundlage für die Verlängerung seines Flugscheins, konnte nicht erneuert werden. Der Prokurist, der von meinen Ernährungserkenntnissen gehört hatte, versuchte daraufhin, durch deren Anwendung eine Normalisierung des erhöhten Blutdrucks zu erreichen.

Da der zuerst konsultierte Arzt nie geglaubt hätte, dass sich der von ihm festgestellte Bluthochdruck auf natürliche Weise und ohne Medikamente normalisieren ließe, suchte der Prokurist vier Wochen später einen anderen Fliegerarzt auf. Dieser stellte völlig normale Blutdruckwerte fest und schrieb die Flugtauglichkeitsbescheinigung aus. Damit war der Flugschein gerettet. Glücklich, nicht „gegroundet“ worden zu sein, sondern weiterhin selbst Flugzeuge fliegen zu dürfen, bat mich der Prokurist, doch über diese Zusammenhänge etwas zu schreiben und allen Piloten zugänglich zu machen; er werde dafür die Adressen beschaffen.

Ich schrieb also eine Broschüre „Über die Erhaltung der Flugtauglichkeit“ – und schickte sie an alle damals etwa 10.000 deutschen Piloten. Viele von ihnen nutzen seither die vermittelten Erkenntnisse, um sich flugtauglich zu halten. Bei den Piloten ist das Interesse daran existenziell. Stellt der Fliegerarzt erhöhten Blutdruck fest, verlieren sie sofort ihre Pilotenlizenz und werden zum Frührentner. Da hilft auch keine Behandlung mit blutdrucksenkenden Mitteln – denn Fliegerärzte wissen genau, dass diese das Risiko eines plötzlichen Hirnschlags, Herzinfarkts oder einer Embolie in keiner Weise verringern können!

Als die deutsche Bundesregierung noch Geld hatte – es war im Jahre 1979 – stellte das Bundesgesundheitsministerium 400 Millionen DM für die weitere Erforschung der Zivilisationskrankheiten zur Verfügung. Das Ministerium beauftragte das Institut Schloss Reisensburg mit der Verteilung. Das Institut organisierte dazu am 29. und 30. Juni 1979 für die interessierten Forscher eine Tagung in der Universität Ulm. Daran nahm ich teil – und musste höchst befremdliche Merkwürdigkeiten feststellen:

Es kam dort keineswegs zu einer wissenschaftlichen Diskussion, auf welche Weise die Zivilisationskrankheiten – die schon damals die Wirtschaftskraft Deutschlands zu schwächen begannen – am besten auszuheilen und künftig zu verhüten wären.

Vielmehr hatten sich die „Insider" der Szene schon am Vortag unter Ausschluss der wissenschaftlichen Öffentlichkeit getroffen und das Wesentliche unter sich ausgemacht. Die Tagung selbst war dann nur noch „Show" mit Alibifunktion. So waren zwar verschiedene Arbeitsgruppen über die verschiedenen Krankheiten angeboten, aber da sämtliche zur selben Stunde angesetzt waren, war nur die Teilnahme an einer möglich. Ich entschloss mich zur Gruppe „Bluthochdruck", weil dieser als „Hauptkiller" für den Tod jedes zweiten Bundesbürgers verantwortlich ist.

Zur Eröffnung dieser „Veranstaltung" stellte sich ein – keineswegs von den Teilnehmern gewählter – Professor der Pharmakologie(!) als „Vorsitzender" der „Arbeitsgruppe Bluthochdruck" vor, besetzte das Podium und erklärte sofort, dass „nichtmedikamentöse, nichtärztliche Methoden von vorneherein von der Förderung ausgeschlossen" seien.

Ich protestierte als Teilnehmer dieser Sitzung, dass man doch nicht die Hälfte der Bevölkerung unter Dauermedikation setzen könne. Darin wurde ich unterstützt vom Ulmer (Sport-)Professor Dr. R. Wodick und einer Ärztin, Leiterin einer Klinik der Bundesversicherungsanstalt. Die Proteste fruchteten nichts. Die „Arbeitsgruppe Bluthochdruck" startete dann die „Deutsche Herz-Kreislauf-Studie", die bis zum Erscheinen der Erstauflage dieses Buches (1987, Heyne-Taschenbuchverlag, München) bereits 60 Mio. DM verschlungen hatte, mit kaum nennenswerten Ergebnissen.

Einer ähnlichen amerikanischen Langzeitstudie war schon zuvor wenig Erfolg beschieden gewesen:

Mit einem Aufwand von 115 Millionen US$ begann 1970 an 22 klinischen Zentren in den USA und Kanada ein Feldversuch. Insgesamt 361662 Männer im Alter zwischen 35 und 57 Jahren wurden untersucht, bis 12866 Personen herausgefiltert waren, deren Herztod-Risiko als besonders hoch galt (hoher Zigarettenkonsum, hoher Blutdruck, hoher Cholesterinspiegel). Nach dem Zufallsprinzip wurden diese in zwei gleich große Gruppen aufgeteilt. Die erste Hälfte (die „Kontrollgruppe") wurde lediglich einmal im Jahr untersucht; die zweite Hälfte (die „Interventionsgruppe") genoss alle Segnungen, welche die moderne Medizin für diese Art von Risiko-Patienten bereit hält. Vorhergesagt war, dass während der Beobachtungszeit in der Gruppe der intensiv Behandelten 26,6 Prozent weniger Todesfälle auftreten würden als in der Kontrollgruppe. Jedoch starben z.B. in einer Gruppe von intensiv Behandelten „mit anormalem Ruhe-EKG“, obwohl Blutdruck und Cholesterinspiegel gesenkt wurden, sogar um 65 % mehr Patienten als in der Kontrollgruppe.

Die kritische Zeitschrift „Der Spiegel“, die in ihrer Ausgabe 39/1982 (S.248-249) unter der Überschrift „Arztfern leben“ (als Konsequenz aus dem fatalen Ergebnis) hierüber berichtet, schreibt weiter: „Vorsichtig formulierten die US-Wissenschaftler den Verdacht auf 'eine möglicherweise ungünstige Wirkung von blutdrucksenkenden Medikamenten bei bestimmten, aber nicht allen an der Studie beteiligten Patienten mit Bluthochdruck.' ...“ Der Spiegel weiter: „Wenn es zuträfe, dass diese Mittel, die den Herztod bremsen sollen, ihn in Wahrheit bei bestimmten Patienten beschleunigt herbeiführen, wäre das eine weitere Katastrophe der modernen Medizin. Die amerikanischen Experten halten es, aufgrund der eben abgeschlossenen Studie, für wahrscheinlich („most likely“). Der Verdacht, erklärten sie, müsse alsbald 'genauer untersucht' werden.“

Bis heute (2011!) war nicht zu erfahren, ob dieser – wissenschaftlich sehr begründete – Verdacht jemals genauer untersucht worden ist.

Ich zitierte diese 1970 angelaufene Studie in einem Vortrag, den ich zur Eröffnung einer Tagung auf der „Medizinischen Woche“ in Baden-Baden zu der Frage hielt: „Warum ist der Arzt nicht gesünder als die Durchschnittsbevölkerung?“ (veröffentlicht in Biologische Medizin 2/1979). Auch Ärzte sterben – sogar leicht häufiger (zu ca. 60 %!) – an Herzkreislaufkrankheiten als die Durchschnittsbevölkerung (die „nur“ zu 50 % daran verstirbt). Warum? Es gibt zwei Möglichkeiten:

Entweder ist es Ärzten bewusster als der Durchschnittsbevölkerung, dass Bluthochdruck ein lebensbedrohender Risikofaktor ist, weshalb sie bei sich selbst die „Standardtherapie des Bluthochdrucks“ mit bis zu 5 verschiedenen Medikamenten gewissenhafter anwenden, als es ihre Patienten tun. Da jedoch die „herrschende Lehrmeinung“ vom Wesen des Bluthochdrucks falsch ist, sind auch die Medikamente falsch konzipiert, und führen deshalb, je konsequenter sie angewendet werden, umso wahrscheinlicher zu einem fatalen Ende.

Oder Ärzte gehen leichtsinniger mit ihrem eigenen Bluthochdruck um, weil sie denken, immer noch rechtzeitig eingreifen zu können, wenn die Sache ernst wird – was in der Regel ein Irrtum ist, denn die dem Bluthochdruck folgenden fatalen Herz-Kreislauf-Ereignisse kommen unerwartet, plötzlich und sind in vielen Fällen sofort tödlich.

Wie dem auch sei, „Bild der Wissenschaft“ (2/2004 und 12/2004 S. 10) bringt es auf den Punkt: „Irren ist ärztlich“.

Zur Zeit leiden im deutschsprachigen Raum schätzungsweise 30 Millionen Menschen an Bluthochdruck. Ihnen werden zum täglichen Einnehmen, teils in Kombination, insgesamt 1-7 solcher Tabletten verordnet, z.B. Betablocker, Calcium-Antagonisten und Diuretika. Die Kosten liegen zwischen 0,15 und 0,75 € pro Tablette. Grob geschätzt werden dafür allein in der Bundesrepublik Deutschland pro Tag ca. 75 Millionen € ausgegeben, im Jahr ca. 27 Milliarden €. Hinzu kommen die weiteren, noch weit höheren Aufwendungen für ambulante und klinische Behandlung.

Diese immensen Kosten durch den Bluthochdruck (laufende ärztliche Überwachung, Verordnungen und dadurch verursachte Arzneikosten) und seine Folgeerkrankungen (Herzinfarkt, Hirnschlag, Embolie, Nierenversagen u.a.m.) sind natürlich auf der anderen Seite ebenso immense Einnahmen, welche durch diese weitverbreitete Krankheitsgruppe geschaffen werden – dazu nachhaltige deshalb, weil der Patient im Bevölkerungsdurchschnitt etwa 25 Jahre lang an einer solchen chronischen Zivilisationskrankheit leidet, um dann schließlich doch an ihren Folgen zu versterben. Die Pillen für die Standardtherapie seines Bluthochdrucks kosten/erwirtschaften in dieser Zeit ca. 23.000,- € (pro Patient!).

Unsere eigenen Untersuchungen zum Komplex Bluthochdruck und Herz-Kreislauf-Krankheiten haben wir darauf ausgerichtet, die eigentlichen Ursachen für die Blutdruckerhöhung herauszufinden und den Blutdruck durch deren Ausschaltung und Wiederherstellung der Gesundheitsgrundlagen zu normalisieren. Hier sind wir fündig geworden. Die Richtigkeit des Vorgehens wurde an zahlreichen Fällen bestätigt.

In diesem Buch werden zunächst die wirklichen Ursachen des Bluthochdrucks erläutert und die Gründe erklärt, warum die bisherigen Behandlungsmethoden so wenig ausrichten können. Dann wird aufgezeigt, wie man durch Richtigstellung der Ernährung (= Wiederherstellung der Ursachen der Gesundheit), Ausschaltung der Ursachen des Bluthochdrucks, und wo nötig zusätzliche ärztliche Therapie, zügig aus dem Risikobereich herauskommen und eine natürliche Normalisierung des Blutdrucks ohne Medikamente erreichen kann. Eine Tabelle zum Eintragen der eigenen Blutdruckwerte, der verabreichten Medikamente sowie sonstiger Maßnahmen hilft, den Verlauf bei sich selbst zu verfolgen.

Im Rezeptteil wird die artgerechte, natürliche Ernährungsweise beschrieben, die als wichtigste Voraussetzung zur Normalisierung des Blutgefäßsystems und damit auch des Blutdrucks dient.

Beispiele aus der Praxis und zahlreiche Fallberichte aus der seit 2001 von mir im Internet eingerichteten neuen Bluthochdruckstudie vertiefen das Verständnis für die Zusammenhänge und den Gesundungsverlauf. Ein Auszug aus Auswertungen der Studie vermittelt wichtige Ergebnisse.

Zum gleichen Thema habe ich ein Buch zur Unterrichtung Ihres Arztes und Therapeuten über diese Therapie geschrieben: „Die kausale Therapie der essentiellen Hypertonie". Es ist hilfreich, wenn Ihr Behandler den Inhalt kennt und Ihrem Wunsch nach einer an den Ursachen ansetzenden Heilbehandlung im Sinne der hier vermittelten Erkenntnisse entsprechen kann. Sie können es auf dem gleichen Wege wie dieses Buch erhalten, um es Ihrem Arzt oder Heilpraktiker auszuleihen (Ausleihen ist besser als Schenken, weil so sicherer ist, dass es auch gelesen wird).

Wenn die Erkenntnisse dieses Buches Ihnen dann den gewünschten Erfolg gebracht haben und Sie Ihre natürliche Gesundheit zurückgewinnen konnten, behalten Sie es nicht für sich. Informieren Sie Andere über dieses Buch. Tragen Sie außerdem mit Ihrem Bericht zu der im Internet laufenden Bluthochdruckstudie bei. Der Online-Fragebogen ist hier:

<http://www.dr-schnitzer.de/inquiry2.html>

Wer dieses Buch liest, fragt sich mit Recht, warum diese einfache, von nachteiligen Nebenwirkungen freie, natürliche Heilbehandlung des Bluthochdrucks sich nicht längst in jeder Arztpraxis als die Therapie der Wahl durchgesetzt hat, nachdem sie schon 1987 auf der Medizinischen Woche Baden-Baden mit geheilten Patienten vorgestellt, in der Fachzeitschrift „Erfahrungsheilkunde" (No. 13/1987) und gleichzeitig in zwei Büchern veröffentlicht wurde.

Eine mögliche Erklärung stammt von dem Nobelpreisträger Prof. Max Planck: „Irrlehren in der Wissenschaft brauchen 50 Jahre, bis sie abgelöst werden, weil nicht nur die betreffenden Professoren, sondern auch ihre Schüler vorher aussterben müssen".

Ich befürchte, dass Max Planck im Bezug auf die Medizin ein zu großer Optimist war. Denn hier handelt es sich um eine „Matrix", eine nicht an die Lebensspanne einzelner Professoren gebundene, sondern fest in die Gesellschaft eingewobene, dreidimensionale Netzwerkstruktur aus – sich gegenseitig zuarbeitenden – wirtschaftlichen und politischen Interessen, aus welcher es für die Bevölkerung kaum ein Entrinnen gibt.

Dieses Netzwerk funktioniert ähnlich wie heute das Internet, existiert jedoch schon etwa ein Jahrhundert länger und ist entsprechend ausgereifter. Vielfach wissen die einzelnen Beteiligten nicht einmal davon, dass sie als ein „Rädchen im Getriebe“ dieser Matrix dienen. Nützliche (und genutzte) Knotenpunkte des Netzwerks sind z.B. Lehr- und Forschungseinrichtungen, Schulen, Medien, Verlage, Parlamente, Fachministerien, Interessen z.B. der Landwirtschaft, der Nahrungsmittel- und Pharmaindustrie, der Medizin u.a.m.

Während aber das Internet durch die Knotenstruktur den ungehinderten Fluss der Information auch dann sicherstellt, wenn einzelne Knoten ausfallen sollten, nutzt diese Matrix die Knotenpunkte ihres Netzwerkes als Filter. Nur der Teil der Information, der dem Knotenpunkt Nutzen bringt, wird durchgelassen. Was dessen Interessen schadet, wird nicht oder nur verfälscht weitergegeben. Nur das, was nach dieser Mehrfach-Filterung von der Wahrheit (z.B. über Bluthochdruck) übrig bleibt, wird den „nützlichen Rädchen im Getriebe“ und der Öffentlichkeit zugänglich gemacht.

Da ist es kaum mehr verwunderlich, dass die in diesem Buch beschriebene, schon 1987 veröffentlichte, hochwirksame und so einfach nachzuprüfende, ohne Medikamente in wenigen Wochen zur Ausheilung führende Therapie des so verbreiteten, lebensbedrohenden Leidens „Bluthochdruck“ immer noch keine allgemeine Anwendung findet.

Wenn man sich fragt: „Cui bono? Für wen wäre es gut? Wem würde es nützen?“ – stellt man fest, dass es keine einzige Interessengruppe oder Lobby gibt, die wirtschaftlich etwas davon hätte, wenn diese als chronisch und unheilbar behandelte Krankheit, an deren Folgen jeder Zweite verstirbt, plötzlich auf einfache Weise dauerhaft ausgeheilt würde.

Der Einzige, der wirklich etwas davon hat, ist der Patient selbst: Der unter Bluthochdruck, den unangenehmen Begleiterscheinungen der verordneten Medikamente und der Aussichtslosigkeit bisheriger Therapien leidende Mensch. Der aber hat keine Lobby. So bleibt alles beim Alten. Es sei denn, dieser Mensch erfährt von den Möglichkeiten der Heilung, überwindet sein Leiden, wird gesund und erzählt anderen Leidensgenossen weiter, wie es ihm gelungen ist.

Da rette sich und Andere, wer kann! Dieses Buch vermittelt das hierzu notwendige ungefilterte Wissen.

Friedrichshafen am Bodensee, im Jahr 2011

Dr. Johann Georg Schnitzer

Risikofaktor Bluthochdruck

lebensbedrohend, aber heilbar!

Die Höhe des Risikos

Bluthochdruck gilt in der Tat medizinisch als der heutzutage größte Risikofaktor, an der heute häufigsten Todesursache zu sterben: Einer Herz-Kreislauf-Krankheit. Das widerfährt gegenwärtig jedem zweiten Bundesbürger, während „nur“ jeder fünfte am Krebs stirbt. Selbst Mediziner bleiben nicht verschont: Während „nur“ 50 % der Bevölkerung einer Herz-Kreislauf-Krankheit erliegen, sind es bei den Ärzten sogar 60 %. Das lässt berechtigte Zweifel am Schutz- und Nutzeffekt der bisher von Ärzten empfohlenen „Standardtherapie des Bluthochdrucks“ aufkommen, die doch angeblich gerade vor diesen Risiken schützen soll.

Zum weiteren Risikovergleich: An Leberkrankheiten stirbt jeder 44., an einem Unfall (ohne KFZ) jeder 48., an Diabetes jeder 56., an einem Kfz-Unfall jeder 56. Bundesbürger. An Altersschwäche – der einzigen natürlichen Todesursache – verstirbt nur jeder 110. Bundesbürger!

Das bedeutet, dass die meisten Menschen ihre natürliche Lebenserwartung bei weitem nicht erreichen, sondern lange vorher von einer der Zivilisationskrankheiten dahingerafft werden, jeder Zweite von einer Herz-Kreislauf-Krankheit. Das Hauptwarnzeichen vor dieser Gefahr ist das Ansteigen des Blutdrucks! Die wahre natürliche Lebenserwartung des Menschen wird aus mehreren Gründen auf 140-150 Jahre geschätzt.

Es besteht kein Zweifel: Wer an Bluthochdruck erkrankt ist, hat allen Grund, sich – mehr als um alles andere – um die baldige Wiederherstellung seiner Gesundheit zu kümmern.

Das wissen inzwischen immer mehr Menschen. Sie gehen zu ihrem Arzt, lassen sich untersuchen und erhalten blutdrucksenkende Mittel verschrieben, dazu teils auch cholesterinsenkende und gerinnungshemmende Arzneien. Denn häufig sind bei Bluthochdruck auch der Cholesteringehalt und die Gerinnungsneigung des Blutes erhöht, beides bekannte zusätzliche Risikofaktoren für Herzinfarkt, Hirnschlag und Embolien.

Die Sache hat leider zwei Haken: Die Behandlung der Symptome heilt nicht. Die Risiken bleiben gleich hoch oder steigen sogar weiter an. Wie real die Gefahren bleiben, zeigen am besten die fliegerärztlichen Konsequenzen: Trotz solcher Behandlung bleibt der ehemalige Pilot am Boden. Der zweite Haken sind die auftretenden „Nebenwirkungen“ solcher Behandlungen, z.B. schlechtes Befinden und Impotenz.

Behandlung der Symptome heilt nicht

Wenn der Blutdruck eines Patienten erhöht ist und man ihm blutdrucksenkende Mittel verabreicht, dann wird höchstens eines normal: Der angezeigte Wert auf dem Blutdruckmessgerät.

Der Patient selbst fühlt sich keineswegs „normal“. Im Gegenteil. So lange der Bluthochdruck unbehandelt war, spürte er praktisch nichts. Schlecht fühlt er sich erst jetzt, seit er blutdrucksenkende Mittel erhält. Welche Gründe dies hat, wird noch erläutert werden.

Auch objektiv kann man nicht von Erfolgen einer solchen Therapie sprechen. Sie verringert die Risiken von Folgeerkrankungen nicht (Herzinfarkt, Hirnschlag, Embolie), und sie ist keine Heilbehandlung. Sobald die Medikamente abgesetzt werden, geht der Blutdruck wieder in die Höhe. Selbst dann, wenn diese vom Patienten trotz der unangenehmen „Nebenwirkungen“ weiter eingenommen werden, wird der Blutdruck bald wieder anzusteigen beginnen, was den Arzt jeweils zu einer weiteren Erhöhung der Medikamentendosierungen veranlasst – und das führt wieder zu einer Verstärkung unangenehmer „Begleiterscheinungen“. Es ist ein „Circulus vitiosus“, ein Teufelskreis, in dem der Patient gefangen ist.

Warum ist das so? Ist der Kampf gegen diesen gefährlichen Risikofaktor aussichtslos? Oder ist der bisher beschrittene Weg nicht der richtige?

Sicher ist eines: Patienten mit Bluthochdruck unterliegen einem sehr hohen Risiko, von einer weiteren Herz-Kreislauf-Krankheit heimgesucht zu werden und auch sehr plötzlich an dieser zu versterben.

Aber ist es vielleicht ein zu einfaches Denkschema, zu glauben, weil das so ist, müsse die Normalisierung des Blutdrucks mit allen Mitteln schon zu einer Verringerung der Risiken führen, weil Menschen mit natürlicherweise normalem Blutdruck diese Risiken nicht haben?

Ist vielleicht der erhöhte Blutdruck gar nicht die Ursache dieser erhöhten Risiken, sondern selbst nur ein Symptom, eine Folge tieferliegender eigentlicher Grundursachen, welche sowohl den Bluthochdruck als die weiteren „Folge“krankheiten auslösen?

Die gängigen medizinischen Maßnahmen sind jedenfalls trotz großem Forschungsaufwand für immer wirksamere blutdrucksenkende Mittel wenig erfolgreich geblieben. Es scheint daher unumgänglich, tiefer in die Grundzusammenhänge einzudringen und als erstes zu fragen:

Warum steigt der Blutdruck?

Die überraschende Antwort auf diese Frage ist, dass die Erhöhung des Blutdrucks eine höchst zweckmäßige, aktive Maßnahme des Organismus darstellt! Jeder Ingenieur hätte diese Maßnahme ergriffen, wäre er vor die gleichen Probleme gestellt worden.

Die Blutdruckerhöhung ist die logische, richtige, konsequente Reaktion des Organismus auf eine Verengung der Blutgefäße und Blutkapillaren, die auch noch zusätzlich von einer Erhöhung der Blutviskosität begleitet wird („Blutverdickung", Erhöhung der Dickflüssigkeit des Blutes).

Blutkapillaren sind die kleinsten Blutgefäße, in welchen der Stoffaustausch mit den umliegenden Geweben und Zellen stattfindet, bevor das Blut in den Venen zurückströmt.

Damit sind wir einen entscheidenden Schritt weiter. Es leuchtet jetzt schon ein, dass unter diesen Umständen die medikamentös erzwungene Senkung des Blutdrucks auf „normale" Werte keinen Sinn macht, sondern im Gegenteil die Versorgung der Gewebe und Zellen über das verengte Gefäßsystem ernsthaft gefährdet. Das erklärt auch bereits, warum Bluthochdruckkranke erst jetzt, unter Anwendung blutdrucksenkender Mittel, sich schlecht fühlen und unter „Nebenwirkungen" leiden. Vorher war die Verengung des Gefäßsystems durch die Erhöhung des Blutdrucks kompensiert, die Versorgung der Gewebe und Zellen mit Nährstoffen und Sauerstoff war gesichert. Das sind diese jetzt nicht mehr.

Trotzdem sind wir noch nicht am Ziel unserer Ursachenerkundung. Denn dazu ist die Klärung weiterer Fragen wichtig: *Warum* sind die Kapillaren verengt und *warum* ist das Blut dickflüssiger geworden?

Die wirklichen Ursachen

Die Blutgefäße und Blutkapillaren von Bluthochdruckpatienten zeigen bei der mikroskopischen Untersuchung Verdickungen der Basalmembranen. Diese sind normalerweise, bei gesunden Menschen, dünnhäutige Schläuche, auf denen die innenauskleidenden Zellen („Intima") sitzen. Das ist ähnlich wie bei jedem Gartenschlauch. Dessen Gewebe entspricht der Basalmembran der Blutkapillaren. Sie ist es, die dem „Schlauch" Halt gibt und sicherstellt, dass er dem auch beim Gesunden erheblichen Druck zwischen 85 und 120 mm/Hg standhält (gemessen am „Hochdrücken" einer Quecksilber-Hg-säule in einer Glasröhre in Millimetern).

Wenn sich diese Basalmembran verdickt, wird der Innendurchmesser enger. Soll jetzt noch die gleiche Menge Blut wie vorher hindurchgepumpt werden, so gibt es nur einen Weg: Der Druck muss erhöht werden.

Der erhöhte Druck – er kann beim Bluthochdruckpatienten das Doppelte des normalen betragen – macht wiederum eine weitere „Verstärkung" der Basalmembran erforderlich, damit die Gefäße dem erhöhten Druck gewachsen sind. Das führt zu einer weiteren Einengung des Innendurchmessers, was eine weitere Erhöhung des Blutdrucks notwendig macht ... und so fort. Schon wieder ein „Circulus vitiosus", ein Teufelskreis!

Das Blut selbst ist beim Bluthochdruckkranken in aller Regel außerdem dickflüssiger, seine Viskosität ist erhöht. Die Gründe liegen zum einen in dem höheren Eiweißgehalt der Blutflüssigkeit, die dadurch dickflüssiger, „klebriger" wird. Zum anderen ist sein gesamter Gehalt an festen Blutzellen erhöht. Dieser wird als „Hämatokrit" bezeichnet.

Das Hämatokrit wird folgendermaßen gemessen: Ein wenig Blut wird abgenommen, mit einer dosierten geringen Menge Calciumcitrat versetzt, damit es nicht gerinnt, und in ein Glasröhrchen mit 100 mm Messeinteilung bis zum obersten Messstrich von 100 mm eingefüllt. Dieses Röhrchen wird in eine Zentrifuge gestellt. Durch die darin erzeugte Fliehkraft setzen sich die ganzen Blutzellen nach unten ab, und darüber steht die von Zellen freie Blutflüssigkeit.

Das „normale" Hämatokrit lag in Deutschland vor und während des zweiten Weltkrieges bei 37 bis 39 mm Blutzellen; alles weitere darüber bis zum 100-mm-Strich war zellfreie Blutflüssigkeit. Man spricht dann beim Hämatokrit auch von 37 bis 39 „Volumenprozent" Blutzellen.

Nach dem zweiten Weltkrieg und vor allem einige Zeit nach der Währungsreform, welche die teils bis heute andauernde „Fresswelle" auslöste, wurden diese Werte zur Ausnahme. Anstatt dies als Warnzeichen zu erkennen (und nach den Ursachen zu suchen, um diese dann ausschalten zu können), setzte man einfach den neuen höheren Durchschnittswert als neuen „Normalwert" fest – ein häufiger Denk- und Bequemlichkeitsfehler in der Medizin ebenso wie auf anderen Gebieten, z.B. in der Umweltpolitik. Liegt doch in Wirklichkeit der neue Durchschnittswert ganz wesentlich über dem (gesunden) Normalwert!

Beim Gesunden sind die roten Blutkörperchen (Erythrozyten), welche den Sauerstoff von der Lunge zu allen Körperzellen und -geweben transportieren, flache, runde, halbgefüllte „Säckchen“, welche den roten Blutfarbstoff enthalten, das Hämoglobin. Dieses ist in der Lage, Sauerstoff aufzunehmen und wieder abzugeben.

Das Hämoglobin entspricht in seinem molekularen Aufbau weitgehend dem Chlorophyll der Pflanzen, welches mit Hilfe des Sonnenlichts Sauerstoff abspaltet und mit dessen Energie die Photosynthese bewirkt, eine Speicherung von Lichtenergie in organischen Molekülen als Antriebskraft allen Lebens. Der Unterschied des Hämoglobins zum Chlorophyll besteht im wesentlichen nur in den zentralen Atomen: Beim Hämoglobin ist es Eisen, beim Chlorophyll Magnesium.

Die roten Blutkörperchen sind größer als der Durchmesser der Blutkapillaren, in welchen sie ihre Sauerstoff-Fracht abgeben. Sie bewegen sich dabei aktiv, wie ablaufende Panzerketten, durch die Kapillaren hindurch; das dient vermutlich dem Zweck, dabei durch „Umrühren“ die in ihnen enthaltenen Hämoglobinmoleküle alle einmal an die Oberfläche zu bringen, so dass diese möglichst vollständig und effektiv ihre wertvolle Sauerstoffladung an die Kapillarwände abgeben. Dort wird der Sauerstoff dann von hochungesättigten Fettsäuren abgenommen und durch die Kapillarwände hindurch weitertransportiert.

Beim Bluthochdruckkranken sind diese roten Blutkörperchen viel stärker mit Hämoglobin gefüllt. Sie tun sich deshalb weitaus schwerer beim Weg durch die Blutkapillaren, die zudem verengt, verhärtet und weniger elastisch sind. Die Blutfließgeschwindigkeit kann sich durch alle diese hinderlichen Umstände so weit verringern, dass ein Unterschied wie beim Umsteigen vom Schnellzug auf ein Fahrrad besteht. Forschungen an der Universität Homburg/Saar konnten diesen Unterschied am lebenden Organismus in mikroskopischen Filmaufnahmen sichtbar machen.

Die erhöhte Viskosität und Klebrigkeit der Blutflüssigkeit bewirkt, dass die roten Blutkörperchen aneinander zu kleben beginnen. Es kommt zur „Geldrollenbildung“, die im Mikroskop sichtbar ist.

Dadurch, und wegen der verringerten Blutfließgeschwindigkeit, sinkt die Sauerstoffversorgung der Gewebe und Zellen ab. Diese leiden unter Sauerstoffmangel und melden es an die Zentrale. Diese veranlasst – wie beim Aufenthalt in größeren Höhen mit geringerem Sauerstoffdruck – eine Vermehrung der roten Blutkörperchen, was die Fließproblematik nur noch verschlimmert.

Der Dickflüssigkeit des Blutes beim Bluthochdruckpatienten versucht die Medizin neuerdings zu begegnen, indem sie Salizylsäurepräparate zusammen mit Vitamin C verordnet. Das macht das Blut etwas dünnflüssiger. Allerdings sind damit erhebliche Gefahren verbunden. Nach Verletzungen dauert es länger, bis Blutungen zum Stillstand kommen, und innere Blutungen nach stumpfen Stoßeinwirkungen können einen gefährlichen Umfang annehmen – Gefahren, die auch schon bei den bisherigen gerinnungshemmenden Medikationen bestanden.

Darüber hinaus haben wir festgestellt, dass es bei der Präparation von Zähnen unter Salizylsäurepräparaten mit Vitamin C zu inneren Blutungen in diesen Zähnen in einer Weise kommen kann, dass der rote Blutfarbstoff aus den roten Blutkörperchen austritt und durch die winzigen Dentinkanälchen hindurch (30.000 Kanälchen pro Quadratmillimeter!) den ganzen Zahn bis nach außen hin durchdringt, sodass er eine rosa Farbe annimmt. Das deutet darauf hin, dass es sich bei dieser Medikation keineswegs um einen harmlosen Eingriff handelt – der bei längerer Anwendung nach neuen Erkenntnissen sogar grauen Star auslösen kann.

Jetzt wissen wir soviel, dass wir erkennen können: Die Erhöhung des Blutdrucks ist primär kein „Versagen“ der Regulation unseres Organismus, sondern im Gegenteil eine höchst zweckmäßige Regulationsmaßnahme, um trotz verengter Blutgefäße und trotz dickflüssiger gewordenen Blutes die Versorgung aller Gewebe und Körperzellen mit Sauerstoff und Nährstoffen und die Entsorgung von Stoffwechselabbauprodukten und Kohlendioxid sicherzustellen. Dies natürlich in der „Hoffnung“, dass es sich um eine vorübergehende Notmaßnahme handelt, und dass bald wieder normale Verhältnisse einkehren werden.

Dass dem nicht so ist, daran sind die Betroffenen unwissentlich selbst schuld. Erst das lange Bestehen dieser Ausnahmesituation und die außerdem vorgenommenen falschen, verschlimmernden medikamentösen Eingriffe führen dann zu den weiteren Entgleisungen der Abläufe.

Um ganz an den Ursprung und Anfang der Ursachenkette vorzudringen, müssen wir jetzt noch erkunden, woher die Substanzen kommen, welche in die Basalmembranen eingelagert sind, zur Vermehrung der Blutzellen führen und das Blut dickflüssiger machen. Irgendwo her müssen sie stammen – entweder aus dem inneren Stoffwechsel, oder aus dem, was der Organismus von außen zugeführt erhält. Und es muss in einer Weise ablaufen, die dem Organismus nicht erlaubt, diese Substanzen wieder abzubauen, auszuscheiden oder sonst irgendwie loszuwerden.

Bedeutendste Grundursache ist die unnatürliche Zivilisationskost

Alle Stoffe, aus welchen unser Organismus besteht, sind ihm mit der Nahrung zugeführt und über seinen „Stoff-Wechsel" in körpereigene Substanzen umgewandelt worden. „Assimilation" nennt der Wissenschaftler diesen Vorgang.

Längere Zeit lebte die Wissenschaft in der Vorstellung, dass unser Organismus in der Lage sei, aus jeglicher Nahrung die Substanzen herzustellen, die er braucht, und dass es möglich sei, sich an jede Art von Nahrung „anzupassen". Folgerichtig – genauer als Schlussfolgerung aus dieser Auffassung – galt als weiterer schulmedizinischer Lehrsatz (teils bis heute!), dass „Krankheiten nichts mit Ernährung zu tun haben".

Diese beiden Meinungen hätten spätestens dann zusammenbrechen müssen, als die ersten Vitamine entdeckt wurden, deren Mangel (ungenügende Zufuhr) Krankheiten auslösen kann. Dies wurde jedoch verhindert durch eine wissenschaftlich unerlaubte Übertragung von Prinzipien der pharmakologischen Wissenschaft auf die Ernährungslehre.

Bei Arzneimitteln – und allen künstlich erzeugten oder manipulierten natürlichen Substanzen, auch z.B. den mechanisch, durch Extraktion, Hitze, Bestrahlung oder gentechnisch veränderten Lebensmitteln – ist es ein wichtiges und gutes Prinzip (das leider meistens nicht beachtet wird), nur jene zur Anwendung zu bringen, welche in ihren Auswirkungen nicht nur auf das Individuum, sondern auch auf die nachfolgenden Generationen als sicher und unschädlich – nicht nur in vitro (im Labor), sondern auch in vivo (am lebenden Organismus) – geprüft und bestätigt sind.

Gibt man jedoch als Nahrung nur jene Substanzen aus der Vielfalt des natürlichen Angebotes, welche in ihren Wirkungen erforscht sind, so kann man sicher sein, eine krankmachende Mangelkost vor sich zu haben. Denn es ist noch lange nicht alles erforscht, was unser Organismus oder irgend ein anderes Lebewesen brauchen, um gesund heranzuwachsen, gesund zu bleiben und gesunden Nachwuchs über die Generationen hinweg zu haben.

Es ist geradezu beschämend für die sich als so allwissend gebende Ernährungswissenschaft, dass selbst beim Grundnahrungsmittel Weizen erst 91 % der Inhaltsstoffe erforscht sind. Bei anderen Lebensmitteln sieht es noch weit dünner aus. Ebenso sind sich weder Ernährungswissenschaft noch Medizin über den Tagesbedarf des Menschen auch nur an dem erforschten Teil der Substanzen und Spurenelemente einig.

Außerdem sind die bekannten Substanzen nur sehr lückenhaft auf ihr Vorkommen selbst in den am häufigsten verwendeten Lebensmitteln untersucht, wie man beim Studium der einschlägigen wissenschaftlichen Tabellen feststellen muss.

Die Stoffe, welche die Gefäßwände verdicken und das Blut dickflüssiger machen, stammen aus der heutigen, von der „Ernährungswissenschaft" empfohlenen, teils denaturierten, teils außerdem im Gegensatz zur genetischen Programmierung des Menschen stehenden Zivilisationskost.

Am gefährlichsten: Eiweiß-Überschüsse!

Es handelt vor allem um Eiweißüberschüsse, die durch den hohen Anteil an tierischem Eiweiß mit der heutigen Ernährung zugeführt werden. Fleisch, Wurst, Fisch, „Meeresfrüchte", Ei, Milch, Milchprodukte, Käse sind die hauptsächlichen Quellen. Während noch vor 40 Jahren von Wissenschaftlern (die z.B. von der Fischindustrie Forschungsaufträge erhielten) die Auffassung vertreten wurde, der Mensch brauche eine Zufuhr von 200 g Eiweiß pro Tag, hat die „geltende" wissenschaftliche Meinung in Deutschland vor 20 Jahren bei 65 g Eiweiß pro Tag gestanden, um dann weiter auf 55 g abgesenkt zu werden.

Die FAO (Welternährungskommission in Rom) vertritt allerdings schon seit einem halben Jahrhundert die Auffassung, dass das Eiweißminimum bei 35 g pro Tag liegt. Dieses wird von der FAO gleichzeitig als Optimum gesehen, das heißt, größere Tagesmengen sind schon wieder ungünstiger. Die Angaben der FAO beruhen auf deren weltweiten Erfahrungen mit jenen Millionenbevölkerungen, die zum Teil am Rande des Existenzminimums leben, jedoch nicht unterernährt sind.

Interessant ist in diesem Zusammenhang auch die Erfahrung mit der Ernährung der deutschen Bevölkerung im Zweiten Weltkrieg. Zuständig dafür war Prof. Dr. H. A. Schweigart, unterstützt von dem jungen französischen Eiweißforscher Frédéric Stahl, der für ihn die Eiweißberechnungen machte. Stahl hatte herausgefunden, dass die Ernährungswissenschaft einen primitiven Denkfehler im Bezug auf Eiweiß gemacht hatte:

Man wusste zwar, dass der Mensch bestimmte Aminosäuren, die er zum Aufbau seines Körpereiweißes braucht, nicht selbst aus den anderen Aminosäuren herstellen kann, sondern sie mit der Nahrung zuführen muss. Diese nannte man deshalb „essentielle" Aminosäuren.

Jedoch untersuchte man nur, in welchen einzelnen Nahrungsmitteln alle essentiellen Aminosäuren gleichzeitig ausreichend vorkommen, und bezeichnete diese dann als für die Eiweißversorgung des Menschen unentbehrlich. Da nur in tierischen Nahrungsmitteln alle essentiellen Aminosäuren gleichzeitig ausreichend vorkommen, hielt man irrtümlicherweise tierische Nahrung als für den Menschen erforderlich.

Man hatte in typisch monokausal beschränkter Denkweise übersehen, dass der Mensch nicht nur von einem einzigen Nahrungsmittel lebt, sondern über den Tag oder mehrere Tage hinweg eine Vielzahl verschiedener Nahrungs- und Lebensmittel aufnimmt, die zwar jedes einzeln für sich betrachtet Mangel an einer oder zwei Aminosäuren haben mögen, sich aber ebenso gut in ihrem Aminosäurenangebot ergänzen können.

Genau diese Kombinationen berechnete Frédéric Stahl und fand Erstaunliches. Es zeigte sich, dass schon die Kombination des Eiweißes grüner Blätter mit dem des Weizens einen höheren „biologischen Grundeffekt" (Prozentsatz des zum Aufbau von vollwertigem Körpereiweiß nutzbaren Aminosäurenpools in der Nahrungsmittelkombination) hat als z.B. Milch. Noch hochwertiger wird die rein pflanzliche Nahrung in ihrem Eiweißgehalt, wenn drei Komponenten einbezogen werden, z.B. Hülsenfrüchte, Getreide und Blattsalate.

Als „Clou" ergab sich dabei, dass bei rein pflanzlicher Ernährung nicht nur die Eiweißversorgung vollwertig, sondern die Versorgung mit der halbessentiellen, für die Funktion des Gehirns unentbehrlichen Glutaminsäure um bis zu 40 % besser ist als bei der in Europa und USA üblichen gemischten Kost. In einem Buch, zu welchem ich Stahl anregte und es dann verlegte, schrieb er 1977: „Was dies bedeutet, haben die Japaner bereits gezeigt und sind die Chinesen im Begriffe zu zeigen!".

Unter der von Prof. H. A. Schweigart und Frédéric Stahl für die deutsche Bevölkerung im Zweiten Weltkrieg gesteuerten Ernährung war dann z.B. der Herzinfarkt so selten, dass die meisten Medizinstudenten während ihres ganzen Studiums keinen zu sehen bekamen. Heutzutage ereignen sich jährlich hunderttausende. Auch Diabetes Typ II gab es kaum.

Nach dem zweiten Weltkrieg gründete Prof. Dr. H. A. Schweigart die Internationale Gesellschaft für Nahrungs- und Vitalstoff-Forschung und Zivilisationskrankheiten, auf deren Kongressen Wissenschaftler aus der ganzen Welt zusammentrafen und Resolutionen zu bestimmten Themen der Gesundheit und Umwelt erarbeiteten. Diese wurden von der Gesellschaft jeweils allen Regierungen zugestellt mit dem Ziel, die Ausbreitung von Zivilisationskrankheiten zu verhindern. 1962 wurde ich selbst in deren Wissenschaftlichen Rat berufen aufgrund meiner Anstrengungen, den Gebissverfall der Jugend durch wissenschaftlich fundierte Wiederherstellung der natürlichen Gesundheitsgrundlagen zu stoppen (gleichzeitig wurde ich aus demselben Grund von meinen Kollegen und der Standesorganisation heftig angegriffen und verfolgt).

Die kurz „Vitalstoffgesellschaft" genannte Organisation Prof. Schweigarts verfügte über hochkarätige Wissenschaftler, darunter mehrere Nobelpreisträger, weiter z.B. Prof. Alfred Fleisch, Leiter der Schweizerischen Kriegsernährungskommission, Dr. A. Roos, der im Gomstal den Gebissverfall nach dem Bau der Furka-Bahn (Einführung der Zivilisationskost) dokumentiert hatte, Prof. Dr. Toivo Rautavaara, wissenschaftlicher Berater der finnischen Regierung, Prof. Frédéric Vester, und viele andere. Auch Frédéric Stahl war Mitglied. Trotzdem fruchteten die Appelle der Wissenschaftler an die Regierungen ebenso wenig, wie mein Brief 1964 an den Gesundheitsausschuss des Deutschen Bundestages und alle ca. 1800 Parlaments- und Regierungsmitglieder von Bund und Ländern, in welchem ich vor dem Anstieg der ernährungsbedingten Zivilisationskrankheiten warnte und Wege aufzeigte, diese zu verhüten.

Heute, ein halbes Jahrhundert später, sind diese Warnungen Realität geworden. Selbst die Sozialversicherung reichte nicht mehr aus, die Kosten dieser Krankheiten zu tragen; eine Pflegeversicherung musste her. Gleichzeitig ging der deutschen Wirtschaft durch die hohen Lohnnebenkosten internationale Konkurrenzfähigkeit verloren (wie von mir 1964 vorhergesagt). 5-8 Millionen Deutsche sind inzwischen arbeitslos und die Regierung ist weitgehend ratlos – weil sie nicht rechtzeitig auf den Rat wirklicher und unabhängiger Experten hörte und es noch heute nicht tut.

Warum berichte ich dies alles an dieser Stelle, wo es um die Gefährlichkeit der Eiweiß-Überschüsse geht? Weil mit diesen – und ihren negativen Folgen – besonders große wirtschaftliche und politische Machtinteressen verknüpft sind und es ein besonders gutes Beispiel dafür ist, dass Ihre Gesundheit niemanden interessiert außer Ihnen selbst. Die Gesundheit des Einzelnen ist vielmehr ein Spielball großer wirtschaftlicher und politischer Machtinteressen. Niemand von den Großen, Mächtigen, Einflussreichen in diesem Monopoly-Spiel hat Anlass, Ihnen zu erlauben, Ihre Gesundheit wieder zu erlangen. Könnte dies doch bedeuten, dass Sie dazu die wirklichen Hintergründe erfahren müssten, warum Sie bisher in dem Glauben gehalten wurden, Ihre Krankheit sei chronisch und unheilbar, deren Ursachen seien noch nicht erforscht, und Sie müssten deshalb damit leben bis an Ihr Ende.

Sie haben nur eine Chance, Ihr chronisches Zivilisationsleiden zu überwinden und wieder gesund zu werden: Nehmen Sie Ihr Schicksal selbst in die Hand. Dann finden Sie auch andere, die Ihnen dabei helfen – z.B. einen Arzt, eine Ärztin, einen Heilpraktiker oder eine Heilpraktikerin, die sich selbst schon einen tieferen Einblick in diese Zusammenhänge erarbeitet haben, oder vielleicht auch nur „im selben Boot“ wie Sie sitzen, selber genau so oder noch mehr gefährdet sind, und – von Ihnen dazu angeregt – jetzt selbst erfahren wollen, wie real die Zusammenhänge sind, über welche dieses Buch berichtet.

Es ist insbesondere das Verdienst von Prof. Dr. Lothar Wendt, der Chefarzt des Elisabethen-Krankenhauses in Frankfurt/Main war, die Eiweißüberschüsse in der Nahrung als die Hauptursache der Gefäß-, Blut- und Gewebeveränderungen nachgewiesen zu haben, die dann zu Bluthochdruck, Herz- und Kreislaufkrankheiten, Sauerstoffmangel in Geweben und Organen, und zu einer Reihe weiterer Erkrankungen führen.

Einen zusätzlich ungünstigen Einfluss üben die isolierten Kohlenhydrate aus (Auszugsmehle, Stärken, Zuckersorten); zum Teil finden sie sich als Verbindungen mit Eiweiß in Form der sogenannten Mucopolysaccharide in den verdickten Gefäßwänden eingelagert wieder.

In solchermaßen veränderten Blutgefäßen kommt es dann auch zu einem Rückstau an Cholesterin, das durch die verdickten Gefäßwände hindurch nicht mehr genügend abfließen kann. Ein erhöhter Blutcholesterinspiegel ist also nicht eine Ursache der Herz-Kreislauf-Krankheiten, sondern nur eine weitere Folge und ein Symptom der krankhaften Gefäßveränderungen, welche durch die eigentlichen, tiefer liegenden Grundursachen ausgelöst wurden.

Der Eiweißüberschuss ist weiter die Ursache für die Vermehrung des Bluteiweißgehaltes, die Vermehrung der Blutzellen und die stärkere, pralere Füllung der roten Blutkörperchen – was alles zur Erhöhung der Blutviskosität („Blutverdickung“) und der Blutgerinnungsneigung beiträgt.

Die Eiweißüberschüsse lagern sich auch in den zarten Geweben zwischen den Blutkapillaren und den Körperzellen ein, die Interstitium (Zwischenraum) genannt werden. Hierdurch vergrößern sich die Transportstrecken zwischen den Blutkapillaren und den Körperzellen bis zum 15-fachen. Dieses bewirkt eine Verlängerung der Transportzeit für alle Substanzen in beiden Richtungen, und zwar im Quadrat, das heißt, es kann bis 225 mal länger als normal gehen, bis etwas ankommt.

Das bedeutet zum Beispiel praktisch: Wenn der Transport eines Sauerstoffmoleküls von der Blutbahn bis in eine Muskelzelle beim Gesunden 10 Sekunden braucht, verlängert sich diese Zeit bis auf 2250 Sekunden, das sind 37 ½ Minuten! Das hat zur Folge, dass die Muskeln schon bei geringen Anstrengungen unter Sauerstoffmangel leiden. Sie gewinnen dann ihre Energie nicht mehr durch „Verbrennung" der Kohlenhydrate zu Kohlendioxid und Wasser – sondern notgedrungen durch anaerob-glykolytischen Abbau. Dessen Endprodukt ist nicht mehr ausatembares Kohlendioxid, sondern Milchsäure, die flüssig ist und im Gewebe lange Zeit liegen bleibt.

Das trägt nicht nur zur weiteren „Übersäuerung" des gesamten Stoffwechsels bei, die schon durch die Harnsäure, Abbauprodukt tierischen Eiweißes, erzeugt wird. Es fördert auch ein Stoffwechselmilieu, in dem die gesunden Körperzellen unter Sauerstoffmangel leiden und in der Selbstverteidigung deshalb behindert sind, während Krebszellen sich wohl fühlen können – denn für sie ist anaerob-glykolytisch „normal"!

Die schon bei geringen Anstrengungen in den Muskeln entstandene Milchsäure bleibt in diesen liegen und ist die Hauptursache für den sogenannten „Muskelkater", der so lange weh tut, bis die Milchsäure allmählich abtransportiert werden konnte. Wer also leicht zu Muskelkater neigt, dessen Stoffwechsel ist bereits in die anaerob-glykolytische Richtung verschoben. Er sollte dies als wichtiges Warnzeichen beachten und entsprechende Konsequenzen für seine Ernährungsweise ziehen.

Wie real sich diese Gegebenheiten auswirken, lässt sich bei Hochleistungssportlern besonders deutlich beobachten – sie gehen im Wettkampf jeweils bis an ihre individuelle Leistungsgrenze. Es war im Jahre 1979, als der Trainer der Österreichischen Nationalmannschaft im Skifliegen, Prof. Baldur Preiml, nach Möglichkeiten einer zusätzlichen Leistungssteigerung suchte.

Schon bisher hatte er mit seiner Mannschaft das Übliche ausgeschöpft: Intensives frühes Training, und sogar psychologische Kurse. Aber das machten die meisten anderen Mannschaften auch so. Es musste also etwas Zusätzliches sein. So kam er auf die Ernährung, kontaktierte mich und bat mich um einen Kurs für seine Mannschaft in einer meinen Erkenntnissen entsprechenden naturgemäßen Hochleistungskost für Sportler. Dieser Kurs fand dann im Schwarzwald im Sommer 1979 statt.

Die Ergebnisse waren beachtlich. Als die Saison mit der Vierschanzentournee durch die Alpenländer begann, wurden die Österreicher Sieger. Anschließend fanden die Olympischen Winterspiele in Lake Placid statt. Auch hier siegten die Österreicher. Was aber das Eindrucksvollste war: Dort waren unter den 10 weltbesten Skifliegern 5 Österreicher!

In der nächsten Saison fand dann Prof. Preiml, dass in der von mir angegebenen Kost doch arg wenig Eiweiß enthalten sei, und Sportler hätten doch mehr Eiweiß als Normalbürger nötig. So „verbesserte" er meine Hochleistungskost vermeintlich, indem er zu dem Frischkornmüsli am Morgen etwas „Topfen" (der österreichische Ausdruck für Quark) beifügte. Damit war der Traum vom Siegen in dieser Saison bereits vorbei! Der geringe Eiweißüberschuss, die geringe Verlängerung der Transportstrecken und -zeiten für Sauerstoff und Energieträger, hatten bereits genügt, um die Skiflieger in die Masse der Konkurrenz zurückzuwerfen.

Positive Erfahrungen machte auch der von mir beratene Supermarathonläufer Bernhard Schöneck, der vorher Probleme mit den Knien hatte und mit der Zufuhr der großen Kalorienmengen, die für einen 24-Stunden-Lauf gebraucht werden. Nachdem er auf meine Empfehlung die Kost umgestellt und damit ein Jahr lang trainiert hatte, gewann er die belgischen Meisterschaften, indem er in 24 Stunden 249 km lief. Den „zweiten Sieger" den vorherigen belgischen Meister, ließ er 41 km hinter sich!

Die Verlängerung der Transportstrecken und -zeiten durch Eiweißeinlagerungen gelten auch für Hormone. Sie sind z.B. ein Hauptgrund für die starken Blutzuckerschwankungen beider Diabetes-Arten. Es kommt hinzu, dass Eiweißüberschüsse auch zur Verdickung der Zellmembranen führen, in welchen die Hormonrezeptoren sitzen. Diese Empfangsantennen für die Hormonbotschaft verschwinden in der Eiweißschicht, die Hormonbotschaft des Insulins kann nicht mehr empfangen werden. Diese Hauptursache des Altersdiabetes und der sogenannten Spätfolgen beider Diabetestypen wird dann auch noch als eiweißreiche Diabetesdiät verordnet – die sicherste Methode, eine Gesundung zu verhindern!

Wen wundert es da noch, dass eine Krankheit als unheilbar eingestuft wird und sogenannte Spätfolgen aufweist – Erblindung, Gliedmaßenverlust durch Gefäßverschluss-Diabetesgangrän, Bluthochdruck und Weiteres – wenn exakt ihre Hauptursache und die ihrer sogenannten Spätfolgen verstärkt als Diät für diese Krankheit verordnet wird. (Den Komplex Diabetes habe ich in einem Buch mit dem Titel „Diabetes heilen" behandelt).

Im Unterhautbindegewebe findet die massivste – und gleichzeitig harmloseste – Einlagerung der Eiweißüberschüsse statt. Deshalb ist dieses bei Gesunden dünn und beim eiweißüberschüssig Ernährten oft viele Zentimeter dick (zu messen an der Dicke einer Hautfalte an Bauch und Po).

Die Rolle des Kochsalzes

Den Bluthochdruckkranken wird häufig empfohlen, salzarm zu essen, weil man weiß, dass Kochsalz ihren Blutdruck weiter erhöht. Allerdings gibt es auch schon warnende Stimmen gegen eine zu weit gehende Einschränkung des Kochsalzes. Denn Salz verlangt zur Aufrechterhaltung der physiologischen Kochsalzkonzentration im Blut und in den Geweben auch nach mehr Wasser, und Wasser macht wieder das dicke Blut dünnflüssiger. Ganz ohne Salz könnte die Gefahr bestehen, dass das ohnehin zu wenig fließfähige Blut noch dickflüssiger wird.

Warum Kochsalz indessen beim Gesunden keine Blutdruckerhöhung bewirkt, darüber hatte man bisher keine Vorstellungen. Der Grund wird erst durch die Kenntnis der Eiweißeinlagerungen als Ursache des Bluthochdrucks verständlich.

Eiweiß und Mucopolysaccharide haben hohe Wasserbindefähigkeiten. Wie ein Schwamm können sich diese Substanzen voll Wasser saugen.

Die Kochsalzkonzentration in den Gewebeflüssigkeiten und im Blut ist 0,9 %. Das bedeutet, dass 9 g Salz einen Liter Wasser binden. Wenn tierisches Eiweiß in Form von Fleisch, Wurst, Fisch, „Meeresfrüchten", Milch, Käse, Ei zugeführt wird, so ist diesem in aller Regel auch reichlich Salz zugefügt worden, weil es sonst fade schmecken würde.

Werden nun gleichzeitig Eiweiße und Salz aufgenommen, so vervielfacht dieses die Wasserbindefähigkeit des Körpers. Soweit das im Unterhautbindegewebe stattfindet, erhöht sich vor allem das Körpergewicht um teils viele Kilogramm. Menschen mit schwerem Übergewicht, wie man in den USA viele sieht und wie sie auch in Europa zunehmen, tragen vor allem große Mengen Wasser mit sich herum, das in ihrem großen Eiweiß-

Schwamm gebunden ist. Erzeugt haben sie diesen vor allem mit Steaks, Hamburgern, süßen Limonaden und Eiscremes. Fett ist es weniger. Deshalb helfen auch die kalorienarmen Diäten, bei welchen mehr Fleisch und weniger Kohlenhydrate verwendet werden, so wenig – die Hauptursache des Übergewichts, der Eiweißschwamm, wird dadurch kaum verringert, sondern eher noch vergrößert.

Bei diesen eiweißreichen Diäten entsteht ein Abbau erst dann, wenn die Kalorienreduzierung so stark ist, dass der Körper aus Energiemangel und Kohlenhydratmangel verstärkt Eiweißsubstanzen zur Energiegewinnung nutzen muss. Dabei kommt es aber zu vermehrter Ketonkörperbildung, was einem Vorstadium des Diabetes entspricht (prädiabetischer Zustand). Dieser Zustand kann auch Appetitlosigkeit erzeugen, wodurch es dann zu einem gefährlichen und rasanten Abbauprozess kommt, aus dem teilweise der Ausstieg nicht mehr gelingt, sodass die Sache mit nachhaltigem Kräfteverfall und manchmal dem Tod endet.

Die Gefahr des Kochsalzkonsums besteht beim Bluthochdruckkranken darin, dass das zugeführte Salz auch ein Anschwellen der in der Basalmembran der Kapillaren eingelagerten Eiweißüberschüsse und der an den Gefäßwänden angelagerten Mucopolysaccharide bewirkt. Dadurch wird der Innendurchmesser noch enger, und womöglich quillt das Gefäß ganz zu. Dann haben wir die Bescherung: Herzinfarkt, Gehirnschlag, Embolie, Diabetesgangrän („Zuckerbrand") sind die möglichen, sofort unwiderruflich eintretenden Folgen.

Auch die Endangiitis obliterans, das Absterben von Endgliedmaßen (den Fingern und Zehen) durch völligen Gefäßverschluss, über deren Ursache viel gerätselt wurde, hat denselben Entstehungsmechanismus (eine zusätzliche Rolle könnte hier nach meinen Erfahrungen am Patienten eine chronische Amalgamvergiftung spielen).

Das sind die Gründe, warum viel Kochsalz – aber ebenso das völlige Vermeiden von Salz – für den Bluthochdruckkranken so viel gefährlicher ist als für den Gesunden. Ein zu hoher Salzkonsum wird außerdem als einer der Risikofaktoren für Krebs angesehen.

Menschen, die viel salzen und gleich zum Salzstreuer greifen, bevor sie das Essen auch nur probiert haben, sind meistens Raucher. Diese haben ihre Geschmackspapillen durch den Rauch so stark geschädigt, dass alles fade schmeckt – nur starkes Salzen erzeugt noch so etwas Ähnliches wie eine Geschmacksempfindung. Rauchen erhöht übrigens das Risiko fataler Herz-Kreislauf-Ereignisse zusätzlich!

Stress – eine zusätzliche Mitursache

Stress ist gleichbedeutend mit einer Alarmsituation für den Organismus, in welcher alle seine Systeme in Bereitschaft für Flucht, Angriff, Arbeit, Leistung gehen.

Im ursprünglichen Leben unserer Ahnen folgte auf eine solche Situation meist auch die entsprechende Aktion, so dass die bereitgestellten Substanzen verbraucht wurden. Zumindest aber war ihr Leben so sehr von körperlichen Aktivitäten erfüllt, dass die Verarbeitung von Stress-Situationen und in diesen produzierten Hormonen und sonstigen Stoffwechselprodukten gesichert war.

Anders im heutigen modernen Zivilisationsleben. Auf der einen Seite haben sich die Stress-Situationen vervielfacht – und auf der anderen Seite lassen sie sich kaum mehr durch körperliche Aktionen auflösen. Die Aktivitäten sind längst weit unter jenes Minimum abgesunken, das eine Verarbeitung von durch Stress entstandenen Stoffen erlauben würde.

Außerdem werden viele Menschen durch ihre ebenfalls gestressten, teils körperlich und psychisch kranken Mitmenschen, durch Vorgesetzte, Kollegen, Partner, Behörden, Konkurrenten und die Gesellschaftsstruktur an sich unter Dauerstress gesetzt. Dieses Umfeld bringt viele Menschen in unerfreuliche, ärgerliche, bedrückende, deprimierende, beängstigende, entwürdigende, bedrohliche, ausweglose Situationen, in welchen sie gefangen sind und aus welchen sie sich nicht befreien können.

Manche dieser Quälgeister scheinen ein geradezu krankhaftes, sadistisches Bedürfnis zu verspüren, anderen solche Pein zu bereiten. Dass die Fachausdrücke „Mobbing“ und „Ponerologie“ entstanden, spricht Bände. Der Organismus der Gequälten produziert ständig Stresshormone, stellt sich fortwährend darauf ein, dass im nächsten Augenblick eine explosionsartige Kraftentfaltung zur Befreiung aus dieser Situation erforderlich werden könnte – ohne dass es je zu solcher Entladung kommt. Höchstens, dass der frustrierte Mensch von der Arbeit nach Hause kommt und am unschuldigen Lebenspartner auslässt, was er dem Arbeitskollegen oder Vorgesetzten gerne an den Kopf geworfen hätte – es aber nicht konnte, weil es ihn vielleicht den Arbeitsplatz gekostet hätte.

Umgekehrt läuft es oft ähnlich: Ein von seinem Ehepartner gestresster Mensch geht zur Arbeit – und lässt dort an seinen unschuldigen Kollegen und Untergebenen seine Aggressionen aus, die er zuhause nicht loswerden konnte – weil es sonst dort noch mehr Ärger gegeben hätte und der Haussegen noch schiefer hängen würde.

Der schädliche Stress, wissenschaftlich als Dysstress bezeichnet, wird zu einer zusätzlichen Mitursache des Bluthochdrucks und der Herz- und Kreislaufkrankheiten. Er bewirkt eine Vermehrung der roten Blutkörperchen und eine Ausschüttung des Nebennierenhormons Adrenalin, das die Blutgefäße in allen Organen und Körpergeweben verengt, die in einer solchen akuten Stress-Situation nicht gebraucht werden. Dadurch kann das Blut vermehrt dort angeboten werden, wo im Stress überdurchschnittlicher Sauerstoff- und Energiebedarf besteht („Zentralisation des Kreislaufs“). Diese Reaktion, so nützlich und sogar lebensrettend sie in einer Not- und Gefahrensituation sein kann, wirkt als Dauerzustand schädlich.

Unter Dysstress entsteht eine flache, ungenügende Atmung. Der Atem wird fast angehalten in der unbewussten Erwartung, dass die gefährliche Situation sich gleich entladen wird; „atemlos“ wartet der Gestresste, was wohl jetzt passieren wird. Aber es passiert nichts, er kann nicht reagieren, die ungelöste Anspannung besteht fort. Er kann daher nicht den erlösenden Moment erreichen, in dem er wieder „frei durchatmen“ kann.

Der so entstehende Sauerstoffmangel führt zu einer weiteren Vermehrung der roten Blutkörperchen in dem Bestreben, mehr Sauerstoff in die Gewebe zu transportieren. Da dieses aber durch die flache Atmung und die Verklebung zu vieler roter Blutkörperchen verhindert wird, führt auch Dysstress in den Teufelskreis der „Blutverdickung“ hinein.

Ganz gefährlich wird die Situation, wenn der solchermaßen gestresste Mensch sich auch noch eiweißreich ernährt und seine Nahrung außerdem isolierte Kohlenhydrate enthält (Auszugsmehle und industriell hergestellte raffinierte Zuckersorten). Geradezu selbstmörderisch wird sie, wenn der Gestresste dann auch noch raucht.

Die Gefährlichkeit des Rauchens bei Bluthochdruck

Tabakrauch enthält Nikotin, ein Suchtgift, das zunächst die Blutgefäße erweitert. Das ist einer der Gründe für die anfänglich auftretenden angenehmen Gefühle. Danach aber bewirkt Nikotin für einen wesentlich längeren Zeitraum eine Gefäßverengung. Das löst unangenehme Gefühle und das Verlangen nach der nächsten Zigarette aus. Wenn die Blutgefäße ohnehin schon durch die vorher beschriebenen Umstände verengt sind, kann jetzt die nikotinbedingte zusätzliche Verengung einen Gefäßverschluss auslösen – einen Herzinfarkt, einen Hirnschlag, eine Embolie.

Es kann auch zum Absterben eines großen Gewebebezirks durch Verschluss des versorgenden Blutgefäßes an den Beinen kommen („Raucherbein"), sodass ein Bein amputiert werden muss. Eines der prominenten Opfer unter Millionen Namenlosen war der erste Bundespräsident Deutschlands, Theodor Heuss. Als sein Bein dann amputiert war und er aus dem Krankenhaus entlassen wurde, schrieb die Presse: „Jetzt raucht er wieder ...".

Nikotin ist ein so gefährliches Gift, dass es tödlich wirken kann, wenn nach einer Zahnextraktion sofort geraucht wird und das Gift direkt mit Nervenrezeptoren in der noch offenen Wunde in Berührung kommt.

Was weniger bekannt ist: Die vielleicht gefährlichste, weil jeden Raucher heimsuchende Wirkung des Tabakrauchs hängt mit seinem Gehalt an Kohlenmonoxid zusammen. Der Tabak wird beim Rauchen nicht etwa sauerstoffreich verbrannt, sondern sauerstoffarm verschwelt. So entstehen auch die krebserregenden Teerstoffe, und statt Kohlendioxid wird wegen Sauerstoffmangel das Kohlenmonoxid gebildet. Dieses – von der Leuchtgasvergiftung her bekannte – Gas hat eine stärkere Bindungsfähigkeit an den roten Blutfarbstoff Hämoglobin als der Sauerstoff. Das bedeutet, dass mit Kohlenmonoxid verbundenes Hämoglobin für die Atmung unbrauchbar geworden ist, weil es keinen Sauerstoff mehr transportieren kann. Es muss daher vom Organismus so rasch wie möglich aus dem Blutkreislauf entfernt werden, um Platz für neue rote Blutkörperchen mit frischem, unbeschädigtem Hämoglobin zu machen.

Das durch Kohlenmonoxid unbrauchbar gewordene Hämoglobin wird deshalb zunächst in der Basalmembran der Blutgefäße „zwischengelagert". Dort verstärkt es die Gefäßwandverdickung, die meist schon durch Eiweißüberschüsse entstanden ist. Bei dauerndem allgemeinem Eiweißüberschuss bleibt es dort auch liegen und sammelt sich immer mehr an.

Auf diese Weise kann Rauchen „das volle Fass zum Überlaufen bringen". Es ist eine weitere Mitursache des Bluthochdrucks, jenes durch Messung feststellbaren Alarm- und Warnzeichens vor der häufigsten Lebensgefahr des modernen Zivilisationsmenschen. In den USA gab es wegen der Krankheitsfolgekosten des Rauchens Milliardenprozesse Geschädigter gegen die Hersteller der von ihnen gerauchten Zigaretten.

Bewegungsmangel

Der Mangel an Bewegung ist für den Zivilisationsmenschen fast absolut geworden. Höhenunterschiede werden mit dem Lift, Strecken mit einem Fahrzeug zurückgelegt, und die Arbeit ist heute auch meist geistiger Natur. Der vor dem Computerbildschirm sitzende Mensch bewegt nur noch seine Finger. Die schwersten Gegenstände, die er hebt, sind Papierbogen, seine Brille, das Mikrofon des Diktiergeräts und sein Telefonhörer.

Nicht nur, dass deshalb aufgestaute Stress-Substanzen nicht abgearbeitet werden können. Es fehlt auch an ausreichender Leistungsanforderung, um Muskelgewebe, Knochenstruktur und Kreislauf fit zu erhalten. Alle nicht beanspruchten Gewebe und Organe bauen ab. Daher sinken Gesundheits- und Fitnesszustand allmählich, so dass schon geringe Beanspruchungen schließlich eine Überforderung darstellen. Sie werden deshalb meist unterlassen. Das führt in einen Circulus vitiosus des körperlichen Verfalls.

Dabei entsteht auch ein Mangel an „Gefäßputzersubstanzen“, die bei kräftiger körperlicher Beanspruchung über mehr als fünf Minuten hinaus produziert werden und das ganze Blutgefäßsystem innen immer wieder erneut glätten würden. Rauhe Stellen an der Gefäßinnenwand aber sind die bevorzugten Stellen für den Ansatz von Blutgerinnseln, die zum Verschluss des Blutgefäßes führen können.

Erhöhte Gerinnungsneigung des Blutes

Ein erhöhter Gesamteiweißgehalt des Blutes und ein erhöhtes Hämatokrit haben auch eine Verschiebung des Gleichgewichts zwischen Gerinnungsneigung und Gerinnungsauflösung zur Folge. Die Gerinnungsneigung erhöht sich, die Wiederauflösung ist erschwert.

Die Blutgerinnung ist ein Schutzmechanismus, um bei Verletzungen die Wunde rasch zu schließen und die verletzten Blutgefäße abzudichten. Sobald ein Blutgefäß auf diese Weise nach außen abgedichtet ist, löst sich auf der Innenseite das geronnene Blut wieder auf, sodass wieder Blut zirkulieren und die Gewebe versorgen kann.

Beim Bluthochdruckkranken mit seinen erhöhten Bluteiweiß- und Hämatokrit-Werten ist der Gerinnungswert erhöht, das heißt, die Gefahr der Bildung von Blutpfröpfen und Gefäßverschlüssen hat zugenommen. Hingegen ist die Fähigkeit geringer geworden, Gerinnsel aufzulösen, welche das in den Gefäßen strömende Blut behindern.

Aus diesem Grunde werden Bluthochdruckkranken oft zusätzlich gerinnungshemmende Mittel verordnet. Damit sind jedoch erhebliche „Nebenwirkungen" und teils Folgeschäden (z.B. Leberschäden) verbunden.

Wirkungen der bisherigen symptomatischen Behandlung

Die Leistung der Kompensationsfähigkeit des menschlichen Organismus ist beachtlich. Er ist in der Lage, den höheren Strömungswiderstand des Blutkreislaufs – verursacht durch Gefäßverengungen und verdicktes Blut – mit einer darauf abgestimmten Erhöhung des Blutdrucks zu kompensieren. Der betreffende Mensch merkt davon gar nichts – die Versorgung mit Nährstoffen und Sauerstoff ist weiterhin ausbalanciert.

Dieses wurde bisher nicht erkannt. „Streng wissenschaftlich" konzentrierte man sich auf das Symptom des erhöhten Blutdrucks und auf die Entwicklung von Medikamenten, welche den Organismus zwingen, den Blutdruck wieder zu „normalisieren" (da man ja wusste, wie gefährdet Menschen mit erhöhtem Blutdruck sind).

In Wirklichkeit wurde aber damit – „aus medizinischem Unverstand" – die sehr zweckmäßige Kompensation des Organismus mit Gewalt zunichte gemacht. Jetzt tritt ein, was der Organismus mit seiner Maßnahme verhindern wollte: Die Gewebe und Organe werden tatsächlich nicht mehr genügend mit Blut durchströmt, und der Patient ist mehr denn je durch einen Herz-Kreislauf-Schaden gefährdet.

Folgerichtig fühlt sich der Patient erst nach Einnahme solcher Mittel schlecht, während er vorher, solange der Blutdruck erhöht war, nichts spürte; die Gefäßverengungen waren ja durch den höheren Druck „kompensiert" und ausgeglichen. Jetzt sind Beschwerden und Schwächezustände die Regel. Häufig treten auch Impotenz und Libidoverlust ein.

Der Organismus wehrt sich natürlich gegen diese Behinderung seiner Regulationsmaßnahmen. Er beginnt, den Blutdruck trotz der hinderlichen Medikamente wieder zu erhöhen. Die übliche medizinische Antwort darauf ist eine Erhöhung der Dosierung. Während am Anfang eine Tablette eines Mittels genügte, steigert der „Mediziner“ die Medikation allmählich auf 3-5 Mittel und von jedem 1-3 Tabletten. Bei diesem massiven Arsenal mehren sich dann auch die „Nebenwirkungen“, welche dann wieder weitere Mittel zu deren Behandlung erforderlich machen können.

Der Patient wird so zu einem einträglichen Dauerkonsumenten zahlreicher Produkte und Dienstleistungen der einschlägigen Produktions-, Vertriebs- und Dienstleistungsbereiche. Wirtschaftlich nachhaltig interessant ist er als Konsument deshalb, weil er an seinem Leiden einerseits nicht sogleich verstirbt, andererseits aber auch nicht gesund wird, sondern im statistischen Durchschnitt vorher erst einmal ca. 25 Jahre lang als willkommener Abnehmer dient – und weil er darüber hinaus kein uninteressanter Einzelfall ist, sondern es viele Millionen davon gibt. Welch ein Markt! Da beginnt man zu verstehen, warum der Poet Dr. Eugen Roth in einem seiner Gedichte fragt „ Was bringt den Doktor um sein Brot?“, und auch die Antwort parat hat: „a) die Gesundheit, b) der Tod“.

Am gefährlichsten für den Bluthochdruckkranken ist, dass die eigentlichen Ursachen seiner Krankheit fortbestehen. Der Patient glaubt, mit den blutdrucksenkenden und gerinnungshemmenden Mitteln gegen die Ursache anzukämpfen. In Wirklichkeit schluckt er die Pillen nur gegen Symptome. Während dessen gehen die Eiweißeinlagerungen in die Gefäßwände und der Anstieg der Blutviskosität weiter, und so ist es nur eine Frage der Zeit, wann die gegenregulatorischen Möglichkeiten des Organismus unter so hinderlichen und widrigen Umständen erschöpft sind.

Dann bricht das System zusammen, und eine der lebensgefährlichen bis tödlichen Katastrophen tritt ein, die täglich dem Leben so vieler Menschen „wie ein Blitz aus heiterem Himmel“ ein plötzliches Ende setzen. In der Bundesrepublik Deutschland sind es an jedem Tag des Jahres über eintausend Mitbürger, die von einer Herz-Kreislauf-Krankheit dahingerafft werden. Dieses Risiko besteht für ca. 50 % aller Bundesbürger – und für etwa 60 % aller Ärzte.

Am Bluthochdruck, der Killerkrankheit No. 1, wird die Fragwürdigkeit des ganzen bisherigen „Gesundheitswesens“ besonders deutlich. Es ist ein Dienstleistungsbereich, der von Krankheiten, ihrer „Verwaltung“, ihrer Versicherung und ganz besonders von ihren Behandlungen lebt. Je mehr Krankheiten, desto besser geht es diesem Sektor. Gesund zu sein, bedeutet in dessen Fachsprache „Befund negativ", was für den Umsatz-Aspekt ja auch zutrifft.

Folgerichtig wurde auch nur die *Behandlung* des Bluthochdrucks „weiterentwickelt". Während bisher 1 bis 3 verschiedene Medikamente täglich einzunehmen waren (*Tages*umsatz in Deutschland schon damals schätzungsweise 90-100 Mio. DM), hat das Gesundheits(!?!)magazin des Zweiten Deutschen Fernsehens ZDF Ende August 1999 den neuesten Stand der Bluthochdrucktherapie verkündet: Es sind jetzt 5 verschiedene, täglich einzunehmende Medikamente, welche die neue „Standard-Therapie des Bluthochdrucks" darstellen. Gleichzeitig verlor die Sendung kein Wort über Ursachen, Vorbeugung, Heilung, Einfluss der Ernährung, und über die Möglichkeit, die Gesundheit wiederzuerlangen.

Wo bleibt das Grundprinzip „Audiatur et altera pars" („auch die andere Seite ist anzuhören") eines unabhängigen Journalismus? Das Fernsehen als nützlicher Filter-Knoten im dreidimensionalen Netzwerk der Matrix!

Wer sich davor retten, wer die „Zielgruppe Bluthochdruck" und damit die Risikozone plötzlicher fataler Herz-Kreislauf-Ereignisse (Herzinfarkt, Hirnschlag, Embolie, Nierenversagen, Hörsturz usw.) verlassen will, muss deshalb die Sache selbst in die Hand nehmen. Alles dazu notwendige Wissen findet sich in diesem Buch.

Der Aufbruch ins 3. Jahrtausend hätte auch ein Anlass zur kritischen Überprüfung dieses bisherigen Kurses der „modernen Medizin" sein müssen. Warum steckt sie in der Krise, und was sollen ihre neuen Ziele sein? Wie steht es um die Ethik, Moral und Glaubwürdigkeit der Medizin angesichts einer – trotz Abschröpfung ungeheurer Behandlungskosten – immer kränker werdenden Bevölkerung?

Diese Fragen habe ich in einer Analyse behandelt, die in der Fachzeitschrift „Erfahrungsheilkunde" (Januar 2000) und im Internet unter dem Titel „Medicus, quo vadis?" veröffentlicht worden ist:

<http://www.dr-schnitzer.de/medicusquovadis-d.html>.

Bis Januar 2009 war keine kompetente Antwort erfolgt. Der Medizinbetrieb lässt keine Richtungsänderung erkennen. Vielmehr wird als neuer Behandlungshit die vierteljährliche „Impfung gegen Bluthochdruck" (= künstliche Erzeugung einer Autoaggressionskrankheit gegen das körpereigene Steuerungshormon Angiotensin!!) propagiert. Wer als Patient das mit sich machen lässt, bräuchte eher eine Impfung gegen Dummheit.

Ursächliche Behandlungs-maßnahmen

Ursächliche (kausale) Behandlung

Wer die wirklichen Ursachen kennt, dem eröffnen sich auch Möglichkeiten zur echten Ausheilung der Erkrankung, deren messbares Symptom der erhöhte Blutdruck ist. Ziel ursächlicher Behandlung muss sein, dass der Organismus selber den Blutdruck normalisiert, weil die vorherigen Gründe für dessen Erhöhung weggefallen sind.

Mit kleinen Aderlässen sofort aus der Risikozone

Der Bluthochdruckkranke befindet sich in einem erhöhten Risikobereich im Bezug auf Herzinfarkt, Gehirnschlag, Embolie, Gefäßverschluss – ganz gleich, ob sein Blutdruck medikamentös gesenkt wurde oder nicht.

Das normale Hämatokrit des Gesunden liegt bei 37 bis 40 Volumenprozent. Bei vielen Bluthochdruckkranken ist dieser Wert jedoch wesentlich höher. Es gibt Patienten, die bei einem Hämatokrit von 59 bis 60 Volumenprozent noch am Leben sind. Das sind aber Ausnahmen. Denn schon bei einem Hämatokrit von 49 % ist das Risiko eines Herzinfarktes mehr als doppelt so hoch wie bei einem Hämatokrit von 42 %. Auch bei erhöhtem Gesamteiweißgehalt des Blutes besteht Gefahr.

Die rascheste Möglichkeit, den Bluthochdruckkranken mit praktisch sofortiger Wirkung aus dem höchsten Risikobereich herauszuholen, ist eine direkte Senkung des Gesamteiweiß- und Zellgehalts in seinem Blut. Hierdurch kehren sich die Einlagerungstendenzen in die Gefäßwände sofort um in eine Eiweißabbau- und Normalisierungstendenz. Die Gefahr eines Gefäßverschlusses ist damit gebannt.

Dies ist möglich durch eine vom Arzt vorgenommene Serie von etwa 4 bis 10 kleinen Aderlässen im Abstand von je einer Woche. Die Blutentnahme soll nicht mehr als 80 bis 100 ml (ccm) Blut betragen, um nicht den Blutneubildungsmechanismus anzuregen. Zum Vergleich: Beim Blutspenden werden 500 ml entnommen. Das wäre hier nicht sehr nützlich, weil der Organismus bei einer größeren Blutentnahme eine kräftige Neubildung von Blut und Blutzellen in Gang setzt, sodass bald wieder der alte Zustand erreicht oder der Verlust sogar überkompensiert wäre.

Vorteilhaft ist es, unmittelbar nach der schrittweisen (20 ml) Entnahme des Blutes die Flüssigkeitsmenge jeweils gleich schrittweise (ebenfalls jeweils 20 ml) durch eine Infusion mit physiologischer Kochsalzlösung (noch besser mit physiologischer Meerwasserlösung, da diese auch die Spurenelemente enthält) wieder aufzufüllen. Entnahme und Flüssigkeitsersatz sollten langsam, ohne Zeitdruck vorgenommen werden. Die Maßnahme trägt zu umgehender Blutverdünnung und einer Auflösung der „Geldrollenbildung" der roten Blutkörperchen bei. Es genügt aber auch, kurz vor oder nach der Blutentnahme zwei Glas Wasser zu trinken (gutes Leitungswasser oder z.B. „Volvic", ein besonders gesundes, weil mineralarmes, nicht oxidiertes, nicht basisches Tafelwasser).

Von dem entnommenen Blut wird jeweils ein Teil zur Feststellung des gegenwärtigen Hämatokrits und des Gesamteiweißgehalts, eventuell auch der Gerinnungsfaktoren, ins Arztlabor gegeben. So kann der Nutzen der Maßnahmen gut dokumentiert und verfolgt werden. Man wird außerdem feststellen, dass das anfangs sehr dunkle, weil sehr sauerstoffarme venöse Blut mit dem Fortschritt der Therapie eine mehr rote Farbe annimmt.

Die Serie der Blutentnahmen wird abgebrochen, sobald das Hämatokrit im Bereich von 40 % bis 42 % liegt und der Blutdruck normal geworden ist, spätestens aber nach 10 Aderlässen. Dann wird eine Pause eingelegt.

Nach jeweils 2-3 Monaten empfiehlt sich eine erneute Kontrolle des Blutdrucks, des Hämatokrits und des Gesamteiweißgehaltes im Blut. Das kann gleich mit einem solchen kleinen Aderlass verbunden werden. Sind die Werte wieder erhöht, wird erneut eine Serie solcher Blutentnahmen bis zu deren Normalisierung vorgenommen (maximal 10 Entnahmen von jeweils 80-100 ml, 1 Entnahme pro Woche).

Schon mit der Senkung eines erhöhten Hämatokrits um 1 % steigt die Sauerstoffbindungsfähigkeit des Blutes um 10 %! Dadurch wird die vorherige Anforderung von roten Blutkörperchen wegen des Sauerstoffmangels verringert, der Circulus vitiosus ist durchbrochen, die Normalisierungstendenz ist eingeleitet.

Weil beim Bluthochdruckkranken nicht nur das Blut, sondern der gesamte Organismus Eiweißüberschüsse enthält, können nach jeder Blutentnahme diese Werte allmählich wieder ansteigen. Es ist deshalb wichtig, die Zufuhr von Eiweißüberschüssen über die Ernährung abzustellen, damit der Organismus seine bisher eingelagerten, meist über viele Jahre gehorteten Eiweißüberschüsse mit der Zeit abbauen kann.

Unverzüglich die Ernährung richtig stellen

Dass die heutige Zivilisationsernährung falsch und krankheitserzeugend ist, beginnt sich allmählich herumzusprechen. Wer jedoch seine Ernährung umstellen und richtig stellen möchte, sieht sich einer Flut von widersprüchlichen Empfehlungen gegenüber.

Zunächst fehlt das Beurteilungsvermögen weitgehend, was nützliche und richtige Empfehlungen sind, und welche (viel häufigeren) Ratschläge nur geschickt lancierte „gezielte Desinformationen" von Interessengruppen sind, um Wahrheiten zu vernebeln, oder redaktionell untergebrachte PR- (Public-Relations-)Artikel, um bestimmte Produkte und Produktgruppen mit der Gesundheitsmasche besser unter die Leute zu bringen.

Eine starke Lobby und professionelle, mit vielen Millionen ausgestatte PR- und Werbefachleute bewirken, dass im Wesentlichen die Bundesbürger essen müssen, was Landwirtschaft, Gewerbe und Industrie produzieren und der Handel anbietet – anstatt zu produzieren und anzubieten, was die Bundesbürger im Interesse ihrer Gesundheit und eines guten Wohlgeschmacks wünschen. Auf raffinierten optischen, akustischen, geschmacklichen Wegen und mit tiefenpsychologischen Werbesprüchen wird der Verbraucher zum Konsum der Produkte verführt. Nur eine Minderheit von etwa 15 % besser informierter Bürger beschafft sich Gesünderes, und muss dazu meistens mehr Mühe und mehr Geld aufwenden.

Die Folge dieser Verhältnisse: Wer all dies glaubt – das tun die Meisten – und also „normal" lebt, wie die Meisten, hat auch große Chancen, chronisch krank zu werden und früher als nötig zu sterben, wie die Meisten.

Hier hätte es sicher eine dankbare Aufgabe für „die Ernährungswissenschaft" werden können, Wandel zu schaffen. Aus Gründen, die teils in Dogmen und überholten Lehrmeinungen, teils in der Interessengebundenheit durch Forschungsaufträge aus der Wirtschaft, teils in der Angst vor der Macht der Interessengruppen liegen, hat „Die Ernährungswissenschaft", soweit sie institutionalisiert ist, versagt.

Deshalb sind es auch überwiegend die ernährungsbedingten Zivilisationskrankheiten, welche zu dem gesundheitlichen und wirtschaftlichen Niedergang z.B. der deutschen Bevölkerung geführt haben.

Ernährungsbedingte Krankheiten haben eine „Inkubationszeit“ von durchschnittlich 20 Jahren. Das heißt, wenn in einer Familie oder Bevölkerung die gesunde natürliche Nahrungsbasis verlassen und zu denaturierter Zivilisationskost übergegangen wird, vergehen etwa 20 Jahre, in denen scheinbar wenig geschieht. Aber dann kommt es zu einem steilen Anstieg chronischer Zivilisationskrankheiten in der betreffenden Familie oder Bevölkerung: Herz-Kreislaufkrankheiten, Diabetes, Nieren- und Lebererkrankungen, Übergewicht, Magen- und Darmkrankheiten, Rheuma, Arthrosen und Krebs greifen rasch zunehmend um sich.

Diese „Regel der 20 Jahre“ wurde von den englischen Forschern T.L. Cleave und G.D. Campbell durch Vergleich indischer Einwanderer in Südafrika (Übergang zu denaturierter Zivilisationskost) mit den in Indien gebliebenen Familien (weiterhin natürliche Ernährung) nachgewiesen und in einem Buch veröffentlicht: „Diabetes, Coronary Thrombosis, and the Saccharine Disease“ (John Whright & Sons Ltd., Bristol, 1966).

Die deutsche Bevölkerung hat unfreiwillig einen massenhaften Beweis für die Richtigkeit dieses Forschungsergebnisses geliefert. Während des zweiten Weltkrieges war die Ernährung, gesteuert von Prof. Dr. H. A. Schweigart, gesund, ausreichend und natürlich. Diabetes beschränkte sich auf Typ I (insulinpflichtig, Jugenddiabetes, Ursache hauptsächlich chemotherapeutische Medikationen bei akuten Infektionskrankheiten). Typ II (ernährungsbedingt) war ebenso selten wie die ganzen Herz-Kreislauf-Krankheiten. Die Menschen waren schlank. Das hielt zunächst auch nach dem Krieg an, als die Ernährung ähnlich, teils auch zu knapp war.

Dann kam 1948 die Währungsreform, und mit ihr eine schlagartige Umstellung auf denaturierte Zivilisationskost, mit einem hohem Anteil tierischer Nahrungsprodukte. Die „Fresswelle“ begann, man war der jahrelang einfachen natürlichen Kost überdrüssig geworden. Zunächst passierte nicht viel. Aber dann, genau 20 Jahre später, geschah es:

Während noch 1968 „nur“ 300.000 Diabetiker registriert waren, wurden es ein Jahr später 600.000, 1970 waren es schon 1,2 Millionen, und 1971 stiegen die Diabetiker in der Bundesrepublik Deutschland auf 3 Millionen an! Gleichzeitig wurde der Herzinfarkt zur häufigsten Todesursache, und das Gesamtübergewicht der vorher schlanken Deutschen stieg auf 200.000 t (= 200 Millionen kg).

Gleichzeitig wurden Degenerationserscheinungen bei der Jugend sichtbar. Schon 1964 wurde beklagt, dass bei 41 % der Kinder schiefstehende Zähne auftreten. Heute sind es schätzungsweise 90 %. Die Kieferorthopädie wurde zu einem umsatzträchtigen Dienstleistungssektor innerhalb der Zahnmedizin, die sich auch insgesamt aufgrund des weitgehend ungebremsten Gebissverfalls kräftig steigender Umsätze erfreute.

Schiefstehende Zähne sind nur eine von mehreren Degenerationserscheinungen, die mit Umstellung auf Zivilisationskost einhergehen. Das hat der amerikanische Zahnarzt und Forscher Weston A. Price in 12 Jahre dauernden Forschungsreisen nachgewiesen, auf welchen er alle Naturvölker der Erde von 1924 bis 1936 besuchte. Er studierte besonders die Nahtstellen zur Zivilisation, die damit verbundenen Ernährungsänderungen und deren Auswirkungen. Seine Ergebnisse sind – neben anderen Veröffentlichungen – in einem umfangreichen Buch mit vielen dokumentarischen Fotos veröffentlicht: „Nutrition and Physical Degeneration". Dieses Buch ist noch heute erhältlich. Es wird wegen der fundamentalen Bedeutung für das biologische Schicksal der Menschheit von der Price-Pottenger Nutrition Foundation aufgelegt und vertrieben (P.O.Box 2614 La Mesa, CA 92044-0702, (619) 582-4168).

Pottenger übrigens, ein amerikanischer Arzt, hat nach einer Zufallsentdeckung in systematischen Fütterungsversuchen mit Katzen nachgewiesen, dass diese krank werden und degenerierten Nachwuchs bekommen, mit schiefstehenden Zähnen und einem zu dünnen und zu langen Skelett, wenn sie statt mit rohem Fleisch und roher Milch dieselben Produkte hitzebehandelt erhalten (gekocht, gebraten gegrillt; pasteurisiert, sterilisiert, kondensiert). Die Degenerationserscheinungen sind die gleichen wie beim Menschen unter denaturierter Zivilisationskost.

Auf der Suche nach den Ursachen chronischer Krankheiten, die weder von Bakterien oder Viren noch von Giften herrühren, fand der Hygieniker und Bakteriologe Prof. Dr. med. Werner Kollath durch seine Forschungen von 1924 bis 1970 die fundamentale Bedeutung der Getreide und Samen und ihrer undenaturierten Verwendung (Vollkornprodukte, frisches Mahlen, Frischkornmüsli, angekeimte Samen) für die Erhaltung der menschlichen Gesundheit. In deren Fehlen und der Verwendung von Auszugsmehlen entdeckte er die Hauptursache chronischer und degenerativer Erkrankungen, verstärkt durch die Denaturierung der übrigen Nahrung (Oxidation, Hitzebehandlung, Raffination, Extraktion usw.).

In seinem Buch „Getreide und Mensch, eine Lebensgemeinschaft" (Verlag Schwabe & Co., Bad Homburg 1964) schildert er die Zusammenhänge und zeigt, dass die chronischen Krankheiten dann Einzug hielten, als diese Lebensgemeinschaft vom Menschen aufgekündigt wurde.

Es fällt auf, wie lange diese Zusammenhänge schon von Forschern entdeckt, gründlich wissenschaftlich untersucht, dokumentiert und veröffentlicht worden sind. Die alsbaldige Anwendung der von ihnen gewonnenen Erkenntnisse in Forschung und Lehre, Politik und Wirtschaft hätte genügt, dass wir heute weltweit eine überwiegend gesunde Bevölkerung mit gesundem Nachwuchs haben könnten.

Das Welternährungsproblem wäre gelöst, weil der verlustreiche und krank machende Umweg der Nahrungserzeugung über das Tier nicht notwendig ist und damit die Weltnahrungsproduktion auch für die doppelte der heutigen Weltbevölkerung ausreichte. Gleichzeitig würden die krebsfördernde Nitratverseuchung des Trinkwassers durch Tierharn und Tierkot und der Treibhauseffekt des Methanausstoßes vermeidbar.

Warum werden diese Erkenntnisse nicht angewendet, warum werden sie totgeschwiegen oder bekämpft und durch gezielte Desinformation in Frage gestellt, obwohl sie doch jederzeit nachprüfbar und ihre Ergebnisse unter den gleichen Bedingungen jederzeit wiederholbar sind?

Einer der Gründe wurde von dem Juristen und Rechtssoziologen Prof. Dr. phil Dr. jur. Erich Fechner untersucht, der an der Universität Tübingen lehrte. „Wirtschaftliche Interessen und das Recht der freien Meinungsäußerung zugunsten des Allgemeinwohls (insbesondere in Fragen der Volksgesundheit) – eine rechtssoziologische Betrachtung zugleich auch über den Einfluss wirtschaftlicher Interessen auf wissenschaftliche Meinungsbildung“ – das ist der Titel seiner hochinteressanten und noch heute aktuellen Abhandlung, veröffentlicht in der *Juristenzeitung*, Heft 15/16 1967, Seiten 457-463. Es lohnt, sich eine Kopie aus einer Bibliothek zu beschaffen. Hier sind wesentliche Hintergründe für diese Zustände und ihre heutigen Folgen zu erfahren. Im Internet kann diese Abhandlung ebenfalls nachgelesen werden:

http://www.dr-schnitzer.de/efwi001.htm (und Folgeseiten)

Die institutionalisierte „Ernährungswissenschaft“ beging außerdem unwissenschaftliche Denkfehler, mit weitreichenden Folgen für das gelehrte Dogma, und zum Schaden für die Gesundheit der Bevölkerung.

In den ersten Anfängen der Ernährungsforschung entdeckte man die Grundnährstoffe Eiweiß, Fett und Kohlenhydrate. Vorschnell zogen jene Wissenschaftler daraus den Schluss, dass diese ausreichten, den Menschen satt zu machen und gesund zu erhalten. Alle übrigen, für unwichtig gehaltenen Bestandteile der Lebensmittel nannte man „Ballaststoffe“. So war es nur logisch, die Nahrung davon zu befreien und nur die raffinierten und konzentrierten Nährstoffe zuzuführen (dieser falschen „Logik" entsprechen z.B. Auszugsmehle und raffinierter Zucker).

Spätestens mit der Entdeckung des ersten Vitamins hätte man diesen falschen Grundansatz über Bord werfen und davon ausgehen müssen, dass es sich bei dem Nahrungsbedarf des Menschen um einen Gesamtkomplex handelt, bei dem jedes Weglassen eines einzelnen notwendigen Stoffes und jede Veränderung und Manipulation eines Bestandteils zu einer Stoffwechselentgleisung führen kann. Dies wäre der richtige Ansatz für die weitere Erforschung der Ernährung gewesen.

Statt dessen machte man es sich sehr einfach und ordnete nur jede neu entdeckte oder untersuchte Nahrungssubstanz den erforderlichen Stoffen zu, während alle unerforschten, vielleicht doch auch lebensnotwendigen Substanzen weiterhin als unnötige „Ballaststoffe" betrachtet wurden.

So bestand und besteht eine von der institutionalisierten „Ernährungswissenschaft" empfohlene Ernährung immer nur aus den Substanzgruppen und Zubereitungsarten, die von ihr erforscht und „anerkannt" sind. Das Wörtchen „anerkannt" ist der direkte Beweis dafür, dass es sich nicht um Wissenschaft, sondern um ein Dogma handelt. Wäre es Wissenschaft, müssten an seiner Stelle die Begriffe „bewiesen und jederzeit erneut mit gleichem Ergebnis nachprüfbar" stehen.

Damit fehlen in einer solchermaßen zustande gekommenen Ernährung automatisch alle jene weiteren lebens- und gesundheitsnotwendigen Substanzen und Zubereitungsformen, welche von der institutionalisierten Ernährungswissenschaft nicht oder noch nicht „anerkannt" sind.

Deshalb ist auch die heute propagierte „Vollwerternährung" keine optimale Gesundheitsgrundlage. Sie ist vielmehr ein weiterer Beweis für die Vielschichtigkeit der Hintergründe dessen, was der Bevölkerung zu wissen erlaubt wird, und was nicht:

1987 veröffentlichte ich erstmals meine beiden Bücher über die Heilbarkeit des Bluthochdrucks (das eine für die Betroffenen, das andere für deren Therapeuten). Gleichzeitig stellte ich die Therapie auf der Medizinischen Woche Baden-Baden (auf der ich einen Tag mit dem Thema „Ernährung als Basistherapie" zu gestalten hatte) den Ärzten vor, gemeinsam mit Dr. Helmut Weiss und einem weiteren Arzt. Diese hatten zuvor mit meinen Erkenntnissen Patienten behandelt und berichteten ihre Ergebnisse. Geheilte Patienten wurden vorgestellt und konnten nach ihren praktischen Erfahrungen selbst befragt werden. Einige Patienten wechselten nach Ausheilung ihres Bluthochdrucks zu „Vollwerternährung" – und mussten feststellen, dass dadurch ihr Blutdruck wieder anstieg! Der ursprünglich richtige Begriff war mit falschem Inhalt angefüllt worden.

Die tatsächlichen Ernährungsgewohnheiten der Bevölkerung hinken selbst hinter solchen mangelhaften Empfehlungen weit nach – sie entsprechen dem Erkenntnisstand vor 50 bis 100 Jahren. Wie optimistisch war doch Max Planck, als er sagte: „Irrlehren in der Wissenschaft brauchen 50 Jahre, bis sie abgelöst werden, weil nicht nur die betreffenden Professoren, sondern auch ihre Schüler vorher aussterben müssen“.

Was ist die gesündeste Ernährung für den Menschen?

Um eine optimal gesunde Ernährung für den Menschen zu ermitteln, vollzog ich Anfang der 60er Jahre die folgenden Überlegungsschritte als Grundlage („Arbeitshypothese“) meines Vorgehens:

1. Der Mensch muss, wie jede Tierart, während seiner biologischen Entwicklung (Evolution) auf eine für ihn in dieser langen Zeit verfügbare, mit seiner körperlichen Ausstattung erreichbare, von seinen Zähnen zerkleinerbare, von den Verdauungsorganen verdaubare, von seinem Stoffwechsel verarbeitbare Urnahrung angepasst worden sein.
2. Die von der „Ernährungswissenschaft“ und Medizin angenommene „Anpassung“ an die heutige denaturierte und teils artfremde Ernährung kann nicht erfolgt sein. Beweis: Die massenhaften ernährungsbedingten Zivilisationskrankheiten (z.B. Bluthochdruck, Diabetes, Rheuma, Arthrosen, Magen-Darm-Leiden, Krebs, Hirninsuffizienz).
3. Weil dem so ist, gilt mit größter Wahrscheinlichkeit immer noch das alte, in Jahrmillionen entwickelte genetische Urnahrungsprogramm.
4. Da die Anpassung des Menschen an denaturierte Zivilisationskost misslungen ist, muss logischerweise umgekehrt seine Ernährung wieder an das – nach wie vor in ihm wirksame – genetische Urnahrungsprogramm angepasst werden.
5. Hierzu ist notwendig, verlässliche Informationen zu gewinnen, welcher Art diese Urnahung wirklich gewesen ist, wie sie zusammengesetzt war und wie sie verzehrt (zubereitet) wurde.

6. Mit dem Wissen über die menschliche Urnahrung kann dann eine „zivilisierte Urnahrung“ aus den heute verfügbaren, vergleichbaren Nahrungsmitteln entwickelt werden.
7. Hierbei können auch Kenntnisse hilfreich sein, wie Naturvölker und frühere Zivilisationen ihre Ernährung sicherten – soweit diese dabei konstitutionell gesund blieben und außerdem eine von Degeneration freie Gesundheit des Nachwuchses sichern konnten.
8. Des weiteren können einschlägige Tierversuche, vor allem über mehrere Generationen durchgeführte, nützliche Erkenntnisse beisteuern.
9. Stimmt diese Arbeitshypothese, so müssen die ernährungsbedingten Zivilisationskrankheiten nach Umstellung auf „zivilisierte Urnahrung“ ausbleiben, vielleicht teils sogar ausheilen, wenn sie schon bestehen. Außerdem müssen, soweit die genetischen Informationen der Eltern noch alle unbeschädigt und intakt sind, wieder gesunde Kinder ohne Degenerationserscheinungen geboren werden.

Dieses Vorgehen wurde spannender als ein Kriminalfall. So waren Aussagen von verschiedenen Wissenschaftlern zu der Frage höchst widersprüchlich, ob der Mensch nun „Fleischfresser“ (Carnivore), „Allesfresser“ (Omnivore), „Pflanzenfresser“ (Herbivore) oder was sonst sei. Teils wurden Vergleiche der Darmlängen zu den Körperlängen herangezogen, was jedoch nur sehr wechselhafte und unzuverlässige Ergebnisse bringt, zumal derselbe Darm je nach Tonus länger oder kürzer ist.

Die im doppelten Sinne härtesten Tatsachen legte der Hamburger Zahnarzt Dr. Richard Lehne auf den Tisch. Er hatte zur Klärung der Frage nach der menschlichen Urnahrung die „Vergleichende Gebissanatomie“ begründet. Denn er hatte herausgefunden, dass die Gebisse verschiedener Säugetierarten jeweils sehr zweckmäßig und spezialisiert für die – bei diesen Tieren bekannten – natürlichen Nahrungsarten konstruiert sind. Das genaue Studium dieser Gebisskonstruktionen sollte ihm erlauben, dann aus der Konstruktion des menschlichen Gebisses umgekehrt Rückschlüsse auf die menschliche Urnahrung ziehen zu können.

So haben zum Beispiel Grasfresser wie Pferd, Rind, Schaf, Ziege, Antilope, Steinbock im vorderen Gebissbereich Zahnpartien, die als Abreißvorrichtungen ausgebildet sind. Bei manchen hat nur der Unterkiefer Zähne, während im Oberkiefer eine hornartige Platte genügt, diese Gräser festzuhalten. Durch einem Ruck des Kopfes nach oben werden sie dann von den unteren Schneidezähnen abgeschnitten. Die Eckzähne der Grasfresser sind klein, teilweise verkümmert, da sie nicht gebraucht werden.

Seitlich besitzen Grasfresser lange Reihen von raspelartig ausgebildeten Mahlzähnen, um die Gräser und deren Samen zu zermahlen. Dabei wechseln harte Zahnschmelzleisten mit weicheren Zahnbeineinlagen ab. Das bewirkt ein selbständiges stetiges Nachschärfen dieses Mahlwerkzeugs: Die – durch Abmahlen nachgeschärften – Kanten der Schmelzleisten liegen frei, weil sich das weichere Zahnbein schneller abkaut als der harte Schmelz. Eine insgesamt und im Detail optimal an die Gräsernahrung angepasste Gebisskonstruktion.

Nagetiere haben vorne ständig nachwachsende Schneidezähne, weil diese durch die Nagetätigkeit starker Abnutzung unterworfen sind. Die Wachstumsgeschwindigkeit beträgt beispielsweise beim Kaninchen etwa 20 Millimeter in nur 4 Wochen!

Ganz andere Gebisskonstruktionen haben Fleischfresser (Raubtiere). Ihre Schneidezähne sind sehr klein, fast verkümmert, weil sie kaum gebraucht werden. Dafür haben sie große, teils mächtig ausgebildete Eckzähne, die als Reißzähne zum Reißen der Beute dienen. Seitlich haben sie keine Mahlzähne, sondern messerartige, scharfe Zahngebilde, die außerdem auf Lücke stehen, damit faserartige Gewebeteile der Beutetiere nicht dazwischen hängen bleiben (deshalb brauchen Fleischfresser auch keine Zahnstocher, wie sie der Fleisch verzehrende Mensch benötigt, weil sein Gebiss nicht für Fleischnahrung konstruiert ist).

Ein typisches Omnivoren-(Allesfresser-)Gebiss hat nicht der Mensch, sondern das Wildschwein mit seinen kräftig ausgebildeten Eckzähnen (Hauern) und seitlichen Mahlzähnen. Es frisst sowohl Mäuse und Ratten als Eicheln, Rüben und andere Wurzeln. Wäre der Mensch Omnivore, so müsste sein Gebiss diesem, oder auch dem des Grafen Dracula gleichen.

Der Mensch ist nach den Forschungsergebnissen von Dr. Richard Lehne ein Frugivore, ein Fruchtesser. „Frucht“ bedeutet hier alles, was der Bauer als Frucht (= Ertrag) bezeichnet. Samen, Wurzelknollen, Blattschösslinge und Früchte waren die Urnahrung des Menschen.

Dies bedeutet auf der Grundlage der heutigen Acker- und Gartenbauprodukte eine Ernährung basierend auf Getreiden, Leguminosen (Hülsenfrüchten), Nüssen, anderen Samen, Wurzelgemüsesalaten und grünen Salaten – jeweils in den Zustandsformen, die zu Urzeiten verfügbar waren, nämlich undenaturiert und lebendig. Der Kochtopf kommt weder in der Evolution noch in der Genesis (Schöpfungsgeschichte) der Bibel vor.

Gegen jene Behauptung, der Mensch habe sich an Fleischnahrung und Zivilisationskost angepasst, wie sie so gerne von manchen Vertretern der institutionalisierten Ernährungswissenschaft und -wirtschaft vorgetragen wird, sprechen drei Tatsachen:

a) Das menschliche Gebiss hat sich nicht auf eine entsprechende Nahrung um-entwickelt (kein Omnivorengebiss, keine Reißzähne),
b) die Bevölkerung ist mit der heutigen Omnivorenkost chronisch krank, ihr Nachwuchs weist zunehmend Degenerationsmerkmale auf, und
c) die Normalisierung der meisten entgleisten Stoffwechselabläufe nach Umstellung auf „zivilisierte Urnahrung“ beweist, dass noch immer das alte frugivore Genprogramm wirksam ist.

Was passiert, wenn Säugetiere mit pflanzlicher Nahrungsgrundlage artfremde tierische Nahrungsprodukte („Tiermehl“) zu ihrer Ernährung beigemischt erhalten, haben wir aus den Ereignissen um den zuerst in England ausgebrochenen Rinderwahnsinn (BSE) erfahren.

Wenn sich nun herausgestellt hat, dass auch der Mensch kein Omnivore ist, sondern seine artgerechte Ernährung auf pflanzlicher Basis steht – was bedeutet dies z.B. für die Einordnung von degenerativen Krankheiten des Nervensystems wie der Multiplen Sklerose, oder der Alzheimer'schen Krankheit, bei welcher die Hirnzellen von einer zunehmenden Masse von Eiweißgebilden verdrängt werden, über deren Herkunft immer noch gerätselt wird und die derzeit immer jüngere Menschen befällt? Wäre es nicht sinnvoll, in einer Studie zu ermitteln, ob die Alzheimer'sche Krankheit bei (lakto-vegetabilen) Vegetariern weniger häufig vorkommt als bei gemischte Zivilisationskost essenden Normalbürgern, und bei Veganern (rein pflanzliche Ernährungsbasis) vielleicht überhaupt nicht?

Wen diese Frage näher interessiert, der versuche doch einmal, Forschungsmittel zunächst für eine Vorstudie und dann für eine professionell biometrisch abgesicherte und betreute Vergleichsstudie zu bekommen. Er wird mit größter Wahrscheinlichkeit erfahren, dass für derartige Untersuchungen „derzeit“ keine Mittel bereitgestellt werden.

Prof. Dr. Werner Kollath kam in seinen langjährigen Untersuchungen zu dem Ergebnis, dass es unter der Zivilisationskost als einer „üppigen Mangelernährung“ zu einer „inneren Selbstversorgung“ kommt, weil von außen nicht alles zugeführt wird, was der Organismus benötigt.

Bei anhaltendem Mangel an Vitalstoffen holt sich der Organismus aus seinen eigenen Organen und Geweben (Knochen, Zähnen, Nieren, Leber usw.), was er zum Überleben braucht. Hierdurch kommt es zu einem „halbwertigen Dasein im Zustand chronischer Krankheiten“, den Kollath

„Mesotrophie“ (Halbernährung) nannte. Bei einem unserer Gespräche, etwa im Jahre 1967, sagte mir Kollath: „Sie werden es noch erleben, dass die Mesotrophie auch nicht vor dem Gehirn Halt macht; das geht nur länger“. Heute, nach dem Ende des zweiten und am Beginn des dritten Jahrtausends, scheint es so weit zu sein... (Kollath verstarb 1970).

Die biblische Schöpfungsgeschichte weist übrigens dieselbe frugivore Nahrung für den Menschen aus. Bei 1. Mose 1/26 ff. steht: „Und Gott schuf den Menschen nach seinem Bild ... als Mann und Frau ... und Gott sprach zu ihnen; Seid fruchtbar und vermehrt euch, und füllt die Erde und macht sie euch untertan; und herrscht über die Fische des Meeres und über die Vögel des Himmels und über alle Tiere, die sich auf der Erde regen! Und Gott sprach: Siehe, ich habe euch alles samentragende Kraut gegeben, das auf der Fläche der ganzen Erde ist, und jeden Baum, an dem samentragende Baumfrucht ist; es soll euch zur Nahrung dienen; aber allen Tieren der Erde und allen Vögeln des Himmels und allem, was sich auf der Erde regt, in dem eine lebende Seele ist, habe ich alles grüne Kraut als Speise gegeben. Und es geschah so. Und Gott sah alles, was er gemacht hatte, und siehe, es war sehr gut“.

„Herrschen“ heißt nicht „töten und verspeisen“, wie manche es zu ihrer Verteidigung deuten wollen – vor allem nicht im Bezug auf „alles, was sich auf der Erde regt, in dem eine lebende Seele ist“. Was zur Nahrung dient, ist sehr genau mitgeteilt: „Siehe, ich habe euch alles samentragende Kraut gegeben, das auf der ganzen Erde ist, und jeden Baum, an dem samentragende Baumfrucht ist; es soll euch zur Nahrung dienen“.

Würde die göttliche Weisung befolgt, so könnte die Weltgetreideernte (Beispiel 2004) von 2,24 Milliarden Tonnen (ohne Hülsenfrüchte) jeden der 6,4 Milliarden Menschen (2004) mit täglich 958 g Getreide (=1,5 kg Brot pro Person und Tag) reichlich satt machen. Für 2013 rechnet man mit 7 Milliarden Menschen. Selbst ohne Steigerung der Weltgetreideernte sind es noch 877 g Getreide pro Person und Tag (= 1,4 kg Brot)

Die römischen Legionäre erhielten ca. 750-850 g Getreide pro Tag zugeteilt und eroberten damit zu Fuß ein ganzes Weltreich. Von Krankheiten wird nicht berichtet, auch nicht in den sehr genauen Berichten Cäsars. Viele heutige Krankheiten würden verschwinden.

So aber hungern Millionen von Menschen, weil ca. 40 % der Weltgetreideproduktion zur Fleischerzeugung an ca. 15 Milliarden „Nutztiere“ verfüttert werden, deren Darmgase (Methan) nicht viel weniger zum Treibhauseffekt beitragen als der Erdölverbrauch, deren Fäkalien das

Grundwasser mit Nitrat und Ammoniak vergiften, und deren Fleisch den wohlhabenderen Teil der Weltbevölkerung chronisch krank macht.

Frühere Hochkulturen besaßen offensichtlich dieses Wissen. Jede von ihnen basierte auf einer oder mehreren Getreidesorten: Weizen im alten Ägypten; Weizen und Gerste bei den alten Römern; Reis bei den Chinesen, Indern und Japanern; T'eff (ein Gräsersamen), Weizen, Gerste, Hafer, Hirse, Sorghum in Äthiopien (vermutlich die Wiege der Menschheit); Amaranth (von den Eroberern wegen der Kraft spendenden Wirkung verboten!) und Mais bei den frühen südamerikanischen Hochkulturen; Dinkel, Roggen, Emer, Hirse, Hafer, Gerste in Europa. Die heutigen Zivilisationskrankheiten waren überaus selten; nur vereinzelte Fälle traten auf, und dies am ehesten bei den herrschenden, verfeinerte Kost genießenden Familien. Ausgrabungen aus dem im Jahre 74 n.Chr. vom Vesuv verschütteten Pompei beweisen, dass seine Bevölkerung vollkommen gesunde, in schönen, regelmäßigen Bögen stehende Zähne besaß.

Ebenso gesund präsentieren sich die ganzen untersuchten Naturvölker, bis sie mit der Zivilisationskost in Berührung kommen. Dann setzen chronische Krankheiten und Degeneration ein – mit erstaunlich gleichartigen Degenerationsmerkmalen z.B. an Skelett und Zähnen, gleich ob es sich um Aborigines in Australien, Afrikaner, Asiaten, Indios, nordamerikanische Indianer oder Europäer handelt. Das darf insofern nicht überraschen, als selbst andere Säugetiere ähnliche Degenerationsmerkmale aufweisen, wenn sie mit denaturierter Nahrung gefüttert werden.

Das wichtige Ergebnis des Vorgehens mit der beschriebenen Arbeitshypothese ist folgendes: *Stellt man den Zivilisationsmenschen auf „zivilisierte Urnahrung" um, so verschwinden auch die meisten seiner Krankheiten, darunter etliche, die als „unheilbar" bezeichnet werden.*

Ursprünglich hatte ich diese gesunde Nahrungsform entwickelt, um vor allem den Gebissverfall bei der Jugend zum Stillstand zu bringen. Aber dann berichteten Familien, die sie anwendeten, auch vom Verschwinden anderer Krankheiten. Nach der Umstellung gezeugte Kinder wiesen keine Zahnfehlstellungen mehr auf, sondern bekamen schöne, gleichmäßige Zahnreihen und behielten bei entsprechender Ernährung gesunde Zähne.

Ein Team des 1. Deutschen Fernsehens (Dieter Menninger und Gottfried Gülicher, Südwestfunk) fragte mich 1973 nach meinen neuesten Erfahrungen für eine geplante Sendung „Wer heilt, hat recht!" (ausgestrahlt am 20. Februar 1974). Wir kamen auf Idee, jene damals etwa 8000 Familien zu befragen, welche ihre Kost nach meinen Empfehlungen umgestellt hatten. Das Ergebnis war überwältigend. Aus den ca. 4700 Antworten ging hervor, dass eine solche Kostumstellung bei hunderten von Beschwerden und Krankheiten Besserungen und Ausheilungen bewirkt, darunter teils Fälle von sogenannten unheilbaren Leiden; dass außerdem die Infektionsanfälligkeit verschwindet, die Leistungsfähigkeit steigt, Kinder bessere Schulnoten in den geistigen Fächern ebenso wie im Sport mit nach Hause bringen, und Schwangerschaft und Geburt problemlos werden. (s. „Der Schnitzer Report", 548 Seiten, 1.-10. Tsd. 1974). Im Internet sind die ca. 3300 zusätzlichen persönlichen Beobachtungen der befragten Personen zu lesen: <http://www.dr-schnitzer.de/srep001.htm>.

In der Sendung wurde dann meine Adresse für weitere Nachfragen genannt; dies führte zu etwa 50.000 Zuschriften, zu deren Beantwortung ich die Hilfe eines ganzen Gymnasiums in Anspruch nehmen musste.

Man sieht daraus, wie groß das Interesse der Menschen ist, mehr über die wahren Grundlagen der Gesundheit zu erfahren.

Auf der anderen Seite wird daran, dass dieses Wissen auch heute noch verheimlicht, verleugnet und durch gezielte Desinformationen vernebelt wird, der Umfang der Interessen deutlich, die davon berührt würden, wenn jedermann diese Geheimnisse der Gesundheit erfahren würde.

Wahrscheinlich wäre es gegenwärtig die größte Wirtschaftskatastrophe, die Europa treffen könnte, wenn plötzlich die allgemeine Gesundheit ausbräche. Um dies zu vermeiden, wird der schleichende wirtschaftliche Niedergang in Kauf genommen, der durch eine chronisch kranke Bevölkerung und ihre zu hohen Sozial-, Renten- und Pflegekosten über den Verlust der internationalen Konkurrenzfähigkeit entstanden ist. Ein gangbarer dritter Weg – ein evolutiver, allmählicher, stetiger Aufbau natürlicher Gesundheitsgrundlagen – wird von der Politik erst gar nicht versucht. Vielleicht sind dafür ja auch nur die Wahlperioden zu kurz?

Ein chinesischer Spruch besagt: „Wenn Du für ein Jahr planst, pflanze Reis. Wenn Du für zehn Jahre planst, pflanze Bäume. Wenn Du für hundert Jahre planst – dann unterrichte das Volk!"

Diese Zusammenhänge und Erfahrungen machen deutlich, welche weltweite Bedeutung die Art der Ernährung für die Menschheit hat, und wie wichtig diese für jeden einzelnen Menschen ist, der seine Gesundheit erhalten oder zurückerobern will. Dabei reichen die üblichen allgemeinen Ratschläge, „die Ernährung umzustellen", nicht aus, und weisen sogar oft in ganz falsche Richtungen. Die Gesundheit sichert nur jene Ernährung, auf die der Mensch seit Jahrmillionen genetisch programmiert ist.

Bewegungsminimum sicherstellen

Mindestens einmal am Tag muss unser Blut „durch die Adern jagen", damit unser Gefäßsystem leistungsfähig und auf seinen Innenflächen glatt und sauber bleibt. Das muss wesentlich länger als 5 Minuten sein – denn erst ab 5 Minuten Dauerbeanspruchung beginnen die positiven Effekte auf das Kreislaufsystem.

Bluthochdruckkranke müssen beim Aufbau ihres Fitnesstrainings jedoch behutsam vorgehen. Sie sollten damit beginnen, Treppen anstelle des Lifts zu benutzen.

Als nächstes ist es zweckmäßig, am frühen Abend nach der Arbeit, jedoch vor dem Abendessen einen Spaziergang zu machen, der sowohl in der Dauer als in der Geschwindigkeit allmählich gesteigert wird. Wenn man mit dem Auto zur Arbeit fahren muss, kann man sich z.B. einen meist günstigeren, weiter entfernt gelegenen Parkplatz suchen und die Strecke zu Fuß gehen. Ist man auf öffentliche Verkehrsmittel angewiesen, kann man vielleicht nach der Arbeit erst eine Station weit zu Fuß gehen, oder eine früher aussteigen und den Rest gehend zurücklegen.

Wenn erreicht ist, dass eine Stunde zügiges Gehen leicht fällt und Spaß macht, kann mit Radfahren begonnen werden. Es ist eine für den Kreislauf geradezu ideale Sportart; denn die Kreislauf- und Lungenbeanspruchung lässt sich stufenlos so wählen, dass die Wirkung aufbauend ist und kein Schaden durch Überbeanspruchung angerichtet wird. Auch vermeidet man beim Radfahren Gelenkschäden, die beim Jogging vor allem an den Knien auftreten können.

Als Kontrolle kann man nach einer Fahrt von 10 Minuten kurz anhalten und den Puls zählen. Die ideale Pulsfrequenz pro Minute für ein Aufbautraining ist 180 minus Lebensalter, sodass z.B. bei einem 50jährigen ein Puls von 130 Pulsschlägen pro Minute ideal wäre, für einen 60jährigen ein solcher von 120.

Je gesünder und leistungsfähiger man in diesem Aufbautraining wird, umso mehr kann man sich dann auf sein Gefühl verlassen. Es wird möglich, ab und zu durch einen eingelegten „Spurt" kurz an die Grenze seiner Leistungsfähigkeit zu gehen, um sodann aber wieder auf die mittlere Leistung zurückzufahren, die längere Zeit ohne Probleme erbracht werden kann. Das schiebt die Leistungsfähigkeit immer weiter nach oben. Ein solches Training ist dann aufbauend, wenn wir unsere Leistungsfähigkeit zwar ausschöpfen, uns aber dabei nie erschöpfen. Erschöpfung im Training würde abbauen wirken.

Auch Skilanglauf, ähnlich aufgebaut, ist ein idealer Kreislaufsport. Er kann im Winter an die Stelle des Radfahrens treten, wenn die Radwege durch Schnee und Eis Glättegefahr aufweisen und man das Radeln deshalb besser sein lässt.

Jogging – leichter Dauerlauf – ist für jeden gut, der nicht übergewichtig ist oder keine Probleme mit seinen Gelenken hat. Liegen solche vor, muss zuerst das Übergewicht durch Richtigstellung der Ernährung und Radfahren abgebaut worden sein, bis die Gelenke wieder nur das normale Gewicht zu tragen haben. Dann kann man mit leichtem Jogging beginnen.

Wichtig ist bei allen Sportarten, dass auch die Wirbelsäule voll beweglich ist und keine Wirbelblockierungen durch Dauerkrampf der verbindenden Muskulatur bestehen. Solche Blockierungen können bei schwacher, untrainierter Wirbelsäulenmuskulatur sogar im Schlaf oder durch ungeschickte Bewegungen eintreten und Wochen und Monate fortbestehen. Der Grund ist, dass der Organismus durch die Muskelanspannung ein Abklemmen der zwischen den Wirbeln austretenden Nervenbahnen verhindern will. Der Dauerkrampf führt jedoch auch zu Entkalkung der Wirbel und zu Schmerzen durch den Druck auf diese Nervenbahnen.

Die Chiropraktik weiß durch einen gezielten Ruck den Organismus zu überlisten, sodass nach Zurückführung des verrutschten Wirbels in die richtige Position sich auch der Dauerkrampf des Muskels auflöst. Aber leider kommt es auf den eingefahrenen Bahnen bald wieder zu derselben Misere, wenn sonst nichts unternommen wird. Das hat Dr. med. Walter A. Laabs erkannt und zum Training der Wirbelsäulenmuskulatur und zur Sicherung der Beweglichkeit des ganzen übrigen Skeletts eine morgendliche 5-Minuten-Gymnastik entwickelt, die auf dem Bett liegend durchgeführt wird und sogar Becken- und Wirbelverschiebungen wieder einrichten kann (Beckenverschiebungen sind oft der Grund dafür, dass anschließend die ganze übrige Wirbelsäulenstatik durcheinander gerät). Sie ist in seinem Büchlein „Leitfaden zur Selbstbehandlung bei Rückenschmerzen“ (Haug Verlag, Heidelberg) beschrieben.

Auch der Besuch eines Fitness-Centers zweimal in der Woche wirkt sich vorteilhaft auf den Kreislauf aus. Dort findet man meistens studierte Sportfachleute, die in der Lage sind, einen individuellen Trainingsplan zusammenzustellen, der auf der gegenwärtigen Kondition des Einzelnen aufbaut und auf das festgelegte Trainingsziel ausgerichtet ist.

Das Rauchen einstellen

Rauchen ist „out“. In Kalifornien, wo das Gesundheits- und Umweltbewusstsein in den USA am weitesten entwickelt ist und sich auch in Gesetzen niederschlägt, sind bereits 82 % der Bevölkerung Nichtraucher. Während die Zigarettenreklame lange durch Abbildung einer elegant rauchenden „High Society“ vorgaukelte, Rauchen verleihe etwas von dieser „Klasse“, rauchen in Wirklichkeit solche Leute längst nicht mehr.

Dass Rauchen, auch das passive Einatmen von Tabakrauch in verrauchten Räumen, die Hauptursache von Lungenkrebs ist, war in der Pathologie der Universität Freiburg/Br. schon während meines Studiums (1950-1954) bekannt. Konsequenzen daraus zog man damals nicht.

Rauchen schadet nicht nur der Gesundheit und besonders dem Bluthochdruckkranken. Es ist auch eine Sucht, eine sehr hartnäckige, die ihre Abhängigen mit großer Gewalt in ihren Klauen hält. Es ist deshalb nicht einfach und braucht große Kraft und einen starken Willen, davon loszukommen. Ein allmählicher Ausstieg durch Reduktion der täglichen Zigarettenzahl ist qualvoll und gelingt fast nie. Nur der Entschluss, sofort ganz aufzuhören, hat Chancen. Dann müssen nur noch die paar nächsten Tage mit den unangenehmen Entzugserscheinungen der Sucht willensstark und erfolgreich durchgestanden werden.

Verschiedene Methoden können dabei unterstützen – aber nur dann, wenn der eigene starke Wille zur Überwindung der Sucht und zur Wiedererlangung der persönlichen Freiheit vorhanden ist.

Eine der Möglichkeiten ist die Ohr-Akupunktur. Wenn der dort vorhandene „Suchtpunkt“ behandelt wird, kann das den Ausstieg aus der Sucht erleichtern.

Wenn alles nichts hilft, hilft Beten. Ich habe mitverfolgt, wie Raucher alle möglichen Methoden erfolglos durchlaufen haben. Nach inständigem und aufrichtigem Beten war dann ganz plötzlich Schluss mit dem Verlangen nach dem Gift; nie wieder rührten sie danach eine Zigarette an.

Das Rauchen ist nur eine der zahlreichen Methoden, mit welchen viele Menschen ihr Leben künstlich verkürzen und sich ein teilweise qualvolles Ende einhandeln (z.B. „Raucherbein“-Amputation, Lungenkrebs).

Unwissentlich geschieht der „langsame Selbstmord“ noch viel häufiger mit Messer und Gabel. Dadurch verkürzt sich die Lebenserwartung der meisten Menschen um zweistellige Jahreszahlen – allen Behauptungen der „modernen Medizin“ zum Trotz, sie habe die Lebenserwartung des Menschen verlängert.

Untersucht man diese Zusammenhänge näher, wie ich dies in meinem Buch „Das volle Leben – über die Lebensqualität in der Zivilisation“ getan habe, so kommt man zu ganz anderen Ergebnissen.

Nur Wenige wissen, dass die natürliche Lebenserwartung 140-150 Jahre beträgt, derzeit nur jeder 110. Mensch am Alter verstirbt, und die Anderen viel zu früh vor allem an vermeidbaren „Zivilisationskrankheiten“ versterben, nachdem sie im Durchschnitt bereits 25 Jahre vor ihrem Tode chronisch krank geworden waren (was ebenfalls vermeidbar wäre).

Gewohnheiten überprüfen

Gute Gewohnheiten erleichtern das Leben – und schlechte verkürzen es! Gewohnheiten sind „halbautomatische“ Abläufe, die wir irgendwann erlernt, für gut, nützlich oder angenehm befunden und sie uns dann zur Gewohnheit gemacht haben. Wir brauchen nicht mehr viel darüber nachzudenken; wenn die entsprechende Zeit oder Situation gegeben ist, laufen sie fast wie von selbst ab. Das ist sehr nützlich. Denn wir brauchen einen solchen Ablauf nicht mehr jedes mal ganz neu zu „erfinden“ und bewusst zu steuern, sondern haben während des halbautomatischen Ablaufes den größten Teil unserer Denk-Kapazitäten frei für wichtigere oder interessantere Überlegungen und Angelegenheiten.

Wer an Bluthochdruck erkrankt ist, verdankt dies einigen Gewohnheiten, die vielleicht angenehm waren (wie das Rauchen, oder wie z.B. die schon als Kind von den Eltern übernommenen Essensgewohnheiten), sich aber jetzt im Rückblick aufgrund ihrer langfristigen krankmachenden Wirkungen als schlecht erwiesen haben. Solche Gewohnheiten gilt es teils aufzugeben (wie das Rauchen), teils zu ändern (wie einige nachteilige Essensgewohnheiten). Manches bisher Ungewohnte muss man sich auch erst neu angewöhnen.

Dieses Ab-, Um- und Angewöhnen erfordert zunächst die volle Innovationskraft, Aufmerksamkeit und Konzentration, um die neuen Abläufe zu organisieren, einzurichten und zu optimieren, bis diese dann allmählich zu den neuen guten Gewohnheiten werden. Das braucht ungefähr 4 Wochen, und danach eine „überwachende Selbstkontrolle“. So schmeckt z.B. nach 4 Wochen die neue frische Kost viel besser als die alte Kochkost.

Wie Risiko und Erfolg kontrolliert werden können

Kontrolle des Hämatokrits

Eine der wichtigsten Informationen, ob man sich im Risikobereich befindet, gibt die Kontrolle des Blutzellengehaltes (Hämatokrit), der in Volumenprozent angegeben wird. „Beim Gesunden kann dieser Wert zwischen 35 und 40 Volumenprozent liegen. Der obere Norm-Grenzwert ist 42 Volumenprozent. Dort beginnt der Risikobereich. Unter der Annahme der Unschädlichkeit und Unspeicherbarkeit der Eiweiße sind in den letzten 30 Jahren die oberen Grenzwerte der Norm aller Bluteiweiße zu hoch angesetzt worden, so auch der Hämatokrit.“

Diese etwa 1980 gemachten Angaben stammen von Prof. Dr. med. Lothar Wendt, der sich wissenschaftlich und praktisch so eingehend wie sonst niemand mit der Tatsache und den Folgen der Speicherung von Eiweißüberschüssen befasst hat.

Tatsächlich ragen die heutigen „Normwerte“ (Männer 40-52 %, Frauen 37-47 % nach „Pschyrembel“ 2002) weit in den Risikobereich hinein!

Das Hämatokrit kann leicht vom Arzt oder Therapeuten festgestellt werden. Liegt es zu hoch und ist der Blutdruck erhöht, so hat es sich bewährt, eine Serie von kleinen Aderlässen (80 bis 100 ml) einmal wöchentlich vier bis zehn Wochen lang durchzuführen. Jedes Mal kann ein Teil des entnommenen Blutes wieder zur Feststellung des Hämatokrits und sonstiger Werte abgezweigt werden. Eine anschließende Infusion mit physiologischer (0,9 %-iger) Kochsalzlösung hat sich bewährt, kann jedoch auch durch Trinken von ¼ bis ½ l Wasser ersetzt werden.

Selbstverständlich sollen erhöhte Werte auch immer Anlass sein, die Zusammensetzung der Ernährung kritisch zu überprüfen, die in diesem Buch beschriebenen Ernährungsmaßnahmen einzuhalten und genügend Fitnesstraining durchzuführen.

Kontrolle des Blutdrucks

Beim Gesunden liegt der optimale Blutdruck, in Ruhe gemessen, mit seinem oberen Wert (in der Systole, wenn der Herzmuskel sich gerade pumpend zusammenzieht) bei 120 bis 125 mm Quecksilbersäule (Hg). Wenn er sich entspannt, um die nächste Portion Blut einströmen zu lassen, sinkt er beim Gesunden auf 80-85 mm Hg ab. Bei körperlicher Anstrengung des trainierten Gesunden steigen die Werte geringfügig darüber an. Blutdruckwerte, die schon im Ruhezustand darüber liegen, sind in jedem Fall ein Hinweis darauf, dass der Kreislauf sich nicht in einem optimalen Zustand befindet. Das sollte Anlass sein, alles zur völligen Gesundung zu unternehmen.

Es kommt auch vor, dass parallel zwei Krankheitszustände bestehen, die zusammen bewirken, dass der Blutdruck scheinbar normal ist – etwa bei Personen, die ursprünglich an zu niederem Blutdruck litten, der dann durch Überlagerung mit verengenden Gefäßveränderungen zu einem nur scheinbar gesunden Blutdruckwert gerät. Auch dann, wenn die Herzklappen nicht mehr richtig schließen, kann das Herz den bei verengten Gefäßen an sich erforderlichen erhöhten Druck nicht aufbauen, sodass der Blutdruck „normal" erscheint. Solche Überlagerungen können durch entsprechende Untersuchungen erkannt werden.

In jedem solchen Fall ist die hier beschriebene Vorgehensweise geeignet, aus dem Risikobereich herauszukommen. Bei ursprünglich zu niedrigem Blutdruck sollte darauf geachtet werden, ob „Blutarmut" bestanden hat oder das Verhältnis der Blutzellen zueinander nicht stimmt; entsprechend wird der Arzt entscheiden, ob und in welchen Zeitabständen er in einem solchen Fall die kleinen Aderlässe durchführt.

Wenn Herzklappen nicht mehr schließen, kann es daran liegen, dass durch die Zufuhr von zu viel Eiweiß auch der Herzmuskel sich vergrößert hat, so wie Bodybuilder zur Unterstützung ihres Muskelwachstums Eiweißkonzentrate zu sich nehmen (eine gefährliche Sache, wie der informierte Leser schon selbst beurteilen kann). Dabei wird das „Herzventil" auseinandergezogen, die Klappe erreicht den Ventilsitzrand nicht mehr, Blut fließt zurück. Jetzt muss das Herz mehr pumpen – und das führt zu einer weiteren Vergrößerung des Herzmuskels durch den Trainingseffekt, wodurch das Ventil noch schlechter schließt und das Herz noch mehr pumpen muss ... ein Circulus vitiosus!

Dass dies tatsächlich so sein kann, konnte ich bisher an zwei Fällen beobachten. Beiden war eine Herzklappenoperation empfohlen worden, wobei künstliche Herzklappen oder Schweineherzklappen eingesetzt werden. Ich wurde um Rat gefragt und empfahl, zunächst durch Vermeidung von Eiweißüberschuss in der Nahrung und gesunde Kost zu probieren, ob nicht auch der Herzmuskel sich normalisiert und die Klappen wieder besser schließen. In beiden Fällen trat dieser Erfolg tatsächlich ein, und die teure und risikobehaftete Operation war nicht mehr nötig.

Sonstige Warnsymptome

Außer der Kontrolle des Hämatokrits und der Kontrolle des Blutdrucks – letzterer kann auch in Apotheken, oder selbst mit im Handel erhältlichen Geräten durchgeführt werden – gibt es weitere Warnsymptome, die ein Zeichen dafür sein können, dass das Blut zu dickflüssig, das Kreislaufsystem verengt ist:

- Wenn nach einigem Gehen Schmerzen in der Beinmuskulatur auftreten, die durch Stehen bleiben wieder verschwinden („Schaufensterkrankheit"). Dabei handelt es sich um Verengungen der Beinarterien.
- Herzschmerzen bei schnellem Gehen oder Laufen. Sie deuten auf Verengungen der den Herzmuskel versorgenden Blutgefäße (Herzkranzgefäße) und ungenügende Sauerstoffversorgung des Herzmuskels hin.
- Das Auftreten von Muskelkater schon nach geringen Anstrengungen ist ein Zeichen dafür, dass die Transportwege für den Sauerstoff von den Blutkapillaren zu den Muskelfasern durch Eiweißeinlagerungen in die Gefäßwände und das Interstitium zu lang sind; die Muskeln leiden unter Sauerstoffmangel.
- Auftreten von Schwindelzuständen, vorübergehenden Sehstörungen (Flimmern, vorübergehend eingeengtes Sichtfeld oder gänzliches Aussetzen des Sehens, was sich nach einigen Minuten allmählich normalisiert), Ohrgeräusche, Ohnmächtigwerden sind Anzeichen von Gefäßverengungen im Kopf- Gehirn-Bereich und zu hoher Viskosität (Dickflüssigkeit) des Blutes.
- Nasenbluten ist ein Versuch des Organismus, zu große Blutfülle loszuwerden. Frauen im gebärfähigen Alter haben ein solches Überdruckventil in ihrer Regelblutung – der kleine „Aderlass" alle 4 Wochen ist der Hauptgrund für die um 10 Jahre höhere Lebenserwartung der Frauen! Darauf hat Prof. Dr. Lothar Wendt hingewiesen. Von der Menopause an gleicht sich die restliche Lebenserwartung der Frauen jener der Männern an, die bis dahin überlebt haben. Die Wechseljahrsbeschwerden sind wahrscheinlich überwiegend den Eiweißüberschüssen zuzuschreiben, die sich jetzt im Organismus anhäufen).
- Lymphstauungen sind ebenfalls meistens nur die Zweitfolge zu großer Blutfülle. Wie sich Wasser bis in die Nebenflüsse zurückstaut, wenn der Hauptfluss hohes Wasser führt, so kann auch die Lymphe über den

ductus thoracicus nicht genügend in den Blutkreislauf zurückfließen, wenn dieser ohnehin schon prall mit Blut gefüllt ist. Warum ist er prall gefüllt? Weil das Blut zu eiweißreich ist und soviel wie möglich verdünnende Flüssigkeit in den Blutkreislauf hineingepumpt werden muss, damit das Blut überhaupt fließfähig bleibt. Da die Lymphe eiweißreich ist, besteht ein weiterer Grund, sie zurückzustauen: damit nicht durch weitere Erhöhung der Eiweißkonzentration die Fließfähigkeit des Blutes noch mehr gefährdet wird.

- Ständig angeschwollene Nasenschleimhäute, ein scheinbarer chronischer Schnupfen deuten ebenfalls auf einen Lymphstau hin, der durch Eiweißüberschüsse erzeugt sein kann. Die Nasenschleimhaut ist ein „Überdruckventil" für die Lymphe. Da vor allem für das Gehirn ein Flüssigkeitsstau mangels Ausdehnungsmöglichkeit (es ist in der Schädelkapsel eingeschlossen) zu einer katastrophalen Abdrosselung der Blutversorgung führen würde, weil die Blutgefäße bei steigendem Schädel-Innendruck einfach zusammengepresst würden (wie bei einer Gehirnblutung), hat das Innere der Schädelkapsel eine Abflussmöglichkeit für Gewebsflüssigkeit zur Nase hin.

In allen diesen Fällen sind die genannten Therapien – Umstellung der Ernährung auf artgerechte natürliche Kost, eine Serie kleiner Aderlässe, genügend körperliche Übung – von großem Nutzen, um den sonst zu befürchtenden ernsten Folgen vorzubeugen, die dann eintreten, wenn der Organismus an der Grenze seiner Kompensationsfähigkeit angelangt ist.

Wie praktisch vorgehen

Wenn Sie selbst zum Kreis der Gefährdeten oder Betroffenen gehören, können Sie mit dem jetzt erworbenen Wissen darangehen, sich aus dem Risikobereich für Herz-Kreislauf-Erkrankungen zu entfernen. Da Sie es durch Wiederherstellung der natürlichen Gesundheitsgrundlagen tun, wird so auch das Risiko für weitere Zivilisationsleiden sehr viel geringer!

Sicher möchten Sie kontrollieren können, ob Ihr Vorgehen Erfolg hat. Deshalb sollten Sie Ihre Ausgangswerte vorher dokumentieren, vor allem die Bereiche, in welchen sich Ihr Blutdruck bewegt, wie viele von welchen Medikamenten Sie gegenwärtig nehmen, welches Ihr gegenwärtiges Hämatokrit und welches Ihre augenblicklichen Gerinnungsfaktoren sind.

Dabei wird Ihnen Ihr Arzt oder Therapeut sicher gerne helfen und Ihnen auch die Werte der zurückliegenden 4 Wochen sagen können (Sie haben ein Recht darauf, Kopien Ihrer Patientenunterlagen zu erhalten).

Dann starten Sie mit der Ernährungsumstellung. Wie das im Prinzip und Detail geht, ist im Rezeptteil dieses Buches beschrieben.

Sollten Sie bisher keine Medikamente eingenommen haben, so können Sie auch jetzt weitgehend allein zurechtkommen – in den meisten Fällen genügt es, einmal wöchentlich den Blutdruck zu messen und die Werte aufzuschreiben. Wenn sich der Blutdruck normalisiert hat, sind Sie bereits am Ziel. Jetzt brauchen Sie zunächst nur noch alle 4 Wochen und später nur noch alle 3 Monate einmal Ihren Blutdruck zu kontrollieren, um sicher zu gehen, dass immer noch alles in Ordnung ist.

Vielleicht fragen Sie jetzt: Wie lange muss ich dann noch diese gesunde Ernährung durchführen? Darauf gibt es eine Gegenfrage: Wie lange muss man atmen, um nicht zu ersticken? Und eine Antwort: So lange Sie gesund bleiben wollen. Natürlich wird der Organismus dabei mit der Zeit weniger empfindlich auf gelegentliche „Ausrutscher“ reagieren, die aber die Ausnahme bleiben müssen. Das Gefährlichste sind kleine, aber tägliche Fehler. Sie summieren sich zu einem großen.

Mussten Sie bisher Medikamente einnehmen, so ist deren allmähliches und kontrolliertes Zurücknehmen bis zum völligen Weglassen unter Kontrolle eines Arztes oder Therapeuten zu empfehlen, und dies aufgrund von Messwerten. Wenn z.B. der Blutdruck unter den bisherigen blutdrucksenkenden Mitteln nahezu „normale“ Werte angenommen hat, können diese reduziert werden, um festzustellen, ob die Blutdruckwerte immer noch im normalen Bereich bleiben; wenn ja, kann weiter zurückgenommen werden, bis der Blutdruck auch völlig ohne Medikamente normale Werte zeigt. Das geht beim Einzelnen unterschiedlich lange, jedoch höchstens 3-6 Wochen..

Gleiches gilt auch für die Gerinnungswerte. Wenn diese unter der bisherigen Medikation ganz „normal“ geworden sind, wird man diese schrittweise reduzieren bis zur Normalisierung ohne Medikament.

Weil diese Normalisierungen oft sehr zügig, teils innerhalb weniger Tage erfolgen, sind anfangs Kontrollen in kurzen Zeitabständen gut.

War der Blutdruck bisher stark erhöht, liegt das Hämatokrit weit im Risikobereich, ist die Gerinnungsneigung stark erhöht, so empfiehlt es sich, dass Ihr Arzt oder Therapeut auch sogleich mit den beschriebenen kleinen Aderlässen beginnt. Alles, was für den Fachmann bei dieser Therapie wichtig zu wissen ist, findet sich in dem kleinen Buch „Die kausale Therapie der essentiellen Hypertonie“ beschrieben. Dieses Büchlein mit der Therapieanleitung für den Fachmann ist im Internet besprochen. Die URL (Internet-Adresse):

<http://www.dr-schnitzer.de/bhd004.htm>.

Bisher hat die Aussicht, die chronischen, immer wieder kommenden Bluthochdruckpatienten (= 50 % aller Patienten und Einnahmen) durch deren dauerhafte Gesundung zu verlieren, bei der Ärzteschaft allerdings nicht gerade Begeisterungsstürme ausgelöst. Sie können es zunächst bei Ihrem bisherigen Arzt versuchen, indem Sie ihm dieses Büchlein befristet ausleihen (es ist sicherer, dass es auch gelesen wird, als wenn Sie es schenken). Zeigt er danach Interesse und möchte Sie auf dem Weg zur Gesundung unterstützen und diese durch die besprochenen Maßnahmen fördern, ist er wahrscheinlich der Richtige für Sie.

Ist er (oder sie) jedoch zögerlich, so nehmen Sie die Gelben Seiten des Telefonbuchs und suchen in Ihrer Umgebung nach Ärzten mit Zusatzbezeichnungen wie „Homöopathie“ und/oder „Naturheilverfahren“. Auch bei Heilpraktikern findet sich teilweise mehr Interesse für diesen biologischen (= den Grundprinzipien des Lebens entsprechenden) Weg.

Wenn Sie dann welche in Ihrer Nähe gefunden haben, rufen Sie erst mal an und fragen die Methoden und Kenntnisse ab – z.B. „Die kausale Therapie der essentiellen Hypertonie“ nach Dr. Johann Georg Schnitzer, und die „Antihomotoxische Therapie“ nach Dr. Hans Heinrich Reckeweg. Wer von beidem keine Ahnung hat, den sollten Sie lieber meiden.

Grundsätzlich führt schon die Richtigstellung der Ernährung auch in schweren Fällen meistens zu einer allmählichen völligen Normalisierung aller Werte und zur Wiederherstellung der Gesundheit. Viele kamen dabei auch ganz gut alleine zurecht, wenn ihr Arzt sie nicht besonders oder überhaupt nicht unterstützt hat. Das dokumentieren nicht zuletzt die zahlreichen Fallberichte in diesem Buch. Auch den schrittweisen Aufbau von Fitnessmaßnahmen können Sie selbst vornehmen, wenn Sie dabei vernünftig vorgehen und sich nicht selbst überfordern.

Die beschriebenen kleinen Aderlässe und die kontrollierende Begleitung eines kooperationswilligen Arztes oder Therapeuten helfen jedoch, zügiger aus dem Risikobereich der Herz-Kreislauf-Erkrankungen herauszukommen und früher in den sicheren Hafen der Gesundheit einzulaufen.

Internet-Fragebogen zur Bluthochdruckstudie Tabelle zur Kontrolle der Normalisierung

Mit der Dokumentation Ihres Befindens und Ihrer Befunde vor Beginn der neuen Maßnahmen können Sie später feststellen, wie viel sich geändert hat, und wie viel besser es Ihnen geht. Es ist eine ärztliche Erfahrung, dass ein wirklich gesund gewordener Patient seine vorherige Krankheit vollständig vergessen kann. Das Festhalten und Dokumentieren von Jetzt, weiterem Verlauf und Ergebnis dient vor allem Ihrer eigenen Kontrolle. Es hilft aber auch, wenn später Andere Ihnen nicht glauben wollen.

Es ist nämlich eine häufig benutzter Scheinlogik-Trick von Vertretern bestimmter Dogmen und „Schulen", zu argumentieren: „Was, Sie behaupten, dass Sie Bluthochdruck hatten und jetzt davon geheilt sind? Das kann nicht sein! Wenn es wirklich Bluthochruck gewesen wäre, könnten Sie jetzt nicht geheilt sein, denn der ist unheilbar. Also hatten Sie gar keinen, sonst wären Sie jetzt nicht gesund ..." Da sind dann gute, möglichst mit ärztlichen und Laborbefunden untermauerte Dokumentationen die harten Fakten, welche selbst ein Dogmatiker nicht wegdiskutieren kann.

Machen Sie außerdem – für Ihre eigene Kontrolle und Dokumentation – eine Fotokopie von der leeren Tabelle auf der übernächsten Seite, um dann in die Kopie jede Woche Ihre Werte einzutragen. So können Sie auch graphisch Ihre Gesundung verfolgen, und das Buch selbst bleibt frei von persönlichen Daten.

Wenn Ihnen diese Informationen geholfen haben, Ihren Blutdruck ohne Pillen zu normalisieren und Ihre Gesundheit zurückzugewinnen – wovon ich aufgrund aller bisherigen Erfahrungen überzeugt bin – so können Sie auch zur wissenschaftlichen Dokumentation und praktischen Durchsetzung dieser kausalen Therapie beitragen.

Senden Sie mir dann bitte Ihren Bericht (via Internet) für unsere laufende Bluthochdruckstudie (mehr dazu auf dem Fragebogen). Ich würde mich sehr über Ihren Beitrag mit den von Ihnen gemachten Erfahrungen freuen. Der Fragebogen im Internet hat die URL (Internetadresse):

<http://www.dr-schnitzer.de/inquiry2.html>

Am besten drucken Sie sich diesen schon jetzt gleich aus, um Ihre Werte und Erfahrungen zu sammeln, bevor Sie etwas davon vergessen haben.

Tabelle (Beispiel) zur Erfassung
von Blutdruckwerten, Blutentnahmen und Medikamentendosierungen

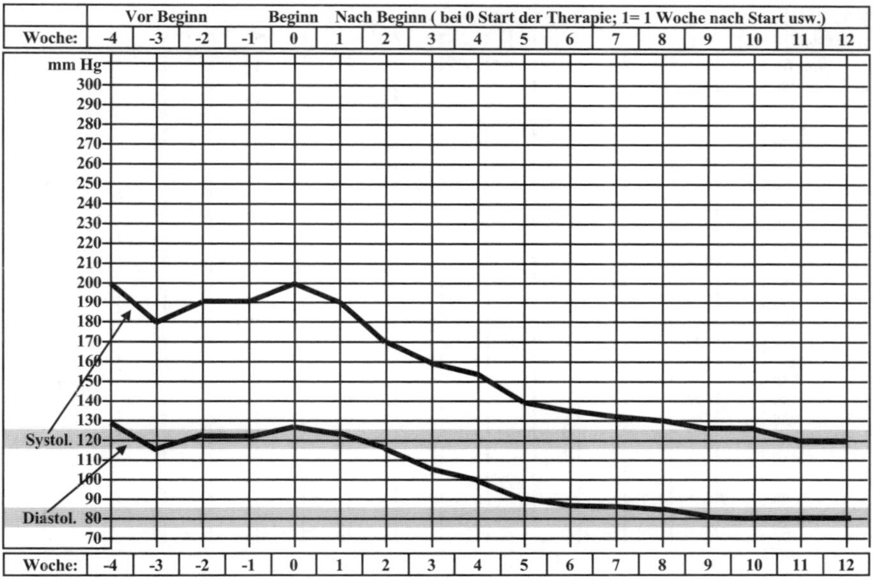

Blutentnahmen (bitte in betr. Woche in ml / ccm eintragen)

Woche	-4	-3	-2	-1	0	1	2	3	4	5	6	7	8	9	10	11	12
ml (ccm)	-	-	-	-	150	100	100	100	90	80	80	-	80	-	80	-	-
	Vor Beginn				Beginn	Nach Beginn (bei 0 Start der Therapie; 1= 1 Woche nach Start usw.)											

Tabletten pro Tag (bitte in betr. Woche in Stück pro Tag eintragen)

Woche	-4	-3	-2	-1	0	1	2	3	4	5	6	7	8	9	10	11	12
A:																	
B:	2	2	2	2	1	-	-	-	-	-	-	-	-	-	-	-	-
C:																	
D:																	
E:																	
F:																	
G:																	
	Vor Beginn				Beginn	Nach Beginn (bei 0 Start der Therapie; 1= 1 Woche nach Start usw.)											

A = Calcium-Antagonisten **B** = Betablocker **C** = Diuretika
D = Gerinnungshemmer (z.B. Marcumar) **E** = Salicylsäurepräparat

F = ______________________
(bitte Bezeichnung eintragen)

G = ______________________
(bitte Bezeichnung eintragen)

M.N. ***23.1.1998*** ***15.4.1998***

Anfangsbuchstaben des Namens / Start der Therapie am / Normalisierung ohne Tabletten erreicht am

Tabelle zur Erfassung
von Blutdruckwerten, Blutentnahmen und Medikamentendosierungen

	Vor Beginn				Beginn	Nach Beginn (bei 0 Start der Therapie; 1= 1 Woche nach Start usw.)											
Woche:	-4	-3	-2	-1	0	1	2	3	4	5	6	7	8	9	10	11	12
mm Hg																	
300																	
290																	
280																	
270																	
260																	
250																	
240																	
230																	
220																	
210																	
200																	
190																	
180																	
170																	
160																	
150																	
140																	
130																	
Systol. 120																	
110																	
100																	
90																	
Diastol. 80																	
70																	
Woche:	-4	-3	-2	-1	0	1	2	3	4	5	6	7	8	9	10	11	12

Blutentnahmen (bitte in betr. Woche in ml / ccm eintragen)

Woche	-4	-3	-2	-1	0	1	2	3	4	5	6	7	8	9	10	11	12
ml (ccm)	-	-	-	-													
	Vor Beginn				Beginn	Nach Beginn (bei 0 Start der Therapie; 1= 1 Woche nach Start usw.)											

Tabletten pro Tag (bitte in betr. Woche in Stück pro Tag eintragen)

Woche	-4	-3	-2	-1	0	1	2	3	4	5	6	7	8	9	10	11	12
A:																	
B:																	
C:																	
D:																	
E:																	
F:																	
G:																	
	Vor Beginn				Beginn	Nach Beginn (bei 0 Start der Therapie; 1= 1 Woche nach Start usw.)											

A = Calcium-Antagonisten **B** = Betablocker **C** = Diuretika
D = Gerinnungshemmer (z.B. Marcumar) **E** = Salicylsäurepräparat

F = ______________________ (bitte Bezeichnung eintragen)
G = ______________________ (bitte Bezeichnung eintragen)

______________ / ______________ / ______________

Anfangsbuchstaben des Namens / Start der Therapie am / Normalisierung ohne Tabletten erreicht am

Rezeptteil

Schnitzer-Intensivkost
Schnitzer-Normalkost

Getreidesuppendiät
zur Einleitung

Beispiel
für einen Tag

Küchengeräte, die Sie brauchen:

Eine Getreidemühle mit Mahlsteinen. Getreide sind nur als ganzes, keimfähiges Korn lagerfähig (eine „lebende Konserve“). Gemahlene Vollkornschrote und -mehle beginnen sofort mit dem Luftsauerstoff zu oxidieren, ähnlich schnell wie ein Apfel nach dem Reiben braun wird. Dabei verliert es in wenigen Stunden schon einen wesentlichen Teil seiner gesundheitlichen Werte. Man soll deshalb Getreide erst unmittelbar vor der weiteren Verarbeitung frisch mahlen und das Mahlgut dann sofort zu Müslis, Gewürzgetreideschroten, Gerichten oder Gebäcken weiter verarbeiten. Um selbst mahlen zu können, brauchen Sie eine Getreidemühle; sie kann elektrisch oder handbetrieben sein. Auf jeden Fall sollte sie Mahlsteine haben.

Eine feine Edelstahlraffel. Der Apfel fürs Frischkornmüsli und die Wurzelgemüse für die Salate sollen fein gerieben werden. Die Raffel soll aus nichtrostendem Stahl sein, damit die Vitamine nicht geschädigt werden. Raffeln aus galvanisch veredeltem normalem Stahl eignen sich nicht.

Küchenmesser aus Edelstahl. Dasselbe gilt für alle Messer, die zum Zerschneiden von Gemüsen und frischem Obst dienen.

„Zwiebelhacker“ zum Zerkleinern der Nüsse. Die Nüsse für die Müsli-Zubereitungen lassen sich mit diesem am schnellsten auf einem Holzbrett zerkleinern. Man kann sie aber auch am Vorabend kalt einweichen (am Morgen abwaschen). Dann brauchen sie nicht vorzerkleinert werden.

Keimgerät zum Ankeimen von Samen. Dieses geht zwar auch schon in einer abgedeckten Glasschale oder Schüssel; aber praktischer ist doch eines der verschiedenen Keimgeräte, die aus übereinander gestapelten Schalen mit Syphon-artigen Abläufen bestehen, so dass man die Samen dreimal täglich befeuchten kann (wichtig: Gut sauber halten).

Küchenwaage. Mit dieser sollen auch kleine Mengen gewogen werden können (für Gewürze und Salz ist auch eine Briefwaage hilfreich).

Was vorrätig sein soll:

Keimfähige Getreide aus naturgemäßem Anbau. Da man diese täglich braucht, kann man sich einen kleinen Vorrat von jeweils 1-5 kg zulegen, je nach Haushaltgröße. Er sollte an einem trockenen, kühlen Ort in Leinensäckchen gelagert und von Zeit zu Zeit bewegt werden. Am sichersten verhindert man die Entwicklung von Getreideschädlingen (denen giftfrei angebaute Getreide auch besser schmecken als chemiebelastete), wenn man die Säckchen noch in einer Schüssel in den Kühlschrank (*nicht* Tiefkühlschrank) legt. Dort ist es zu kalt für deren Liebesleben und Entwicklung. Geeignete Sorten: Weizen, Nackthafer, Roggen, Dinkel, Nacktgerste, und weitere keimfähige Getreidesorten.

Naturbelassene Nuss- und Samensorten. Mandeln, Haselnüsse, Walnüsse, Cashewkerne, Pinienkerne, Sonnenblumenkerne, Leinsamen.

Leguminosen zum Ankeimen. Verschiedene Linsensorten, Kichererbsen, grüne Erbsen, grüne Mungobohnen.

Samen zum Ankeimen. Alfalfa, Amaranth, Kresse, Senf, Rettich.

Verschiedene tiefgefrorene Beerensorten. Erdbeeren, Himbeeren, Brombeeren, Heidelbeeren, weitere Beerensorten. Wenn frische erhältlich sind, so sind diese vorzuziehen.

Verschiedene Gewürze. Cardamom, Vanille, Zimt für die Müsli-Zubereitungen; Pfeffer, Muskat, Curry, Paprika, Ingwer, Koriander und Kreuzkümmel für die Salat-Zubereitungen und Getreidesuppen.

Vollmeersalz. Man achte, dass es sich wirklich um solches handelt.

Distelöl, Leinsamenöl. Diese Öle haben den höchsten Anteil gesundheitlich wichtiger hochungesättigter Fettsäuren. Besonders vorteilhaft wegen der Omega-3 und –6-Fettsäuren: Beide Öle hälftig zusammen verwenden. Walnussöl und Sonnenblumenöl können gelegentlich verwendet werden.

Essig. Verschiedene Sorten: Weinessig, Obstessig, Apfelessig.

Zitronen. Diese sollen unbehandelt sein.

Äpfel. Sie sollen nicht zu sauer sein, jedoch sehr aromatisch schmecken.

Verschiedene Wurzelgemüse. Für die Salate werden gebraucht: Möhren, verschiedene Rettichsorten, Radieschen, rote Beete, Sellerie und weitere Knollenfrüchte, die saisonal angeboten werden.

Frisch einzukaufen:

Blattsalate und frische Kräuter. Da diese rasch welken und dabei einen Vitaminverlust erleiden, soll man sie nach Möglichkeit täglich frisch einkaufen. Dabei soll man auch darauf achten, dass der Weg beim Handel vom Feld bis ins Ladenregal nicht zu lange war. Verwendet werden können zum Beispiel Kopfsalat, Endiviensalat, Chicoree, Chinakohl, Eissalat, Dill, Feldsalat (Acker-, Rapunzelsalat), Gartenkresse, Löwenzahnblätter, Brunnenkresse, Spinat, Weißkohl, Rotkohl, Wirsingkohl, Schnittlauch, Petersilie, Estragon, Liebstöckel, Melisse und zahlreiche weitere, soweit erhältlich.

Obstsorten. Verschiedene Obstsorten der Jahreszeit: Bananen, Orangen, Mandarinen, Clementinen, Mango, Ananas, Trauben, Zwetschgen, Kirschen, Himbeeren, Erdbeeren, Johannisbeeren, Stachelbeeren, Heidelbeeren, Preiselbeeren, Brombeeren, Birnen, Aprikosen, Pfirsiche, Melonen usw.

Tomaten, Gurken, Avocado (als Beigaben zu Salaten)

Spargeln. Diese zählen zu den „zarten Pflanzenschösslingen", welche nach den Forschungen von Dr. Richard Lehne zur menschlichen Urnahrung gehören. Roh genossen, so oder im Salat, sind sie ein den meisten Menschen bisher ganz unbekannter Genuss. Abgesehen vom Wohlgeschmack: Der Vitalitätsunterschied zwischen roh und gekocht (sterilisiert) wird schon deutlich, wenn man beide nebeneinander hält. Man nutze deshalb die Spargel-Saison.

Worauf bei den Zubereitungen besonders zu achten ist

Getreidesuppendiät. Die angegebene Salzmenge soll möglichst eingehalten werden. Hingegen kann die Getreidemenge je nach Energiebedarf variiert werden. Das Aufkochen soll nur kurz erfolgen. Danach ist wichtig, dass die Suppe auf höchstens 50 ° C abgekühlt wird, *bevor* die weiteren Zutaten wie z.B. frischgepresster Zitronensaft und gegebenenfalls unerhitztes frisches Getreideschrot, geriebene oder geschnittene Salate und angekeimte Samen beigefügt werden, so dass die Endtemperatur maximal 40 ° C beträgt. Denn diese sollen nicht durch Hitze denaturiert, sondern mit dem vollen Wert der lebendigen Nahrung zugeführt werden.

Müsli-Zubereitungen. Nach neueren Erkenntnissen ist kurzes Einweichen des geschroteten Getreides von ca. 5-10 Minuten in lauwarmem Wasser am besten (selbst unter Wasser kann im Verlauf einiger Stunden Oxidation gemessen werden); Schrote von harten Getreidesorten sollten trotzdem über Nacht eingeweicht werden. Am Morgen bereitet man dann das Müsli tischfertig zu. Dabei soll immer darauf geachtet werden, dass auch der hineingeriebene Apfel so schnell wie möglich untergemischt wird, damit er nicht braun werden kann. Die aromatische Würzung erfolgt nach Belieben mit einer Messerspitze Cardamom oder einem Stückchen Vanillestange, das man mit einigen Weizenkörnern zusammen in einer Schlagmesser-Kaffeemühle pulverisiert.

Salat-Zubereitungen. Mischen Sie immer zuerst die Salatsauce an, damit hineingeriebene Wurzelgemüse sogleich damit benetzt werden und nicht oxidieren können.

Das Ankeimen von Samen. Es dauert bei Zimmertemperatur nur ca. 24 Stunden. Der richtige Keimzustand mit dem höchsten Gesundheitswert ist erreicht, wenn die Keime 4-5 mm lang sind. Was nicht gleich für Salat verbraucht wird, kann dann in einer abgedeckten Schale (um Austrocknen zu verhindern) feucht in den Kühlschrank gestellt werden. Wenn man davon nimmt, spült man alles zunächst frisch mit kaltem Wasser durch und stellt den Rest wieder abgedeckt hinein. So halten sich angekeimte Samen über 4-5 Tage frisch. Dann sollte man wieder frisch ankeimen.

Die Handhabung der Rezepte

Jeder Mensch hat einen anderen Tagesbedarf an Nahrung. Dieser variiert je nach Körpergröße, Grundumsatz und Leistungsanforderungen. Die den Rezepten zugrundegelegten Kalorienmengen können nur Richtgrößen sein. Sollten die angegebenen Mengen zu reichlich sein, so braucht man diese nicht aufzuessen. Umgekehrt kann auch mehr davon verzehrt werden. Allein der aktuelle Appetit soll die aufzunehmende Gesamtmenge bestimmen.

Man soll jedoch darauf **achten, dass der lebendige Frischkostanteil – auch bei Schnitzer-Normalkost – immer überwiegt** und die hitzebehandelten Nahrungsmittel stets die mengenmäßig kleineren Beilagen bleiben. Eine Ausnahme bildet die Getreidesuppendiät als Übergang.

Immer soll **genügend Wasser** als Quell- oder Leitungswasser (auch Tafelwasser, aber kein Mineralwasser) oder Tee angeboten werden.

Wenn bestimmte angegebene Blattsalate, Wurzelgemüse oder Obstsorten aufgrund der Jahreszeit **gerade nicht erhältlich sind, so können diese durch andere zur selben Gruppe gehörende Sorten ersetzt werden**: Ein Blattsalat durch einen anderen Blattsalat, ein Wurzelgemüse durch ein anderes Wurzelgemüse, eine Obstsorte durch eine andere Obstsorte. Das gilt auch für Getreide, Samen und Gewürze.

Bei den **gekeimten Samen** sind täglich andere Sorten zu nehmen, um die Menüs abwechslungsreich zu gestalten. Wer sich die Sache aus Zeitmangel vereinfachen will, kann auch alle Sorten zusammen ankeimen und täglich eine Mischung aller Samen verwenden.

Getreidesuppendiät zur Einleitung

Diese Getreidesuppendiät kann als Einleitung und Übergang zu einer natürlichen gesunden Ernährung eingesetzt werden. Sie ist besonders dann zweckmäßig, wenn wegen chronischer Veränderungen des Magen-Darm-Traktes Unverträglichkeitserscheinungen auftreten.

In jedem Fall, auch wenn keine solche Unverträglichkeit besteht, kann eine zu Beginn eingesetzte Getreidesuppendiät die Normalisierung der entgleisten Stoffwechselabläufe und die Ausleitung eingelagerter Überschüsse beschleunigen. Auch zwischendurch, 3-4 mal jährlich, können ein Tag bis eine Woche Getreidesuppendiät sich wohltuend auswirken.

Bei vielen Zivilisationsmenschen ist der Magen-Darm-Trakt durch langjährige falsche Ernährung verändert. Zum Teil bestehen auch chronische Entzündungen der Magen- und Darmwände und zum Verdauungstrakt gehörender Organe wie der Bauchspeicheldrüse. In dem zum Verdauungstrakt gehörenden zentralen Lymphsystem können Lymphstauungen vorhanden sein. Dass solche Zustände bestehen, ist sehr wahrscheinlich, wenn des öfteren Bauchweh auftritt und der Bauch beim Abtasten druckempfindlich ist.

Diese Veränderungen bewirken, dass die betreffende Person zunächst die gesunde natürliche Nahrung nicht richtig verarbeiten kann. „Ich spüre zwar, dass mir diese Ernährung gut tut, aber ich vertrage sie nicht" ist eine dafür typische Äußerung. Mit „nicht vertragen" werden dabei das Rumoren im Bauchraum, Bauchkneipen und starke Blähungen umschrieben.

Außerdem hat sich herausgestellt (es ist das Verdienst von Dr. med. M.O. Bruker, dies entdeckt zu haben), dass der Empfindliche – nämlich eine Person mit den oben beschriebenen Magen-Darm-Problemen – das Durcheinanderessen von „richtig" und „falsch" im beschriebenen Sinne „nicht verträgt". Dabei kann es bei sonst natürlicher Ernährung genügen, am Sonntagnachmittag ein Stück Kuchen aus Weißmehl, gesüßt mit dem üblichen Zucker oder anderen Zuckersorten, zu essen, um solche „Unverträglichkeit" bis zum nächsten Mittwoch zu erzeugen. Als die am meisten zur Unverträglichkeit gesunder Nahrung bei „Empfindlichen" führenden Nahrungsmittel nennt Bruker: Auszugsmehle, Industriezucker, Säfte (auch frischgepresste rohe) und gekochtes Obst.

Wenn die Ernährung hingegen vollständig denaturiert ist, verträgt sie der „Empfindliche" wieder. Deshalb wird Magen-Darm-Kranken oft in Unkenntnis dieser Zusammenhänge eine Diät verordnet, die nur Weißbrot, nur Gekochtes und Säfte enthalten darf, „weil er anderes nicht verträgt". Natürlich wird diese Person damit immer kränker, denn die Grundlagen der Gesundheit fehlen dabei vollständig.

Diese Problematik kann bei jedem „Empfindlichen" immer dann auftreten, wenn er versucht, von seiner bisherigen falschen Ernährung auf die artgerechte natürliche Ernährung umzustellen. Es geht dann praktisch darum, diesen Zeitraum von 3-4 Tagen zu überbrücken, in dem der „Empfindliche" die gesunde Kost zwar schon essen möchte, sie aber noch nicht „verträgt", weil er noch unter den Nachwirkungen der von ihm vorher gegessenen ungesunden Kost leidet. Eine „allmähliche" Umstellung geht auch nicht, weil gerade die Vermischung von „falsch" mit „richtig" die Ursache der Probleme ist.

Als eine Übergangsdiät, die solche Erscheinungen rasch normalisieren kann und nebenbei auch schon mal chronische Magengeschwüre zur Abheilung gebracht hat, habe ich seinerzeit auf Anregung von Dr. Helmut Weiss diese „Getreidesuppendiät" entwickelt.

Sie besteht aus ca. 150 bis 200 g frischgemahlenem Getreide einer beliebigen Sorte (Weizen, Dinkel, Nacktgerste, Nackthafer, Roggen und weitere keimfähige Getreide) auf 1 Liter Wasser, ganz kurz aufgekocht (ca. ½ Minute) und dann auf Esstemperatur abgekühlt und mit Gewürzen und Vollmeersalz gewürzt. Gewürze wie Muskat, Sellerie, andere Kräuter und teils etwas Pfeffer helfen, dass schon eine geringere Menge Vollmeersalz ausreicht, der Suppe einen herzhaften Wohlgeschmack zu verleihen. Das ist besonders für (noch) Bluthochdruckkranke günstig.

Hieran isst man sich dreimal täglich satt (die Menge bestimmt allein der Appetit). Dazu wird nur Wasser oder eine beliebige Teesorte getrunken. Günstig sind Tees, die gleichzeitig heilend auf die Eingeweide wirken, wie zum Beispiel Fencheltee.

Unstimmigkeiten im Magen-Darm-Bereich sind oft von einer ungenügenden Produktion von Verdauungssäften und -enzymen begleitet. Die Verdauung entgleitet dann der Steuerung durch den Organismus, und eine unkontrollierte Vermehrung ungünstiger Gärungsbakterien im Darm kann die Folge sein. Die Verdauungssaft- und Enzym-Produktion wird besonders gut durch natürliche Bitterstoffe angeregt, wie sie im Wermut-Tee enthalten sind. Man sollte diesen – wie andere Kräutertees auch – dünn zubereiten, damit er seine gute Wirkung entfalten kann. Ein Teebeutel auf 1 l Wasser genügt. Davon kann man vor und nach der Mahlzeit ein wenig trinken (er kann auch kalt sein), und noch einmal 2 Stunden nach der Mahlzeit, um die Nachverdauung zu unterstützen.

Diese Getreidesuppendiät kann 3 Tage bis 3 Wochen lang durchgeführt werden. Die Dauer hängt davon ab, wie umfangreich die Veränderungen im Magen-Darm-Trakt sind, die man damit normalisieren will. Im ersten Drittel dieser Zeit wird man die Suppe gänzlich kurz aufkochen.

Im zweiten Drittel des Zeitraums nimmt man die Suppe mit einem hälftig erst nach dem Kochen und Abkühlen zugefügten Anteil an unerhitztem Getreideschrot; und im dritten Drittel fügt man hineingeschnittene und -geriebene Salate und angekeimte Samen hinzu.

So schaffen auch die „Empfindlichen“ einen guten Übergang von ihrer bisherigen krankmachenden Zivilisationskost zu einer natürlichen Ernährung, die von da an ihre solideste und wichtigste Grundlage einer natürlichen, zuverlässigen und robusten Gesundheit sein wird.

Gleichzeitig kann die Getreidesuppendiät etliche Spezialdiäten, die oft nur noch kränker machen, als eine einfache und gesunde Diät ersetzen.

Getreidesuppe, gänzlich kurz aufgekocht

(315 kcal bei 80 g Getreide)

	Diese Suppe wird in dieser Zubereitungsart in den ersten Tagen morgens, mittags und abends gegessen.
1 l Wasser	wird zur Hälfte in einen Kochtopf gegeben und bis nahe an die Kochtemperatur erhitzt. Während dessen werden
80 g Getreide (es können auch mehr, 150-200 g sein)	frisch auf einer Steinmühle gemahlen und mit der anderen Hälfte des Wassers angerührt. Sobald das Wasser im Kochtopf nahezu kocht, kann das angerührte Getreideschrot mit einem Schneebesen hineingerührt werden. Unter ständigem Umrühren, wobei man den ganzen Topfboden bestreicht, damit nichts anbrennt, wird die Suppe zum Kochen gebracht. Schon nach etwa 1/2 Minute Kochen nimmt man sie vom Herd und lässt sie so weit abkühlen, dass sie gegessen werden kann. Das Abkühlen kann mit
2-4 Eiswürfeln	beschleunigt werden. Dann würzt man mit
2 Teelöffel (à5 g) Zitronensaft, je 1 Prise Pfeffer, Muskat, Salz und Petersilie	und serviert die Suppe sogleich warm.

Getränke dazu: (insgesamt 138 kcal)

	Morgens trinkt man vorher
2-3 Tassen Melissentee,	der mit heißem Wasser aufgebrüht wurde.
	Mittags können vorher
1-2 Glas Wasser	getrunken werden.
	Abends bereitet man 0,5 l Zitronenwasser, das man entweder 10 Minuten vor der Ge-

	treidesuppe oder 1 Stunde danach trinkt (die Verdauungssäfte sollen nicht während des Essens verdünnt werden):
1 Zitrone	wird frisch ausgepresst. Der Saft wird in einen Glaskrug gegeben und dort mit
1 Teelöffel Honig	(= ca. 10 g) gründlich verrührt. Mit
0,5 l Wasser	wird aufgefüllt und gründlich gemischt.

Getreidesuppe mit unerhitztem Anteil

(346 kcal bei 90 g Getreide)

	Diese Zubereitungsart wird in der zweiten Phase der Getreidesuppendiät morgens, mittags und abends gegessen:
1 l Wasser, ca. 40 ° C warm	wird zur Hälfte in einen Kochtopf gegeben und bis nahe an die Kochtemperatur erhitzt. Währenddessen werden
90 g Getreide	(es können auch mehr, 150 bis 200 g sein) frisch auf einer Steinmühle mittelgrob gemahlen und mit der anderen Hälfte des handwarmen Wassers verrührt. Sobald das Wasser im Kochtopf nahezu kocht, können die Hälfte des angerührten Getreideschrotes und der größte Teil des Einweichwassers mit einem Schneebesen hineingerührt werden. Unter ständigem Umrühren, damit nichts anbrennt, wird die Suppe zum Kochen gebracht. Schon nach 1/2 Minute Kochen nimmt man sie vom Herd und lässt sie auf ca. 50 ° C abkühlen. Dann wird mit
2 Teelöffel (à5 g) Zitronensaft, je 1 Prise Pfeffer, Muskat, Salz und Petersilie	gewürzt. Jetzt erst darf auch die andere Hälfte des eingeweichten Getreideschrotes

hineingegeben werden; bei höheren Temperaturen würden seine Enzyme hitzegeschädigt werden. Die Suppe soll sogleich warm gegessen werden.

Getreidesuppe mit rohem Getreideanteil, grünem Salat und Möhren (365 kcal bei 90 g Getreide)

Solche Zubereitungen können in der dritten Phase der Getreidesuppendiät morgens, mittags und abends genommen werden und erlauben einen sanften Übergang zur gesunden lebendigen Kost. Die Zubereitung erfolgt zunächst genau nach dem vorangegangenen Rezept. Zum Schluss werden

30 g Kopfsalat	kleingeschnitten und
30 g Möhren	fein gerieben, in die fertige warme, nicht heiße Suppe gegeben und diese serviert.

Getreidesuppe mit rohem Getreideanteil, Chicoree, Möhren und angekeimten Samen (373 kcal bei 90 g Getreide)

Solche Zubereitungen können in der letzten Phase der Getreidesuppendiät morgens, mittags und abends genommen werden und bestehen bereits zum überwiegenden Anteil aus gesunder lebendiger Kost. Die Zubereitung erfolgt zunächst im Prinzip nach den vorangegangenen beiden Rezepten. Zum Schluss werden

50 g Chicoree	kleingeschnitten und
50 g Möhren	fein gerieben und zusammen mit
30 g angekeimten Samen	in die fertige warme, nicht heiße Suppe gegeben. Dann wird diese serviert.

Weitere Getreidesuppen mit rohem Getreideanteil, Vegetabilien, angekeimten Samen

Solche Getreidesuppen können in beliebigen Variationen zubereitet werden. Dabei dient der gekochte Anteil nur noch als „Vehikel“, um den größeren lebendigen Nahrungsanteil auf angenehme Weise zu genießen.

Solches kann auch später immer wieder einmal als Abwechslung dazwischengeschoben werden – ein gesunder „Eintopf“.

Diese Zubereitungen eignen sich auch gut, wenn es darum geht, eine große Zahl von Menschen auf einfache Weise mit höchst gesunder, schmackhafter, sättigender Nahrung zu verköstigen. Die ganze Mahlzeit kann in einem großen Behältnis zubereitet werden, und auch zum Verzehr genügen einfach ein Teller oder eine kleine Schüssel und ein Löffel.

Gazpacho – spanische „Salatsuppe“

Dieses spanische Gericht besteht aus rohen Vegetabilien, die gemixt und als kalte Suppe gegessen werden. Für die gesunde Ernährung stellt sie eine willkommene Abwechslung dar. Außerdem ist diese Zubereitung hilfreich für Eilige, die vor allem mittags nicht genügend Zeit für eine gemütliche Mittagspause haben. Ebenso hilfreich ist sie für alle, deren Kaufunktionen beeinträchtigt sind. Sie zählt zur „Schnitzer-Intensivkost“.

Eine gesunde und alles nötige enthaltende Gazpacho ist ganz einfach herzustellen. Wir bereiten zunächst einen gesunden gemischten Salat zu aus Blattsalaten, Wurzelgemüsen, Gemüsefrüchten, angekeimten Samen und mit einer schmackhaften und gesunden Salatsauce. Dann füllen wir diesen Salat in den Mixer, geben eine halbe bis ganze Tasse kaltes Wasser und 2 Teelöffel Zitronensaft zum Schutz vor Oxidation hinzu und starten den Mixer. Nach etwa einer Minute ist die Gazpacho fertig. Sie wird in einem Suppenteller serviert und mit dem Löffel gegessen.

Besonders fein und wohlschmeckend wird sie, wenn man noch frische Avocado-Stückchen in den Mixer mit hineingibt. Man kann die Gazpacho auch mit der weiter oben beschriebenen Getreidesuppe mischen, als Vorspeise oder Hauptgang. Zur Gazpacho kann man – nur bei Schnitzer-Normalkost – Vollkornbrot essen (das man auch „hineinbrocken“ kann).

Frischkornmüsli-Variationen zum Frühstück

Diese Frischkornmüsli-Variationen bilden den Hauptanteil des Frühstücks, bei Schnitzer-Intensivkost das Frühstück an sich. Als Getränke, die zur ausreichenden Wasserzufuhr genommen werden sollen, sind alle Sorten Kräutertees und – was am besten ist – gutes Quellwasser (Tafelwässer, jedoch keine Mineralwässer) geeignet.

Als Beilagen, welche die Schnitzer-Intensivkost zur Schnitzer-Normalkost erweitern, können Vollkornbrote und Vollkorngebäck mit etwas Butter oder einem pflanzlichen Brotaufstrich serviert werden. (Von dem oft üblichen Honig ist wegen der Zahnkariesgefahr abzuraten).

Grundmischung des Frischkornmüslis

60 g Getreide, z.B. Weizen, Nackthafer oder Dinkel	aus naturgemäßem Anbau und keimfähig, werden auf einer Steinmühle mittelgrob geschrotet und in
110 g Wasser (lauwarm)	eingestreut. Sodann werden
1 Teelöffel Zitronensaft	darüber gegeben und aromatische
100 g Apfel	frisch hineingerieben. Der Apfel muss sofort gründlich untergemischt werden, damit er nicht braun wird. Eine gute Durchmischung ist auch für den Wohlgeschmack des ganzen Müslis sehr wichtig. Sodann werden, wann immer erhältlich, frische
70 g Ananas	ebenfalls hineingerieben und vermischt,
30 g Banane	zerdrückt hineingegeben, und
etwas Cardamom	eingestreut
oder Vanille	frisch mit ein paar Weizenkörnern in einer Schlagmesserkaffeemühle pulverisiert und untergemischt; sie verleihen dieser Grundmischung einen feinen, köstlichen Wohlgeschmack. Die Grundmischung ist jetzt bereit für die weitere Zubereitung in beliebigen Variationen.

Weitere Zubereitung des Frischkornmüslis in Variationen

Die Müsli-Grundmischung kann jetzt in den verschiedensten Variationen fertiggestellt werden. Hierzu dienen alle verfügbaren Früchte der jeweiligen Saison, und alle erhältlichen Sorten Nüsse. Auch Kerne von Sonnenblumen oder Pinien können verwendet werden.

Die Früchte wird man, wenn sie klein sind, ganz verwenden. Man rechnet etwa **50 g Früchte pro Portion des Müslis**. Größere Früchte schneidet man in kleine Stücke. Einige Anregungen mag die folgende (unvollständige) Aufzählung geben: Erdbeeren, Himbeeren, Brombeeren, Heidelbeeren, Stachelbeeren, Johannisbeeren, Preiselbeeren, Trauben, Mandarinen, Clementinen, Orangen, Pfirsiche, Birnen, Mirabellen, Pflaumen, Zwetschgen, Reineclauden, Honig- und Wassermelonen, Mangofrüchte und weitere.

Nüsse und Sonnenblumenkerne kann man mit dem „Zwiebelschneider" klein hacken und untermischen oder darüber streuen; viel frischer schmecken sie, wenn man sie am Vorabend in etwas lauwarmem Wasser eingeweicht hat. Dann braucht man sie auch nicht zu zerkleinern, sondern verwendet sie ganz (vorher kalt abspülen). Man nimmt ungefähr **30 g Nüsse und Sonnenblumenkerne pro Portion des Müslis**.

Am attraktivsten serviert sich das Frischkornmüsli, wenn zunächst die Grundmischung in eine kleine Schale gegeben und dann die Früchte und die zuvor eingeweichten Nüsse und Sonnenblumenkerne darüber gestreut werden. Die frischen Farben der Früchte und Nüsse erfreuen das Auge und machen so richtig Appetit.

Manchmal kann man der Grundmischung noch 20 g Leinsamen beimischen, den man erst unmittelbar vor der Fertigstellung der Grundmischung in einer Schlagmesserkaffeemühle zerkleinert und sofort untermischt (da besonders oxidationsempfindlich). Der Leinsamen hat eine wohltuende Wirkung auf die Verdauung; seine Inhaltsstoffe tragen außerdem zu einem guten Sauerstofftransport im Organismus bei.

1 Esslöffel Blütenpollen täglich, vor dem Frischkornmüsli mit einem Schluck Wasser genommen oder über das Müsli gestreut, führt dem Organismus hochreaktionsfähige, hochwertige Regenerationssubstanzen zu.

Die Mittags- und Abendmahlzeiten

Schnitzer-Intensivkost

Sowohl mittags als auch abends sind die Salate ein Hauptbestandteil der gesunden Ernährung. Sie sollen jeweils sowohl Blattsalate wie Gemüsesalate enthalten und mit angekeimten Samen, vor allem Leguminosen wie Kichererbsen und Linsen, komplettiert sein. Man gestalte sie möglichst abwechslungsreich.

Diese „Dreierkombination“ aus Blatt, Wurzelfrucht und angekeimten Samen enthält bereits alles Lebens- und Gesundheitsnotwendige für die Ernährung; alles Weitere dient als zusätzlicher Genuss und Abwechslung.

Eine Zwischenstellung nehmen die Gemüsefrüchte (z.B. Tomaten, Gurken, Paprikaschoten) und Obstfrüchte ein. Sie stellen weder Energiespeicher (wie z.B. Knollen oder der Stärkekern von Samen), noch Lebenstransformatoren mit biochemischen Werkzeugen (wie das grüne Blatt), noch genetische Informationsträger für neues Leben (wie die Keime) dar.

Diese Gemüse- und Obstfrüchte haben einen ganz anderen Zweck – nämlich uns zu verführen, dass wir sie essen, damit auf solche Weise die in ihnen enthaltenen wohlgeschützten Samen anderswo (und teilweise zusätzlich gut gedüngt) abgesetzt werden, und dass wir sie kultivieren, weil ihre Früchte uns schmecken. Dadurch sichern diese Pflanzen ihre Ausbreitung. Solche Früchte sind deshalb wohlschmeckend und enthalten auch wertvolle Vitamine, Mineralstoffe, Spurenelemente und Energieträger; aber eben doch nicht so komplett und vollständig.

Eine Ernährung, die überwiegend aus Obst- und Gemüsefrüchten bestünde, enthielte nicht alle lebensnotwendigen Substanzen und könnte auf Dauer nicht gesund erhalten. Aber sie sind willkommen als zusätzliche, nicht unbedingt nötige Ergänzung, um noch mehr Abwechslung hineinzubringen. Obstfrüchte sind die „Genussmittel der gesunden Ernährung“.

Die Salatsaucen sind eine der Möglichkeiten zusätzlicher Abwechslung. Einmal wird man sie konventionell mit einem guten Essig, Distelöl + Leinsamenöl, Vollmeersalz, Gewürzen wie Sellerie oder Pfeffer und frischen Kräutern bereiten. Ein andermal wird sie sämig und herzhaft mit Zitronensaft, Leinsamenöl, Avocado, Senf und rotem Paprikapulver.

Auch Saucenvarianten mit Nussgeschmack sind möglich. Mann nimmt dazu Walnussöl, Obstessig, Vollmeersalz, und gibt zusätzlich einige Walnuss-Stückchen hinein.

Alle verwendeten Ölsorten sollen einen hohen Anteil an hochungesättigten Fettsäuren enthalten und „kalt" gepresst sein, das heißt höchstens warm, nicht heiß, so dass die hochungesättigten Fettsäuren nicht etwa durch Hitze polymerisieren und dadurch ihre gesundheitlichen Vorteile einbüßen. Die Öle sollen auch gut verschlossen aufbewahrt werden, mit möglichst geringem Luftvolumen darüber; denn sie neigen zur Oxidation (Ranzigwerden), wodurch sie ebenfalls ihren gesundheitlichen Wert verlieren. Diese hochwertigen Ölsorten richtig zu verwenden, ist von großer Wichtigkeit für den gesundheitlichen Nutzen der Ernährung.

Als *Nachtisch* können *mittags wie abends Obstfrüchte* gereicht werden, dazu auch ein paar Haselnüsse, Walnüsse, Mandeln, Sonnenblumensamen oder Cashewkerne.

Beilagen, die Schnitzer-Intensivkost zu Schnitzer-Normalkost machen:

Als *Beilagen für mittags* eignen sich Vollkornteigwaren und Vollkorngerichte aus frisch gemahlenen Getreiden: Vollkornnudeln, Vollkornspaghetti, Vollkornspätzle; Vollkornpfannkuchen (einfach frisches Vollkornmehl, Wasser und Vollmeersalz dünn verrühren und in der Pfanne ausbacken) und Vollkornwaffeln (aus dem selben Teig). Auch Schalenkartoffeln sind geeignet, die man nicht in Wasser kocht, sondern über dem kochenden Wasser im Dampf garen lässt; dann verlieren sie weniger Vitamine und Mineralstoffe. Vollreis ist eine weitere Abwechslung.

Als *Beilagen für abends* nimmt man eher Vollkornbrote oder Knäckebrote (erstere bäckt man selbst, von letzteren gibt es verschiedenste Sorten), mit einem pflanzlichen Brotaufstrich (aus dem Reformhaus oder Naturkostladen) und belegt mit Radieschen- und Tomatenscheiben.

Die prinzipielle Zusammensetzung der Mittags- und Abendmahlzeiten ist folgende (Mengen pro Person, jedoch Appetit maßgebend):

100-150 g	**Blattsalate,**
100-150 g	**Wurzelgemüsesalate,**
100-150 g	**Gemüsefrüchtesalate,**
40-60 g	**angekeimte Hülsenfrüchte und andere Samen,**
150-250 g	**Beilagen (nur bei Schnitzer-Normalkost!),**
75-100 g	**Obstfrüchte-Nachtisch, dazu eventuell**
20-40 g	**Nüsse, Sonnenblumenkerne und andere.**

Natürliche Ernährung - Beispiel für einen Tag

Das Frühstück

Der wichtigste Bestandteil des Frühstücks ist das *<u>Frischkornmüsli</u>*, das aus keimfähigem, frisch gemahlenem Weizen, wenn irgend möglich aus kontrolliertem biologischem Anbau, zubereitet wird. Sehr gut geeignet ist auch keimfähiger Nackthafer (Achtung, keine entspelzten Haferkerne, die nicht mehr keimfähig sind; Nackthafer springt beim Dreschen von selbst aus dem Spelz, sein Keim bleibt dabei unbeschädigt).

60 g Weizen oder 60 g Nackthafer	aus kontrolliertem biologischem Anbau werden auf einer Steinmühle mittelgrob gemahlen und in
110 g Wasser	eingeweicht (Wasser abwiegen oder in einem Messbecher abmessen). Man soll dabei nicht umrühren, sondern nur einstreuen und mit einer Gabel ein wenig nachdrücken, da so die Beschaffenheit lockerer wird. Umrühren in diesem Stadium würde eine hier unerwünschte teigartige Beschaffenheit erzeugen. Nunmehr werden
5 g Zitronensaft	hinzugegeben (das entspricht einem Teelöffel) und leicht untergemischt. Das verhindert Oxidationsvorgänge. Alsdann reibt man auf einer Edelstahlraffel
1 Apfel (ca. 75-100 g)	hinein und mischt ihn sofort unter, damit er nicht braun wird. Es soll ein aromatischer, nicht zu saurer Apfel sein. Der Apfel wird zum Reiben in zwei Hälften geschnitten, das Kernhaus wird entfernt, und man reibt, bis nur noch ein Teil der dünnen nicht reibbaren Schale des Apfels übrigbleibt. Anschließend wiegt man insgesamt

30 g Nüsse und Mandeln

ab (es kann auch eine Mischung verschiedener Nüsse und Mandeln sein), zerhackt sie grob, behält einen Rest zum Dekorieren und mischt die Hauptmenge unter. Die Nüsse können auch am Vorabend in lauwarmem Wasser eingeweicht und dann unzerkleinert beigefügt werden. Jetzt werden

100-150 g Früchte

der Jahreszeit (Trauben, Orangen, Pfirsiche, Kirschen, Erdbeeren, Himbeeren, Heidelbeeren, Zwetschgen, Aprikosen, Kiwifrüchte, Ananas, Mangos, Bananen in kleine Stücke geschnitten, ein kleiner Teil wird zum Dekorieren beiseite gelegt und die Hauptmenge untergemischt.

Nunmehr gibt man das angemischte Frischkornmüsli in eine geeignete Glas- oder Porzellanschale, verziert es obenauf mit Nuss- und Fruchtstückchen und serviert das Ganze zum unverzüglichen Verzehr.

Als Getränke eignen sich

Reines Quellwasser,
gutes Leitungswasser,
mineralarmes Tafelwasser
(z.B. Volvic) und
Kräutertees.

Am besten sind Trinkwässer, die leicht sauer, reduziert und mineralarm sind. Am ungünstigsten sind oxidierte, basische, mineralreiche Trinkwässer (allein dieser Unterschied kann nach Forschungen von Prof. Vincent eine Differenz der Lebenserwartung von bis zu 30 % bewirken! Gelegentlich kann auch ein stark verdünnter

Zitronensaft, ½ Zitrone auf
1 Glas Wasser, gesüßt mit
10 g Honig

verwendet werden. Am schnellsten lässt die Mischung sich herstellen, wenn zunächst der Saft ausgepresst, dann der Honig damit vermischt und erst dann das Wasser hinzu-

	gefügt und verrührt wird.
	Zusätzlich zu diesem Frühstück (nur bei Schnitzer-Normalkost!) können
Vollkornbrote	aus frisch gemahlenen, möglichst biologisch angebauten Getreiden und ebensolche
Vollkornbrötchen	gegessen werden. Diese können mit
Butter oder pflanzlichen Brotaufstrichen	versehen werden. Honig sollte man nicht aufs Brot verwenden, da dies zu konzentriert ist und Zahnkaries erzeugen kann.

Alles, was nicht erwähnt ist, soll auch nicht verwendet werden! Die Müslis können in vielen Variationen zubereitet werden, vor allem durch Veränderung der Frucht- und Nussarten und durch Verwendung von Gewürzen wie z.B. natürlicher Vanille oder Kardamom. Auch können abwechslungshalber statt Weizen und Nackthafer auch keimfähiger Dinkel, Nacktgerste, Roggen u.a.m. aus kontrolliertem biologischem Anbau eingesetzt werden.

Die Mittagsmahlzeit

Die Zubereitung der Mittagsmahlzeit (nicht so sehr ihre Zusammensetzung) hängt sehr davon ab, ob dieses zu Hause möglich ist oder ob nur in der Nähe des Arbeitsplatzes, weg von zu Hause, eine Mittagspause gemacht werden kann.

Im letzteren Fall nimmt man leicht transportierbare Vegetabilien mit, wie zum Beispiel eine Mohrrübe (Karotte), einen Rettich, Chicorée, Tomaten, in der Spargelzeit frische rohe Spargeln, außerdem eine Mischung von angekeimten Linsen, Erbsen, Mungobohnen und Kichererbsen. Dazu kann man (nur bei der Schnitzer-Normalkost!) auch zwei Vollkornbrote mitnehmen, die mit einem pflanzlichen Brotaufstrich bestrichen und mit Scheiben von Radieschen und Gurken belegt sind.

Es ist auch möglich, einen gemischten Salat aus diesen oder ähnlichen Vegetabilien mit etwas Distel- u. Leinsamenöl, Zitrone oder Essig, Pfeffer und Salz mitzunehmen. Diesen Salat nimmt man in einem gut verschlossenen, nicht metallischen Gefäß mit, stellt ihn in einem Kühlschrank und isst ihn dann mittags. Soweit man sich gesundheitlich und leistungsbezogen die Schnitzer-Normalkost leisten kann, isst man dazu die belegten Vollkornbrote. Wendet man die Intensivkost an, so nimmt man statt dessen davon etwas größere Mengen. Die Mengen hängen ausschließlich vom persönlichen Bedarf und Energieverbrauch ab. Man isst einfach, bis man satt ist.

Zu Hause ist die Zubereitung leichter. Hier ein Beispiel, das den prinzipiellen Aufbau eines Mittagessens zeigt. Es soll jedoch täglich anders und sehr abwechslungsreich zusammengestellt werden. Auch sind abends andere Vegetabilien als mittags zu verwenden, da man dieselbe Sorte Salat oder Wurzelgemüse selten an einem Tag zweimal essen möchte.

Das zugleich ist ein Beweis dafür, wie sehr bei natürlicher Kost der Geschmackssinn und der Appetit mit sicherem Gespür auswählen, was wir essen sollen, weil wir bestimmte besondere Inhaltsstoffe einzelner Nahrungsmittel noch brauchen könnten, während der Bedarf an anderen an diesem Tag schon befriedigt ist. Es gibt Experimente, die das bestätigen. Bei denaturierter Zivilisationskost funktioniert es jedoch nicht.

<u>Zubereitung der Mittagsmahlzeit zu Hause:</u>

10 g Distelöl + Leinsamenöl	werden mit
15 g Zitronensaft	und
30 g Wasser	
1 Prise Pfeffer	und etwas
Basilikum	vermischt. Sodann werden
100 g Kopfsalat	gewaschen, in kleine Stücke zerpflückt und in die Salatsoße gegeben. Dann werden
100 g Sellerie	und
100 g Rettich	mittelfein bis fein gerieben und ebenfalls untergemischt. Alsdann werden getrennt
50 g angekeimte	
Hülsenfrüchte	abgewogen, mit
1 Tomate,	die in Würfel geschnitten ist, vermischt und
rote Paprika	darüber gestreut. Als Beilage können
Vollkornpfannkuchen	(nur bei Schnitzer-Normalkost!) aus
120 g Weizen,	fein gemahlen, mit
120 g Wasser	und
6-7 g Vollmeersalz	verrührt, in der Pfanne ausgebacken werden (es kann eine Teflonpfanne sein).

Zur Variation kann der Kopfsalat durch andere Blattsalate, können die Wurzelgemüse durch andere Knollenfrüchte ersetzt werden. Bei Schnitzer-Normalkost können anstelle der Pfannkuchen gedämpfte Kartoffeln, verschiedene Vollkornteigwaren, gekochter Vollreis verwendet werden.

Viel Abwechslung ist auch durch Verwendung unterschiedlicher Gewürze zu erreichen. Der Fantasie sind hier keine Grenzen gesetzt. Außerdem gibt das Buch „Schnitzer-Intensivkost, Schnitzer-Normalkost“ viele Hinweise und Anregungen am Beispiel eines 14-Tage-Ernährungsplanes, wie die beschriebenen Rezepte ansprechend serviert werden können. (Die Internet-Adresse: <http://www.dr-schnitzer.de/sin001.htm>).

Das Abendessen

Das Abendessen soll im Prinzip einen ähnlichen Aufbau haben wie die Mittagsmahlzeit. Auch hier hängen die Mengen ausschließlich vom gesunden Appetit ab, der bei natürlicher Zusammensetzung der Nahrung ein sehr genauer Indikator des Bedarfs ist.

Um genügend Abwechslung hineinzubringen, wird man abends andere Vegetabilien als mittags verwenden, anstelle angekeimter Hülsenfrüchte ein „Gewürz-Getreideschrot“ servieren und (nur bei Schnitzer-Normalkost!) als Beilagen belegte Vollkornbrote reichen.

Ein solches Abendessen kann zum Beispiel wie folgt aussehen:

30 g Wasser	
1 Prise Vollmeersalz	
10 g Weinessig	
10 g Distel- + Leinsamenöl	
15 g Senf	werden zur Salattunke vermischt.
	Dann werden
100 g Gurken	in Scheiben geschnitten,
100 g Ackersalat	geputzt,
100 g Möhren	gerieben, und das Ganze wird in der zubereiteten Salattunke gemischt.
	Für das Gewürzgetreideschrot werden
30 g Weizen	mittelgrob geschrotet, mit
55 g Wasser	angesetzt,
2-3 g Zitronensaft	hinzugegeben und

10 g Meerrettich	fein hineingerieben und untergemischt.
	Als *Beilagen* (nur bei Schnitzer-Normalkost!) werden belegte
Roggenvollkornbrote	gereicht, die mit
etwas Butter	(oder einem pflanzlichen Aufstrich),
Rettichscheiben	und
gehackter Petersilie	belegt sind. Als Getränk kann ein
Kräutertee	gereicht werden.

Die Abendmahlzeit sollte mindestens zwei Stunden vor dem Schlafengehen eingenommen sein, damit die erste Verdauungsarbeit schon geleistet ist, mit welcher auch noch Speichel produziert wird. Magensaft- und Speichelproduktion sind automatisch zusammengekoppelt.

Die erwähnten Getreide, Wurzelgemüse, Blattsalate, sonstigen Samen, Kräuter und Gewürze sind lediglich beispielhaft zu verstehen. Diese können durch viele weitere der jeweils gleichen Gruppe ergänzt oder ersetzt werden. So wird man in Südamerika eine „zivilisierte Urnahrung“ ganz anders zusammensetzen als in Indien, Australien, Afrika oder Europa. Auch in den verschiedenen Jahreszeiten kann sie am selben Ort ganz unterschiedlich gestaltet sein, je nachdem, was gerade „Saison“ hat oder zu bekommen ist. Der weltweite Vegetabilienhandel erleichtert die abwechslungsreiche Zubereitung.

Diese natürliche Ernährung hat auch interessante Energie-, Nutzen- und Kostenbilanz-Aspekte:

Die verwendeten „Lebens“-Mittel sind überwiegend naturbelassen, nicht weiterverarbeitet und stellen auch keine „Veredelungs“-Produkte dar, worunter man die Verfütterung preiswerter pflanzlicher Primärlebensmittel zur Erzeugung teurer vermarktbarer tierischer Sekundärnahrungsmittel versteht. Vor allem biologisch angebaute Produkte verbrauchen zur Erzeugung hauptsächlich nur Sonnenenergie. Ihre Erzeugungsenergiekosten sind die niedrigsten. Insgesamt sind pflanzliche Lebensmittel naturbelassen die billigsten Lebensmittel – und gesundheitlich gleichzeitig die hochwertigsten „Mittel zum Leben“. Mit jedem weiteren Verarbeitungsschritt werden die Produkte durch Löhne, Anlagenamortisationen, Abgaben, Energieverbrauch und Gewinne teurer – und ihr gesundheitlicher Wert wird gleichzeitig immer geringer. Das teuerste Endprodukt ist meist gesundheitlich das wertloseste, oft das schädlichste „Nahrungs“mittel.

Ausreichend Wasser zuführen

Besonders während der Getreidesuppendiät, aber auch später bei normaler gesunder Ernährung ist es immer wichtig, täglich genügend Wasser als solches oder z.B. in Form von Tees zu trinken. Denn der Organismus braucht ständig Wasser als Lösungsmittel, um den Transport aller Stoffe zu bewerkstelligen. Das gilt besonders auch für die Abbauprodukte des Stoffwechsels, die möglichst vollständig ausgeschieden werden sollen. Das Abbauprodukt der abgebauten Eiweißüberschüsse ist Harnsäure, die durch die Nieren über den Harn ausgeschieden wird. Wenn nicht genügend Wasser vorhanden ist, wird der Harn zu einer mit Harnsäure gesättigten Lösung; überschüssige weitere Harnsäure muss dann auskristallisieren und bildet Nierensteine. Das ist durch ausreichende Wasserzufuhr leicht zu vermeiden; alles bleibt dann in Lösung und wird ausgeschieden.

Eine tägliche Gesamtzufuhr von 2-3 l Wasser – einschließlich des z.B. in Suppen, Frischkornmüslis, Salaten und Tees enthaltenen – gilt unter normalen Umständen als ausreichend. In heißem Klima, bei körperlichen Anstrengungen und wenn mehr Salz in der Nahrung verwendet wird, kann sich dieser Wasserbedarf erheblich erhöhen.

Zur Frage nach den gesundheitlichen Anforderungen an ein gutes Trinkwasser sind die Forschungsergebnisse von Prof. Vincent interessant. Er untersuchte in französischen Städten, ob es einen Zusammenhang zwischen Wasserqualitäten und Lebenserwartung gibt. Er fand Unterschiede von bis zu 30 %! Die niedrigste Lebenserwartung bestand bei mineralreichem, basischem, oxidiertem – und die höchste bei leicht saurem, reduziertem, mineralarmem Wasser („Volvic“ z.B. entspricht dem letzteren).

Mehr Rezepte dieser natürlichen, artgerechten Ernährung enthält das Buch

Schnitzer-Intensivkost, Schnitzer-Normalkost

im Internet: <http://www.dr-schnitzer.de/sin001.htm>

Dort werden viele weitere köstliche Zubereitungen dieser Kost an Beispielen eines 14-Tage-Menüplanes genau beschrieben. Mahlzeiten dieser Kost sättigen nachhaltig, verleihen vitale Energie und regenerieren den Organismus. Die Kost ist aus der frugivoren menschlichen Urnahrung entwickelt, weshalb sie die meisten entgleisten Stoffwechselabläufe normalisiert.

Wie sie ihren Bluthochdruck ausheilten

Beispiele ehemaliger Bluthochdruckpatienten, die wieder gesund wurden

Beispiele ehemaliger Bluthochdruck-Patienten, die wieder gesund wurden

Die ersten fünf der folgenden Fallbeispiele wurden mir von Dr. med. Helmut Weiss berichtet. Unsere wissenschaftliche Zusammenarbeit begann, nachdem ich 1977-1978 eine Ernährungstherapie für die Zuckerkrankheit fand (siehe mein Buch „Diabetes heilen – Die biologische Heilbehandlung der Zuckerkrankheit und ihrer Spätfolgen"). Dr. Weiss wandte sie in seiner Praxis an, und wir entwickelten die Therapie gemeinsam weiter.

Er berichtete auf der Medizinischen Woche Baden-Baden im Herbst 1981 und auch in Heft 13/1981 der „Erfahrungsheilkunde" (Haug Verlag, Heidelberg) über 119 mit dieser Therapie behandelte Diabetiker und über die erzielten Behandlungsergebnisse. Ein erheblicher Teil der Patienten konnte ganz geheilt werden, darunter auch 7 Fälle mit Typ-I-Diabetes. Der Rest wurde wesentlich gebessert; ähnlich war das Ergebnis mit den sogenannten Spätfolgen und Begleitkrankheiten dieses Leidens.

Hier nun seine Schilderung von fünf Fällen mit Bluthochdruck, wie ihre Ausgangssituation war, und wie ihre Gesundung mit der in diesem Buch beschriebenen kausalen Therapie verlief. Danach jeweils die Antworten des Patienten auf die Fragen des Erhebungsbogens. Aus der zugehörigen Tabelle werden die jeweils getroffenen Maßnahmen und der Verlauf der Blutdruckwerte bis zu ihrer Normalisierung ersichtlich.

Dann folgt die Beschreibung von zwei weiteren Fällen mit dieser Therapie von Dr. med. Heinrich Kuhn.

Am Schluss dieser Fallberichte beschreibt ein junger Mann, der an Bluthochdruck und den Folgen der üblichen medikamentösen Behandlung bis zur Impotenz litt, sein aussichtslos und bedrückend erscheinendes Schicksal. Weil er nicht aufgab, konnte er seine „unheilbare" Krankheit schließlich doch überwinden. Bei seiner ständigen Suche nach hilfreicher Literatur stieß er eines Tages auf die erste Auflage dieses Buches, die 1987 im Heyne Taschenbuchverlag erschien (und schon bald danach „vergriffen" war). Er verstand sofort, weshalb er Bluthochdruck bekommen hatte und warum er bisher nicht gesund werden konnte. Die so gewonnenen Erkenntnisse wendete er an – und gewann seine Gesundheit zurück. (s. „Drama eines jungen Mannes mit Happy End").

Diese Schilderungen und Beispiele können jedem unter Bluthochdruck Leidenden neuen Mut machen, der bisher der „Schulmeinung" geglaubt hatte, dass „sein Leiden unheilbar sei" und ihm für den Rest seines Lebens anhafte. Wie jetzt offensichtlich wird, ist dies nur eine „Meinung", die als Behauptung kursiert und die auch dadurch nicht wahrer wird, dass sie von den meisten Ärzten geteilt und und besonders von Professoren der Medizin und Pharmakologie gelehrt und verbreitet wird. Sie ist das gegenwärtige Dogma, auf das sich die „herrschende Schule" geeinigt hat – und die ist selten auf dem neuesten Stand der Forschung.

Diese Behauptung der Unheilbarkeit ist schon in sich selbst wissenschaftlich unkorrekt. Richtig wäre, wenn jemand sagen würde: „Soviel mir bekannt ist, ist diese Krankheit nicht heilbar". Denn keiner kann heute mehr von sich behaupten, dass er alles veröffentlichte Wissen dieser Welt in seinem Kopf gespeichert hätte. Nur ein solches Supergehirn könnte dann korrekt zumindest sagen „es sind keine Möglichkeiten der Heilung für diese Krankheit veröffentlicht". Der „normale Fachmann" sollte sich bescheidener geben und sagen: „mir sind keine Möglichkeiten der Heilung dieser Krankheit bekannt" – womit er offen lässt, dass es solche geben könnte, die ihm aber nicht bekannt sind.

Korrekt wäre auch, wenn gesagt würde: „Diese Krankheit ist mit den von der herrschenden Schule gelehrten und von ihr anerkannten Methoden nicht heilbar". Damit würde aber zugegeben, dass dies vielleicht „noch nicht der Weisheit letzter Schluss" sei; das aber verträgt sich nicht mit ihrem absoluten Anspruch und ihrer dogmatischen Struktur.

In der echten Wissenschaft gelten keine Dogmen, sondern Beweise. Da spielt es auch keine Rolle, wer den Beweis erbringt; Hauptsache, das Versuchsergebnis ist „reproduzierbar", das heißt, man erhält unter gleichen Versuchsbedingungen stets die gleichen, oder bei der Komplexität lebender Organismen zumindest ähnliche, vergleichbare Ergebnisse.

Ein interessanter Denkansatz für ungelöste Probleme (z.B. auch „unheilbare" Krankheiten) stammt von einem englischen Astronomen, dessen Name mir leider entfallen ist. Er sagte: „Wenn es darum geht, ein bisher ungelöstes Problem zu lösen, so kann man die bisher bekannten Denkansätze und Methoden von vorneherein vergessen. Ginge es damit, wäre das Problem gelöst. Chancen, eine Lösung zu finden, hat man nur mit unkonventionellen, neuen Denkansätzen und bisher nicht bekannten, nicht angewandten, innovativen Methoden." Dazu allerdings braucht der Forscher außer Intelligenz auch Kreativität und Mut zur Unabhängigkeit.

Tabelle zur Erfassung
von Blutdruckwerten, Blutentnahmen und Medikamentendosierungen

	Vor Beginn				Beginn	Nach Beginn (bei 0 Start der Therapie; 1= 1 Woche nach Start usw.)											
Woche:	-4	-3	-2	-1	0	1	2	3	4	5	6	7	8	9	10	11	12

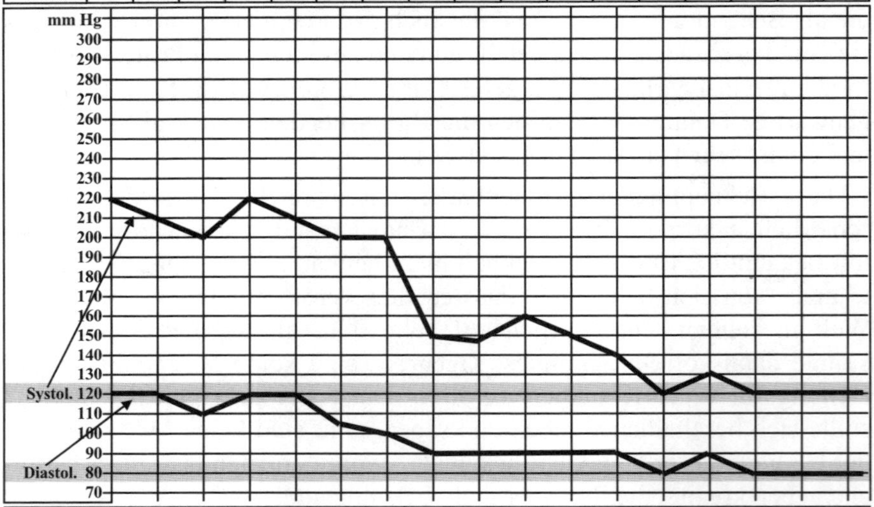

Woche:	-4	-3	-2	-1	0	1	2	3	4	5	6	7	8	9	10	11	12

Blutentnahmen (bitte in betr. Woche in ml / ccm eintragen)

Woche	-4	-3	-2	-1	0	1	2	3	4	5	6	7	8	9	10	11	12
ml (ccm)	-	-	-	-	100	100	100	100	100	100	-	100	100	100	100	100	100
	Vor Beginn				Beginn	Nach Beginn (bei 0 Start der Therapie; 1= 1 Woche nach Start usw.)											

Tabletten pro Tag (bitte in betr. Woche in Stück pro Tag eintragen)

Woche	-4	-3	-2	-1	0	1	2	3	4	5	6	7	8	9	10	11	12
A:																	
B:	2	2	2	2	2	0	-	-	-	-	-	-	-	-	-	-	-
C:																	
D:																	
E:																	
F:																	
G:																	
	Vor Beginn				Beginn	Nach Beginn (bei 0 Start der Therapie; 1= 1 Woche nach Start usw.)											

A = Calcium-Antagonisten **B** = Betablocker **C** = Diuretika
D = Gerinnungshemmer (z.B. Marcumar) **E** = Salicylsäurepräparat

F = ____________________ **G** = ____________________
(bitte Bezeichnung eintragen) (bitte Bezeichnung eintragen)

H.St. (45 J.) — Anfangsbuchstaben des Namens
1986 — Start der Therapie
nach 10 Wochen — Normalisierung ohne Tabletten erreicht

Frau H. St., 45 Jahre alt

Ärztliche Beschreibung:

Blutdruckwerte RR: 200/120. Hypertonie (Bluthochdruck). Angina pectoris, Hypercholesterinämie 290 mg%, Verdauungsstörungen mit Obstipation (Stuhlverstopfung).

Nach 3 Wochen Getreidesuppendiät ist der Blutdruck abgefallen, er beträgt jetzt noch RR: 150/90.

Nach ¼ Jahr ist der Blutdruck fast konstant auf RR: 120/80 abgefallen, die Angina pectoris ist verschwunden, das Cholesterin beträgt jetzt 220 mg%, der Stuhlgang hat sich normalisiert. Inzwischen führt die Patientin die von Dr. Schnitzer beschriebene gesunde Ernährung durch und ist völlig beschwerdefrei.

Antworten der Patientin

auf die Fragen des Erhebungsbogens

Welche Krankheiten traten vor Feststellung erhöhten Blutdrucks auf?

„Schon seit Jahren Verdauungsbeschwerden mit Obstipation, seit 1 Jahr Angina-pectoris-Beschwerden".

Welche Medikamente wurden verordnet, als Bluthochdruck festgestellt wurde?

„Betablocker".

Welches waren die Nebenwirkungen dieser Medikamente?

„Allgemeinbefinden schlechter".

Welches waren ihre Wirkungen?

„Blutdruck fiel nur gering ab".

Wie ist das Befinden jetzt, 12 Wochen nach Beginn der neuen Behandlungsmaßnahmen, wenn es mit dem Befinden vorher verglichen wird?

„Es ist kein Vergleich mehr, ich bin jetzt leistungsfähiger, zuversichtlich, vorher war mein Allgemeinzustand stark beeinträchtigt, ich fühlte mich benommen und mitgenommen".

Tabelle zur Erfassung
von Blutdruckwerten, Blutentnahmen und Medikamentendosierungen

	Vor Beginn				Beginn	Nach Beginn (bei 0 Start der Therapie; 1= 1 Woche nach Start usw.)											
Woche:	-4	-3	-2	-1	0	1	2	3	4	5	6	7	8	9	10	11	12

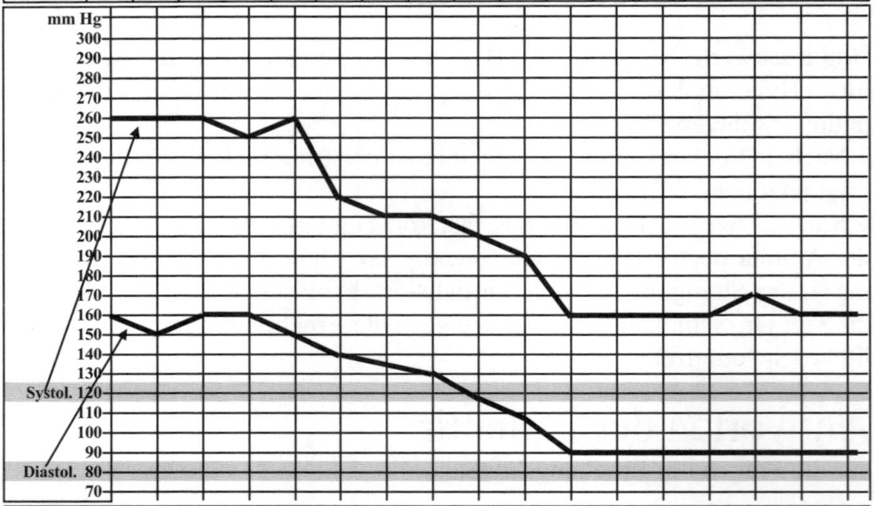

Woche:	-4	-3	-2	-1	0	1	2	3	4	5	6	7	8	9	10	11	12

Blutentnahmen (bitte in betr. Woche in ml / ccm eintragen)

Woche	-4	-3	-2	-1	0	1	2	3	4	5	6	7	8	9	10	11	12
ml (ccm)	-	-	-	-													
	Vor Beginn				Beginn	Nach Beginn (bei 0 Start der Therapie; 1= 1 Woche nach Start usw.)											

Tabletten pro Tag (bitte in betr. Woche in Stück pro Tag eintragen)

Woche	-4	-3	-2	-1	0	1	2	3	4	5	6	7	8	9	10	11	12
A:																	
B:																	
C:	3	3	3	3	2	1	1	1	0	-	-	-	-	-	-	-	-
D:																	
E:																	
F:																	
G:																	
	Vor Beginn				Beginn	Nach Beginn (bei 0 Start der Therapie; 1= 1 Woche nach Start usw.)											

A = Calcium-Antagonisten **B** = Betablocker **C** = Diuretika
D = Gerinnungshemmer (z.B. Marcumar) **E** = Salicylsäurepräparat

F = ______________________ (bitte Bezeichnung eintragen)

G = ______________________ (bitte Bezeichnung eintragen)

M.I. (67 J.) — Anfangsbuchstaben des Namens

1987 — Start der Therapie

nach 6 Wochen (auf 160/90) — (ohne Tabl.; nach weiter gesunder Kost auf 150/80)

Frau M. I., 67 Jahre alt

Ärztliche Beschreibung:

Hypertonie RR: 260/170. Keine Allgemeinbeschwerden, nur von Medikamenten benommen und schlechter Schlaf.

Nach 3 Wochen Getreidesuppendiät ist der Blutdruck auf RR: 160/90 abgefallen; das Allgemeinbefinden ist jetzt gut. Nach weiteren Diätmaßnahmen fällt der Blutdruck auf RR 150/80 und bleibt stabil. Das Cholesterin ist von anfänglich 280 mg% auf 210 mg% abgefallen, die sonstigen Laborparameter sind normal.

Patientin führt jetzt die von Dr. Schnitzer empfohlene Ernährung durch und fühlt sich sehr gut.

Antworten der Patientin

auf die Fragen des Erhebungsbogens

Welche Krankheiten traten vor Feststellung erhöhten Blutdrucks auf?

„Leichte Benommenheit“.

Welche Medikamente wurden verordnet, als Bluthochdruck festgestellt wurde?

„Diuretika“.

Welches waren die Wirkungen dieser Medikamente?

„Verstärkte Benommenheit“.

Wie ist das Befinden jetzt, 12 Wochen nach Beginn der neuen Behandlungsmaßnahmen, wenn es mit dem Befinden vorher verglichen wird?

„Vorher Benommenheit und Schwindel, jetzt keine Beschwerden mehr“.

Tabelle zur Erfassung
von Blutdruckwerten, Blutentnahmen und Medikamentendosierungen

	Vor Beginn				Beginn	Nach Beginn (bei 0 Start der Therapie; 1= 1 Woche nach Start usw.)											
Woche:	-4	-3	-2	-1	0	1	2	3	4	5	6	7	8	9	10	11	12

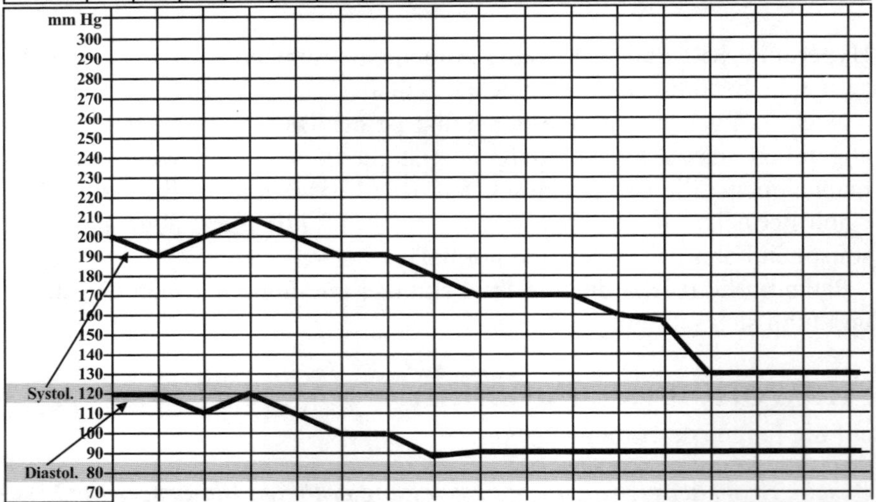

Woche:	-4	-3	-2	-1	0	1	2	3	4	5	6	7	8	9	10	11	12

Blutentnahmen (bitte in betr. Woche in ml / ccm eintragen)

Woche	-4	-3	-2	-1	0	1	2	3	4	5	6	7	8	9	10	11	12
ml (ccm)	-	-	-	-		Blutentnahmen vorgenommen, jedoch keine Detailangaben											
	Vor Beginn				Beginn	Nach Beginn (bei 0 Start der Therapie; 1= 1 Woche nach Start usw.)											

Tabletten pro Tag (bitte in betr. Woche in Stück pro Tag eintragen)

Woche	-4	-3	-2	-1	0	1	2	3	4	5	6	7	8	9	10	11	12
A:																	
B:																	
C:	2	2	2	2	2	1	1	1	0	-	-	-	-	-	-	-	-
D:																	
E:																	
F:																	
G:																	
	Vor Beginn				Beginn	Nach Beginn (bei 0 Start der Therapie; 1= 1 Woche nach Start usw.)											

A = Calcium-Antagonisten **B** = Betablocker **C** = Diuretika
D = Gerinnungshemmer (z.B. Marcumar) **E** = Salicylsäurepräparat

F = ______________________ (bitte Bezeichnung eintragen)
G = ______________________ (bitte Bezeichnung eintragen)

M.H. (51 J.) — Anfangsbuchstaben des Namens
1986 — Start der Therapie
nach 9 Wochen — Normalisierung ohne Tabletten erreicht

Frau M. H., 51 Jahre alt

Ärztliche Beschreibung:

Hypertonie RR: 200/120, chronische Polyarthritis, alle Gelenke befallen, Cholesterin nur leicht erhöht 230 mg%;

1 Monat nach Behandlungsbeginn noch stark wechselnde Beschwerden. RR: 160/95, Kreislauf noch stark labil, Kopfschmerzen und Benommenheit.

2 Monate nach Beginn der Behandlung: RR: 130/80. Die Behandlung bestand in 3 Wochen Getreidesuppendiät und anschließend der von Dr. Schnitzer empfohlenen gesunden Ernährung, sowie Blutentnahmen und Eigenblutspritzen.

½ Jahr nach Behandlungsbeginn hat sich der Blutdruck stabilisiert, RR: 130/80, das Cholesterin ist auf 153 mg% abgefallen. Das Allgemeinbefinden ist erheblich besser.

Antworten der Patientin

auf die Fragen des Erhebungsbogens

Welche Krankheiten traten vor Feststellung erhöhten Blutdrucks auf?

„Seit 8 Jahren Gelenkbeschwerden. Seit 4 Jahren erhöhter Blutdruck“.

Welche Medikamente wurden verordnet, als Bluthochdruck festgestellt wurde?

„Calciumantagonisten“.

Welches waren die Nebenwirkungen dieser Medikamente?

„Keine“.

Welches waren ihre Wirkungen?

„Der Blutdruck war nicht beeinflussbar“.

Wie ist das Befinden jetzt, 12 Wochen nach Beginn der neuen Behandlungsmaßnahmen, wenn es mit dem Befinden vorher verglichen wird?

„Allgemeinbefinden gebessert“.

Tabelle zur Erfassung
von Blutdruckwerten, Blutentnahmen und Medikamentendosierungen

	Vor Beginn				Beginn	Nach Beginn (bei 0 Start der Therapie; 1= 1 Woche nach Start usw.)											
Woche:	-4	-3	-2	-1	0	1	2	3	4	5	6	7	8	9	10	11	12

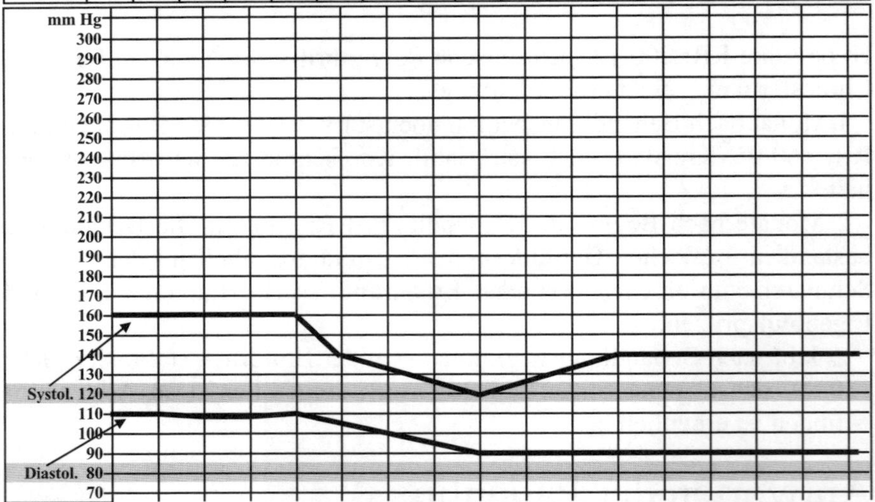

Woche:	-4	-3	-2	-1	0	1	2	3	4	5	6	7	8	9	10	11	12

Blutentnahmen (bitte in betr. Woche in ml / ccm eintragen)

Woche	-4	-3	-2	-1	0	1	2	3	4	5	6	7	8	9	10	11	12
ml (ccm)	-	-	-	-	Blutentnahmen vorgenommen, jedoch keine Detailangaben												
	Vor Beginn				Beginn	Nach Beginn (bei 0 Start der Therapie; 1= 1 Woche nach Start usw.)											

Tabletten pro Tag (bitte in betr. Woche in Stück pro Tag eintragen)

Woche	-4	-3	-2	-1	0	1	2	3	4	5	6	7	8	9	10	11	12
A:																	
B:																	
C:	1	1	1	1	1	0	-	-	-	-	-	-	-	-	-	-	-
D:																	
E:																	
F:																	
G:																	
	Vor Beginn				Beginn	Nach Beginn (bei 0 Start der Therapie; 1= 1 Woche nach Start usw.)											

A = Calcium-Antagonisten **B** = Betablocker **C** = Diuretika
D = Gerinnungshemmer (z.B. Marcumar) **E** = Salicylsäurepräparat

F = ______________________ (bitte Bezeichnung eintragen) **G** = ______________________ (bitte Bezeichnung eintragen)

K.B. (36 J.) — Anfangsbuchstaben des Namens
1984 — Start der Therapie
nach 7 Wochen 140/90 — auf Dauer ohne Tabletten erreicht

Herr K. B., 36 Jahre alt

Ärztliche Beschreibung:

Hypertonie RR: 160/110, Kopfschmerzen, Konzentrationsschwäche.

Die Behandlung bestand in 3 Wochen Getreidesuppendiät und anschließender Ernährung nach Dr. Schnitzer, sowie Aderlassbehandlungen und Eigenblutspritzen.

7 Wochen nach Behandlungsbeginn ist der Blutdruck auf RR: 140/90 stabilisiert und blieb auf dieser Höhe für die nächsten Jahre (Beobachtungszeit 3 Jahre).

Antworten des Patienten

auf die Fragen des Erhebungsbogens

Welche Krankheiten traten vor Feststellung erhöhten Blutdrucks auf?

„Kopfschmerzen, Konzentrationsschwäche".

Welche Medikamente wurden verordnet, als Bluthochdruck festgestellt wurde?

„Diuretika".

Welches waren die Nebenwirkungen dieser Medikamente?

„Benommenheit".

Welches waren ihre Wirkungen?

„Leichter Abfall der Blutdruckwerte".

Wie ist das Befinden jetzt, 12 Wochen nach Beginn der neuen Behandlungsmaßnahmen, wenn es mit dem Befinden vorher verglichen wird?

„Sehr viel besser, Allgemeinzustand jetzt gut, keine Kopfschmerzen mehr, keine Konzentrationsschwäche".

Tabelle zur Erfassung
von Blutdruckwerten, Blutentnahmen und Medikamentendosierungen

		Vor Beginn			Beginn	Nach Beginn (bei 0 Start der Therapie; 1= 1 Woche nach Start usw.)											
Woche:	-4	-3	-2	-1	0	1	2	3	4	5	6	7	8	9	10	11	12

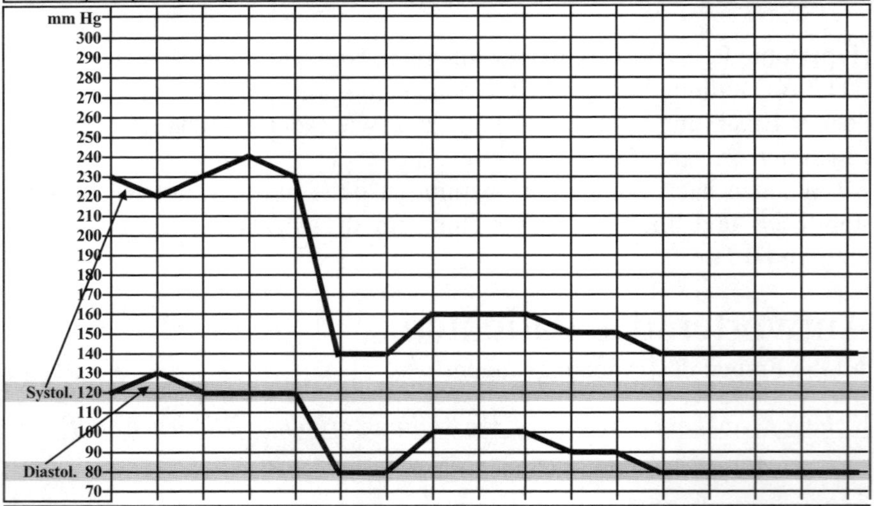

Woche:	-4	-3	-2	-1	0	1	2	3	4	5	6	7	8	9	10	11	12

Blutentnahmen (bitte in betr. Woche in ml / ccm eintragen)

Woche	-4	-3	-2	-1	0	1	2	3	4	5	6	7	8	9	10	11	12
ml (ccm)	-	-	-	-	keine Blutentnahmen, nur Ernährungsmaßnahmen												
		Vor Beginn			Beginn	Nach Beginn (bei 0 Start der Therapie; 1= 1 Woche nach Start usw.)											

Tabletten pro Tag (bitte in betr. Woche in Stück pro Tag eintragen)

Woche	-4	-3	-2	-1	0	1	2	3	4	5	6	7	8	9	10	11	12
A:																	
B:		Betablocker			0	-	-	-	-	-	-	-	-	-	-	-	-
C:																	
D:																	
E:																	
F:																	
G:																	
		Vor Beginn			Beginn	Nach Beginn (bei 0 Start der Therapie; 1= 1 Woche nach Start usw.)											

A = Calcium-Antagonisten **B** = Betablocker **C** = Diuretika
D = Gerinnungshemmer (z.B. Marcumar) **E** = Salicylsäurepräparat

F = ____________________ (bitte Bezeichnung eintragen)
G = ____________________ (bitte Bezeichnung eintragen)

F.B. (54 J.) — Anfangsbuchstaben des Namens
1987 — Start der Therapie
nach 8 Wochen — Normalisierung ohne Tabletten erreicht

Frau F. B., 54 Jahre alt

Ärztliche Beschreibung:

Hypertonie RR: 230/120, schlechtes Allgemeinbefinden, nur Schwindel, Benommenheit, Erschöpfungszustand, Ohrensausen, Kopfschmerzen.

1 Woche nach Behandlungsbeginn RR 140/80, der zunächst wieder auf 160/100 ansteigt, um nach 2 Monaten bei 140/80 stehen zu bleiben. Cholesterinwert sinkt mit der Getreidesuppendiät und Ernährung nach Dr. Schnitzer von 280 mg% auf 210 mg% ab.

Das Allgemeinbefinden ist jetzt gut. Kopfschmerzen und Ohrensausen sind verschwunden. Auch die vorher bestehenden Verdauungsbeschwerden mit Obstipation sind beseitigt.

Antworten der Patientin

auf die Fragen des Erhebungsbogens

Welche Krankheiten traten vor Feststellung erhöhten Blutdrucks auf?

> „Angina-pectoris-Beschwerden seit 4-5 Jahren, starke Beeinträchtigung des Allgemeinbefindens mit Schwindel, Ohrensausen, Erschöpfungszustand".

Welche Medikamente wurden verordnet, als Bluthochdruck festgestellt wurde?

> „Betablocker".

Welches waren die Wirkungen dieser Medikamente?

> „Kein Einfluss auf den Blutdruck".

Wie ist das Befinden jetzt, 12 Wochen nach Beginn der neuen Behandlungsmaßnahmen, wenn es mit dem Befinden vorher verglichen wird?

> „Das Allgemeinbefinden ist erheblich gebessert".

Zwei weitere Fallbeispiele

Die folgenden beiden Fälle wurden mir von Dr. Heinrich Kuhn berichtet. Er schrieb mir dazu am 18.5.1987:

„... Die Beobachtung bei Frau G. ist noch nicht abgeschlossen, sie hat die strenge Rohkost wegen einer Reise nach USA am 15.4.1987 unterbrochen. Von dieser Reise ist sie noch nicht zurückgekehrt, so dass ich nicht weiß, wie die Blutdruckwerte auf eine veränderte Ernährung reagieren."

Epikritischer Bericht, Frau M.G., geb. 1927

Diagnose: Arterielle Hypertonie, Zustand nach Struma-Resektion (Kropfoperation, Entfernung eines Teils der Schilddrüse) 1946, Zustand nach Thrombose im rechten Oberarm 1974 durch Venenkatheter.

Anamnese (Vorgeschichte): 6-jährig Herniotomie rechts; 16-jährig Scharlach; 23-jährig Kniegelenksentzündung; 33-jährig Wirbelsäulensyndrom mit rezidivierenden Schmerzen, Behandlung durch Gipskorsett; eine Geburt, Menopause mit 48 Jahren.

Seit vielen Jahren Bluthochdruck bekannt mit Werten zwischen 160/90 und 190/115 mm Hg, Neigung zu Kopfschmerzen, Druck hinter dem Brustbein, Stechen am Herz. Behandlung seit Monaten mit dem Betablocker Kerlone und Crataegutt. Unter dieser Behandlung liegen die Blutdruckwerte zwischen 145/90 und 160/110 mm Hg. Es besteht eine mäßige Belastungsdyspnoe (Atemnot). Laborchemisch findet sich ein Grenzwert für Cholesterin (254 mg%) und Triglyceride (206 mg%), Hämatokrit 45,8 % (Werte vom Oktober 1986).

In der Vorbeobachtungsphase unter Einnahme von Kerlone liegen die Blutdruckwerte zwischen 145/90 und 160/110 mm Hg. Beginn der reinen Rohkost am 2.3.1987 bei gleichzeitigem Absetzen von Kerlone. Dadurch Wiederanstieg des Blutdrucks auf 145/105 mm Hg. Bei den wöchentlichen Kontrollen Blutdruckabfall auf 125/86 mm Hg am 6.4.1987. Gewichtsreduktion von 85 auf 79 kg. Die früher immer sehr blasse (wie Porzellan) Patientin hat eher eine rosige Gesichtsfarbe bekommen. Subjektiv fühlt sie sich hervorragend. Sie bedauert, nach 6 Wochen reiner Rohkost, die Kur durch eine Amerika-Reise unterbrechen zu müssen.

Epikrise über Herrn M.H., geb. 1932

Diagnose: Herzinsuffizienz mit labiler Hypertonie, Zustand nach zweimaligem Myocardinfarkt.

Durch eine Behandlung nach Dr. F. X. Mayr ist die Herzinsuffizienz deutlich gebessert, so dass der Patient auf Digitalpräparate verzichten kann. Der Blutdruck liegt im Mittel bei 150/100 mm Hg.

Auf die Möglichkeit hingewiesen, durch reine Rohkost den Bluthochdruck zu behandeln, hat der Patient zeitweilig diese Rohkost durchgeführt, dabei hat sich der Blutdruck auf Werte um 125/80 mm Hg gebessert. Unterbricht er dieses Ernährungsregime, dann steigt der Blutdruck sofort wieder auf 150/100 mm Hg an. Er stellt das Absinken der Blutdruckwerte selbst nach wenigen Tagen Rohkost fest. An Risikofaktoren besteht eine mäßige Hyperurikämie (6,6 mg%), der Hämatokrit liegt bei 46 %, Cholesterin und Triglyceride sind nicht erhöht (Laborwerte vom 19.1.1987)."

(So weit die beiden Fallberichte von Dr. H. Kuhn).

Drama eines jungen Mannes mit Happy End

Am 15.4.1988 schrieb mir Herr K.St. folgenden Brief:

„Sehr geehrter Herr Dr. Schnitzer,

zuallererst möchte ich mich bei Ihnen recht herzlich bedanken und zwar für das von Ihnen im Heyne Verlag erschienene Buch 'Risikofaktor Bluthochdruck, lebensbedrohend, aber heilbar'.

Seit 1983 leide ich an Bluthochdruck. Es fing ganz langsam mit erhöhten Blutdruckwerten an. Daraufhin suchte ich einen Internisten auf, und der stellte die Diagnose „Essentielle Hypertonie". Daraufhin bekam ich Catapressan verschrieben.

Anfang 1984 langte dieses Mittel jedoch nicht mehr aus, da die Blutdruckwerte anstiegen, und so wurde die Dosis langsam gesteigert von Catapressan, Beloc, Beloc composit., und seit 1986 nahm ich jeden Tag morgens 1 Tablette Beloc duriles. Die Blutdruckwerte gingen zwar ein wenig zurück und pendelten sich so bei 150/100 und 145/95 mm Hg ein. Ohne Einnahme von Beloc duriles hatte ich Werte von 165/115 und 150/110 mm Hg.

Nicht unerwähnt möchte ich lassen, dass ich mich durch die Einnahme dieses Medikaments immer sehr schlecht gefühlt hatte – z.B. Unwohlsein, schlechte Stimmungslage, sehr langsamer Herzschlag, antriebslos, schlapp und lustlos. Ich hatte immer das Gefühl krank zu sein, denn ich musste ja jeden Morgen die Tabletten einnehmen, was für mich eine unheimliche psychische Belastung war und mit der ich mich einfach nicht abfinden wollte und konnte, denn ich war ja noch ein relativ junger Mensch, Jahrgang 1950.

Hinzu kam noch, dass durch die Einnahme von Beloc duriles die Potenz total zum Erliegen kam, d.h. es ging im Bett nichts mehr, und das im Alter um die 30.

Natürlich war mir klar, dass die Ursache nur die Tabletten sein konnten. Da ich ein Mensch bin, der nicht immer alles glaubt, was man so hört und liest, und zuerst einiges in Frage stellt, war ich immer auf der Suche nach Literatur über Bluthochdruck. Ich lieh mir Bücher aus der Stadtbücherei, kaufte Fachzeitschriften und musste immer wieder feststellen, dass außer den bekannten Behandlungsmethoden, wie z.B. salzarme Kost usw., nichts Nenneswertes zu erfahren war. Überall stand das Gleiche: Eine lebenslange Behandlung mit Tabletten ist erforderlich.

Am 27.1.1988 kam dann der große Durchbruch. Wieder einmal kam ich abends von der Arbeit nach Hause und hatte trotz Einnahme der Tabletten erhöhte Blutdruckwerte und fühlte mich schlecht und hatte Kopfschmerzen. Voller Ärger und Wut über den schlechten Gesundheitszustand suchte ich die Buchhandlung K. in B. auf und fragte nach, ob sie nicht Bücher zur Bekämpfung des Bluthochdrucks hätten. Man drückte mir gleich Ihr Buch in die Hand. Nach dreimaligem Durchlesen war mir klar, warum ich an Bluthochdruck litt.

Ab jetzt war mir bewusst, dass ich mich in den vergangenen Jahren verkehrt ernährt hatte. Meine tägliche Nahrungsaufnahme sah nämlich wie folgt aus:

Morgens:	Viel Käse, Wurst, Milch;
Mittags:	Jeden Tag Fleisch;
Abends:	Käse, Joghurt, Wurst, Quark.

Bei soviel täglicher Eiweißaufnahme trat genau das ein, wie Sie es in Ihrem Buch beschrieben haben: Einlagerung von Eiweißüberschüssen in den Gefäßwänden.

Am 30.1.1988 stellte ich meine Ernährung wie von Ihnen vorgeschlagen um. 1 Woche Weizensuppendiät und anschließend morgens ein Frischkornmüsli und mittags/abends viel Salat/Gemüse und Vollkornbrot.

Am 13.2.1988, zwei Wochen nach Beginn der Umstellung, nahm ich nur noch eine halbe Beloc duriles ein. Trotz dieser Reduzierung stieg der Blutdruck nicht mehr an, ganz im Gegenteil, er pendelte sich jetzt bei 145/95 mm Hg ein.

Nochmals 2 Wochen später, also am 27.2.1988, setzte ich die Beloc duriles ganz ab. Jetzt war es geschafft. Der Blutdruck blieb nun zwischen 140/90 und 135/85 mm Hg stehen.

Ich kann Ihnen gar nicht sagen, wie ich mich jetzt fühle. Es ist für mich, als ob ein neues Leben angefangen hätte. Endlich aus den Klauen der Pharmaindustrie befreit. Keinerlei Beschwerden mehr, keine Kopfschmerzen, nicht mehr niedergeschlagen und auch keine Potenzstörungen, ich fühle mich einfach wieder kerngesund.

Sicherlich haben Sie mit Ihren Erkenntnissen die Pharmaindustrie gegen sich, denn die sind bestimmt besorgt um ihre Umsätze und fürchten um ihre Gewinne. Meinem behandelnden Arzt habe ich Ihr Buch bereits zum Lesen überlassen, er war ganz erstaunt und wollte es gar nicht glauben, dass ich die Betablocker nicht mehr einnehme.

Abschließend möchte ich mich nochmals bei Ihnen bedanken, denn Sie haben mir durch Ihre Erkenntnisse zu einem neuen Lebensglück verholfen. Könnte ich Einfluss nehmen auf die Verleihung des Nobelpreises, so müsste man Ihnen den Nobelpreis für Medizin verleihen.

Für die weitere Zukunft wünsche ich Ihnen weiterhin viel Erfolg.

Mit den besten Grüßen – K.St."

Eine Anmerkung zu der in diesem Brief erwähnten, in der Medizin häufig verwendeten Diagnose „Essentielle Hypertonie": Vor einigen Jahren fragte ich einmal einen Professor der Medizin: „Wann nennen Sie eigentlich einen Bluthochdruck 'essentiell'?" Er antwortete mir: „'Essentiell' sagen wir, wenn wir nicht wissen, woher er kommt".

Der „Schnitzer-Report“

Einen sehr umfassenden Überblick über die günstigen Wirkungen einer natürlichen, der (frugivoren) Gen-Programmierung des Menschen entsprechenden Ernährung geben die etwa 3300 persönlichen Zusatzbemerkungen der Befragten des „Schnitzer-Reports“. Das Buch selbst, seinerzeit in einer Auflage von 10.000 Exemplaren gedruckt, ist vergriffen. Die darin enthaltenen 3300 persönlich geschilderten besonderen Beobachtungen habe ich jedoch auf meiner Internet-Site erneut zugänglich gemacht, wegen der großen Datenmenge aufgeteilt in mehrere, durch Links miteinander verknüpfte Internet-Seiten.

Diese können Sie (mit der unten genannten internen Suchmaschine) nach Erfahrungsberichten zu den verschiedensten Stichworten durchsuchen, von *Abszesse, Acetonämie, Acetonurie, Adenom* über *Leistungsfähigkeit, Mattigkeit, Multiple Sklerose* bis zu *Wechseljahrbeschwerden, Wirbelsäulenbeschwerden, Wundheilung, Zähne, Zahnfleischbluten, Zöliakie, Zwölffingerdarmgeschwüre usw.*. Es sind hunderte von Krankheiten, Leiden und Beschwerden, welche durch diese einfache, hochwirksame natürliche Kost gestoppt, gebessert und geheilt werden, verbunden mit einer oft beeindruckenden Steigerung der körperlichen und geistigen Leistungsfähigkeit. Die URL der Einführungsseite zu den Berichten ist:

<http://www.dr-schnitzer.de/srep001.htm>.

Eine gute Suchmöglichkeit auf meiner Internet-Site ist die dort installierte interne Suchmaschine zum Durchsuchen der Site nach Stichworten:

<http://www.dr-schnitzer.de/intrasearch.html>.

Auf dieser Seite befindet sich auch eine vollständige Liste aller Internet-Seiten meiner Site, was den Überblick und das rasche Auffinden einzelner Themen leicht macht.

Die Site „Dr. Schnitzer's Geheimnisse der Gesundheit“ wird ständig erweitert. Deshalb lohnen sich wiederkehrende Besuche der Site. Die „Homepage“ (Eingangsseite) hat die URL:

<http://www.dr-schnitzer.de>.

Aktuelle E-Mail-Nachrichten werden nach der Aussendung hier dokumentiert, wo man sich auch in die Mailingliste anmelden kann:

<http://www.dr-schnitzer.de/emailnachrichten.html>

Bluthochdruck-Studie im Internet

Fallbeispiele aus der Studie

Bluthochdruckstudie im Internet

Zur Einrichtung dieser Bluthochdruckstudie auf meiner Internetseite entschloss ich mich im Jahr 2001, um der Durchsetzung dieser natürlichen, zur Ausheilung führenden Therapie mehr Nachdruck zu verleihen. Man findet diese über die URL

http://www.dr-schnitzer.de/bluthochdruck-index.html

Diese Studie ist, so weit mir bekannt, bisher weltweit die einzige Bluthochdruckstudie, die nicht Behandlung, sondern Ausheilung dieser bedrohlichsten aller Zivilisationskrankheiten zum Ziel hat.

Bisher wird immer wieder, und das seit Jahrzehnten, nur Arzneimittelforschung zu Bluthochdruck betrieben, mit Zielen wie der Entwicklung weiterer, möglichst wirksamerer Medikamente, um den erhöhten Blutdruck „zu senken". Oft geht es auch nur darum, mehr Wirkungsnachweise für bereits entwickelte Substanzen zu erbringen, oder nachzuweisen, dass sich die oft erheblichen Nebenwirkungen in „verantwortbaren" Grenzen halten, oder man will die Vermarktung durch eine möglichst große Zahl von Studien unterstützen. Schließlich handelt es sich bei einer Krankheit, an der fortwährend ein Drittel der Bevölkerung leidet, um einen Milliardenmarkt.

Dabei geht die medizinische Forschung, welche beim Thema Bluthochdruck praktisch ausschließlich pharmakologische Forschung ist, grundsätzlich davon aus, dass

- Bluthochdruck unheilbar sei,
- die Ursachen des Bluthochdrucks unbekannt seien,
- zu hoher Blutdruck auf einer biologischen „Fehlsteuerung" des Organismus beruhe,
- zu hoher Blutdruck die Ursache der oft tödlichen Folgekrankheiten (Herzinfarkt, Hirnschlag, Embolie, Nierenversagen etc.) sei,
- es deshalb lebenslange arzneiliche „Außensteuerung" brauche, um den Bluthochdruck auf der richtigen Höhe „einzustellen",
- dadurch der Patient vor den Folgerisiken geschützt sei.

Dieses ist die „herrschende Lehrmeinung", das schulmedizinische Dogma über Bluthochdruck. So lange es „herrscht", solange es an den Universitäten angehenden Ärzten weiterhin gelehrt und in der ärztlichen Fortbildung weiterhin als Grundlage der Bluthochdruckbehandlung vermittelt wird, ernährt es die Medizin- und Pharma-Branche gut, mit schätzungsweise 50 % Beitrag zu deren Gesamteinnahmen.

Bluthochdruck-Dogma: Ein fundamentaler Medizin-Irrtum!

Diese Bluthochdruckstudie weist nach, dass sämtliche Postulate der „herrschenden Lehrmeinung“, dieses medizinischen Dogmas, folgenschwere medizinische Irrtümer sind; dass in Wirklichkeit

- Bluthochdruck heilbar ist,
- die Ursachen des Bluthochdrucks bekannt sind,
- zu hoher Blutdruck auf einer sinnvollen Kompensation des Organismus zur Aufrechterhaltung der Sauerstoff- und Energieversorgung trotz verengter Gefäße und verdickten Blutes beruht,
- zu hoher Blutdruck nicht die Ursache der oft tödlichen Folgekrankheiten (Herzinfarkt, Hirnschlag, Embolie, Nierenversagen etc.) ist, sondern dem Bluthochdruck und den „Folgekrankheiten“ die gleichen gemeinsamen Ursachen zugrunde liegen,
- es deshalb keineswegs lebenslange arzneiliche „Außensteuerung“ braucht, sondern nur die Wiederherstellung der natürlichen Gesundheitsgrundlagen,
- der Patient nur durch Gesundung vor den Folgerisiken geschützt werden kann (während Pillenbehandlung nicht verhindert, dass jeder zweite Zivilisationsbürger an den „Folgerisiken“ verstirbt).

Warum monokausale Ansätze in Sackgassen führen

Fast immer wird in der Forschung – nicht nur beim Thema „Bluthochdruck“, sondern auch auf anderen Gebieten – ein „monokausaler“ Ansatz verfolgt. Man sucht nach *einer* (mono) Ursache (causa), nach *einem* Gegenmittel. Wird man nicht fündig, so sucht man weiter nach *einer* anderen Ursache, nach *einem* anderen Gegenmittel.

Das hat einen ganz erstaunlichen Grund: Er findet sich bei dem französischen Philosophen René Descartes, der von 1596 bis 1650 lebte und als einer der Begründer der Neuzeit gilt. In seinen „Regeln der reinen Vernunft“ fordert er, dass im wissenschaftlichen Experiment alle Bedingungen unverändert zu belassen seien, und nur eine verändert werden solle, da man nur so nachweisen könne, dass es die Veränderung dieser Bedingung gewesen ist, welche die beobachteten Wirkungen ausgelöst hat.

Diese vier Jahrhunderte alte – für einfache Forschungsansätze durchaus richtige – Forderung ist heute zu einem alle anderen Forschungsansätze ausschließenden Credo der meisten „Wissenschaftler“ erhoben worden; es ist ihre Grundforderung, ohne die sich nach ihrer Auffassung eine Versuchsanordnung nicht „wissenschaftlich“ nennen darf.

Es würde zu weit führen, hier auf alle die weitreichenden nachteiligen Folgen einzugehen, welche diese geistige Einengung des Verstandes und der Forschungsansätze durch Verabsolutierung dieser „Regel der reinen Vernunft“ auf den verschiedensten Gebieten auch heute noch nach sich zieht. Die Umweltprobleme der Gegenwart und ein ebenso teures wie ineffizientes „Gesundheitswesen“ sind nur Beispiele; ganz aktuelle darunter sind die Ineffizienz der „modernen Medizin“ im Allgemeinen, und im Besonderen im Bezug auf Bluthochdruck.

Denn: Wer nach „*der* Ursache“ des Bluthochdrucks sucht (was schon an sich nicht ernsthaft betrieben wurde, weil sich das Ergebnis nicht patentieren ließe), gerät in Sackgassen, gleich ob er nun Kohlenhydrate, Fette, Eiweiß, Vitamine, Mineralien oder sonst irgend eine Substanz ins Visier nimmt.

Wie ein völlig anderer Ansatz zum Erfolg führte

Nach meinem Abitur 1954 entschloss ich mich – nach gründlicher Überlegung – dem Wunsch meines Vaters zu folgen und gleich ihm Zahnarzt zu werden, obwohl ich durchaus starke andere Interessen z.B. auf technischen Gebieten hatte. Den Ausschlag gab meine Überlegung, dass man – gleich welchen Beruf man ergreift – in demselben einen grundlegenden Beitrag zur Weiterentwicklung der menschlichen Gesellschaft und der Welt leisten kann, wenn man diesen als Berufung auffasst und ausübt.

Ich hatte also nicht die Absicht, in zweiter Generation des gleichen Berufes nur fortzufahren mit dem Ausbohren kariöser Zähne und dem Füllen der Defekte, mit dem Extrahieren der vom Verfall zerstörten Zähne und dem Schließen der entstandenen Lücken mittels Brücken und Prothesen, und dem Regulieren schief stehender Zähne bei der Jugend.

Vielmehr wollte ich nicht weniger, als diesen Beruf durch Herausfinden und Eliminieren der Ursachen des Gebissverfalls überflüssig zu machen. Bestärkt fühlte ich mich darin durch den Grundanspruch des Berufs in § 1 der Zahnärztlichen Berufsordnung: „Der Zahnarzt ist zum Dienst an der Gesundheit des Einzelnen und der Allgemeinheit berufen".

Im Studium erfuhr ich dazu allerdings fast nichts, was hilfreich gewesen wäre. Es war ausgefüllt mit dem Erlernen der beschriebenen Behandlungstätigkeiten. So betrieb ich, auch nach Abschluss des Staatsexamens und der Dissertation, privat weitere Literaturstudien, um mehr über die Ursachen des Gebissverfalls zu erfahren.

Dabei überzeugte mich besonders der Ansatz des Amerikanischen Zahnarztes Dr. Weston A. Price. Er hatte in seiner Praxis vergeblich nach den Ursachen des Gebissverfalls geforscht. So schloss er sie, und begab sich von 1924 bis 1936 auf Forschungsreisen zu allen auf der Erde damals noch existierenden Naturvölkern, um das Gegenteil zu suchen: Die Ursachen gesunder Zähne. Er fand diese in einer natürlichen Ernährung, wobei ganz entscheidend war, dass diese nicht durch Hitzebehandlung oder Extraktionsverfahren verändert worden war. Die Ergebnisse seiner 12 Jahre dauernden Forschungsreisen veröffentlichte er in dem heute noch erhältlichen Buch „Nutrition and Physical Degeneration".

Auf welche Kost ist der Mensch genetisch programmiert?

Ich suchte weiter, was wohl die ganz ursprüngliche Urnahrung des Menschen gewesen sein mochte, was der Mensch sich schon mit seiner natürlichen körperlichen Ausstattung beschaffen konnte – ohne die viel später erst entwickelten Werkzeuge und Waffen, und ohne die erst spät erfolgte „Zähmung des Feuers". Denn ich nahm an, dass sein genetisches Programm immer noch auf diese Urnahrung programmiert sei.

Zu Hilfe kam mir dabei die von dem Hamburger Zahnarzt Dr. Richard Lehne begründete „Vergleichende Gebissanatomie". Er verglich die Konstruktionen der verschiedenen Säugetiergebisse mit deren natürlicher Nahrung und konnte so nachweisen, für welche Nahrung das menschliche Gebiss optimiert ist: Es sind Samen, Wurzelknollen, zarte Blattschösslinge und Früchte. Das sind gleichzeitig auch jene „Lebens"-Mittel, die der Mensch sich mit seiner körperlichen Ausstattung ohne Werkzeuge und Waffen beschaffen konnte.

Wie man heute durch Ausgrabungsfunde weiß, hat sich das menschliche Gebiss seit mindestens 3 Millionen Jahren in seiner Grundkonstruktion ebenso wie in den meisten Details – bis hin zur Ausbildung der einzelnen Zahnhöcker – praktisch nicht verändert. Es ist also immer noch der gleiche, genetisch fixierte Bauplan, der auch heute noch die gleiche Konstruktion der menschlichen Kauwerkzeuge bestimmt. Daher ist es mehr als wahrscheinlich, dass das genetische Programm auch noch auf die ursprüngliche Urnahrung des Menschen programmiert ist.

Als nächsten Schritt stellte ich alle Kultur-Nahrungspflanzen zusammen, welche der Mensch aus jenen wildwachsenden Nahrungspflanzen gezüchtet hatte. Aus diesen entwickelte ich eine „zivilisierte Urnahrung“, also eine der menschlichen Urnahrung am nächsten kommende, aus heute erhältlichen, weil angebauten Kulturpflanzen zusammengesetzte Kost.

Dabei halfen mir die Forschungen des Hygienikers und Bakteriologen Prof. Dr. med. Werner Kollath, die besondere Bedeutung der Samen und Getreide sowie ihrer werterhaltenden Zubereitung richtig einzuschätzen, und sie ihrem Stellenwert entsprechend in dieser „zivilisierten Urnahrung“ zu berücksichtigen.

Die Probe aufs Exempel

Jetzt kam die Probe aufs Exempel. Wenn diese – aus einzelnen Forschungsergebnissen erarbeitete – „Arbeitshypothese“ richtig wäre, so müsste nach Umstellung auf eine solche Kost der Gebissverfall zum Stillstand kommen, und weiterer Gebissverfall dürfte nicht stattfinden.

Dieses trat tatsächlich ein – vor allem, wenn die bisher entstandenen Zahnschäden sorgfältig saniert wurden und damit die Selbstreinigungskräfte des Mundes wieder vollen Zugang zu allen Stellen hatten. Eine entsprechende Sanierungsbehandlung hatte ich parallel zu diesen Arbeiten entwickelt (s. mein Buch „Zahnprobleme und ihre Überwindung“).

Nicht nur, dass der Gebissverfall bei so beratenen und behandelten Patienten vollständig zum Stillstand kam. In Familien, die ihre Ernährung entsprechend geändert hatten, wuchsen Kinder mit vollständig gesunden Zähnen heran, die auch keine Fehlstellungen mehr aufwiesen, sondern sich in regelmäßigen, schönen Zahnbögen anordneten. In dem 6 Jahre lang in Mönchweiler durchgeführten Aufklärungsexperiment konnte ein gewaltiger Rückgang des Zahnverfalls dokumentiert werden.

Wissenschaftlich hatte ich also mein selbst gesetztes Ziel erreicht, meinen Beruf dadurch überflüssig zu machen, dass jeglicher Zahn- und Gebissverfall verhütbar geworden ist.

Berufs- und gesundheitspolitisch indessen musste ich zur Kenntnis nehmen, dass eine auf natürliche Weise zahngesunde Bevölkerung so gar nicht erwünscht ist, und sah mich von Beginn an einer jahrzehntelangen „berufspolitischen Verfolgung mit allen Mitteln" ausgesetzt. Ebenso musste ich ein totales und dauerhaftes Desinteresse der Gesundheitspolitik an einer natürlichen Zahngesundheit der Bevölkerung erkennen.

Gesunde Zähne waren nur der Anfang

Wissenschaftlich wurde es für mich immer interessanter. Denn von Patienten und aus Familien, die ihre Ernährung auf diese „zivilisierte Urnahrung" umgestellt hatten, wurde mir nicht nur über das Ausbleiben des Gebissverfalls berichtet.

So erzählte mir eines Tages ein Patient, dessen Zähne ich saniert hatte, er habe einen Termin für die Operation seines Magengeschwürs gehabt. Bei den Vorbereitungen zur Operation habe man ihn auch noch einmal gründlich untersucht – und dabei das Magengeschwür nicht mehr finden können; es war nach der Ernährungsumstellung ausgeheilt, und die Operation fiel ins Wasser.

Ich begann, Kurse in der praktischen Zubereitung dieser Kost einzurichten. Eines Tages nahm auch jener in der Einführung zu diesem Buch erwähnte Prokurist eines deutschen Großflughafens (es war Stuttgart) an einem solchen Kurs teil, und bedankte sich bei mir für die Erhaltung seiner Flugtauglichkeit durch diese Kost, mit welcher er einen vom Fliegerarzt festgestellten erhöhten Blutdruck – Grund für den Verlust der Flugtauglichkeit – innerhalb von nur vier Wochen ausheilen konnte, weshalb ihm ein anderer danach aufgesuchter Fliegerarzt einen normalen Blutdruck und volle Flugtauglichkeit bescheinigte.

Hätte ich diese Erfahrung, wie in der Medizin üblich (und wie es auch nachfolgend Patienten von ihren Ärzten berichten), als „rein zufällig", als „Ausnahme, welche die Regel der Unheilbarkeit bestätigt", als „Spontanheilung" betrachtet, dann hätte ich diese hochwirksame, natürliche Heilbehandlung des Bluthochdrucks nicht entdecken können.

Ich hatte jedoch die Erfahrung gemacht, dass es gerade diese unerwarteten, nicht in die „herrschende Lehrmeinung“ passenden Einzelbeobachtungen sind, die es besonders aufmerksam zu studieren gilt, wenn man wissenschaftliches Neuland betritt. Denn sie sind die Wegweiser, in welcher Richtung Weiterforschen lohnt.

1975 habe ich dann die von mir entwickelte „zivilisierte Urnahrung“ in zwei Unterformen präzisiert: Eine rein pflanzliche, vollständig rohe Form, welche die intensivsten gesundheitlichen Wirkungen hat, weshalb ich sie (Schnitzer-)“Intensivkost“ benannte, und eine darauf aufbauende Form, welche um Anteile aus der „lakto-vegetabilen“ vegetarischen Kost und auch sorgfältig ausgewählte hitzebehandelte Anteile erweitert ist – was der Gesunde sich leisten kann, ohne krank zu werden, wenn er nicht gerade Höchstleistungen erbringen muss. Diese nannte ich „Schnitzer-Normalkost“, da sie sich immer noch sehr grundlegend von dem unterscheidet, was gemeinhin unter „Normalkost“ verstanden wird. Sie unterscheidet sich auch von dem, was heute als „Vollwertkost“ bezeichnet wird, die nach meinen Erfahrungen nicht geeignet ist, die Gesundheit zu erhalten, und die schon gar nicht einen Bluthochdruck ausheilen kann.

Erste Therapiestudie 1987

1987 führte ich zusammen mit 3 Ärzten einen Therapieversuch bei Bluthochdruckpatienten durch. Diese konnten geheilt werden. Auf der Medizinischen Woche Baden-Baden (Herbst 1987) stellte ich die Therapie vor, die Ärzte berichteten ihre Erfahrungen, und die geheilten vormaligen Bluthochdruckpatienten konnten von den anwesenden etwa 250 ärztlichen Zuhörern befragt werden. Gleichzeitig veröffentlichte ich diese Therapie in zwei Büchern, eines für den Patienten, eines für den behandelnden Arzt. Diese beiden Bücher waren gleichzeitig am Bücherstand der Medizinischen Woche Baden-Baden 1987 erhältlich.

Obwohl therapeutisch hoch wirksam und ohne nachteilige Nebenwirkungen, wandte danach keiner der zahlreichen ärztlichen Zuhörer diese Therapie an. Diese und weitere frustrierende Erfahrungen, die ich schon an anderer Stelle in diesem Buch beschrieben habe, waren für mich Anlass, dieses Thema konsequent weiter zu verfolgen, bis sich diese Therapie als „Standardtherapie des Bluthochdrucks“ durchgesetzt hat, und Bluthochdruck so selten sein wird wie Gebissverfall bei Naturvölkern.

Neue Bluthochdruckstudie ab 2001

Zur Durchsetzung gehört auch eine möglichst breit angelegte Untersuchung und Dokumentation der Wirksamkeit. Weil daran keine der involvierten Lobbies interessiert ist und die von diesen Interessengruppen beeinflusste Politik ebenfalls untätig geblieben ist, habe ich selbst eine solche Studie entwickelt und ab 2001 ins Internet gestellt. Der Fragebogen:

http://www.dr-schnitzer.de/inquiry2.html (in Deutsch)
http://www.dr-schnitzer.de/inquiry2e.html (in Englisch)

Hierbei sind, für die Erhebung des Ernährungsverhaltens nach den Empfehlungen dieses Buches, je 5 (erste Fälle 5 + 4) Positionen erfragt, um festzuhalten, wie oft Empfohlenes verzehrt, und in welchem Umfang Nachteiliges gemieden wird. Jede Position hat 3 Stufen zur Auswahl, von welchen die zutreffende angeklickt wird. An mehreren Stellen besteht die Möglichkeit zur Schilderung gemachter Erfahrungen.

Auf den nachfolgenden Seiten finden Sie etliche Fälle aus dieser Bluthochdruckstudie. Menschen, die ehemals an Bluthochdruck erkrankt waren, schildern hier, wie sie oft Jahre und Jahrzehnte gelitten hatten, was die Begleiterscheinungen waren, wie die Wirkungen und die Nebenwirkungen der Pillentherapie waren, wie sie sich entschlossen, die Sache selbst in die Hand zu nehmen, ob ihr Arzt sie dabei unterstützt hat, wie sie schließlich ihren Bluthochdruck ausheilen konnten, und wie sich dabei auch ihre sonstige Gesundheit gebessert hat.

Sie werden darunter wahrscheinlich Schilderungen von Teilnehmern der Studie finden, welchen es vorher ganz ähnlich wie Ihnen ergangen war. Das wird Ihnen Mut machen, Ihre Gesundheit ebenfalls wieder auf eine natürliche Basis zu stellen und Ihren Bluthochdruck auszuheilen.

Die Fallberichte sollen Sie außerdem dazu ermutigen, nach erfolgter Heilung Ihres Bluthochdrucks ebenfalls mit einem solchen Bericht zu der Bluthochdruckstudie beizutragen. Sie helfen so mit, eine breite Durchsetzung dieser Therapie zu erreichen. Das kann Vielen das Leben retten.

Wenn Sie Arzt, Ärztin, Heilpraktiker/in sind, können Sie durch das Studieren der einzelnen Fälle Ihre therapeutische Sicherheit festigen. Die Fälle sind von mir kommentiert, auch mit grundsätzlichen Schlussfolgerungen. Sie werden die Pillentherapie als überholt erkennen, eine Therapie, die auch nach Feststellung (5/2000) der American Society of Hypertension bei nur 42,9 % der Patienten „akzeptable“ Blutdruckwerte erzielt.

Fallbeispiele

Bericht von Frau K. G. (48) aus Deutschland

1) Meine Bluthochdruck-Vorgeschichte

Bevor ich damit begann, Dr. Schnitzers Empfehlungen zu folgen, litt ich an Bluthochdruck seit 3 Jahren.

Mein durchschnittlicher Blutdruck war 165/95 mm/Hg, bevor ich Medikamente einnahm. Ich hatte keine für mich spürbaren Beschwerden. Mein Hausarzt stellte vor ca. 3 Jahren bei einer allgemeinen Untersuchung diesen Hochdruck fest. Sonst gesund. Muss zugeben, habe durch meine Lebensumstände 20 kg zugenommen (arbeite im Büro, sitze den ganzen Tag, Überstunden, große Verantwortung, Scheidung, zwei 25-jährige Kinder, Studenten ...

Zuletzt nahm ich die folgenden mir verschriebenen Medikamente ein:

Metroprolol-ratiopharm	1 x täglich, die ersten 3 Monate
Lisinopril Merck	1 x täglich 2 Jahre lang
HCT von ct Diuretikum	1 x täglich letztes Jahr weil keine Änderung
ASS 100	1 x täglich über 2 Jahre
Biso Lich 5 mg	1 x täglich (zuletzt statt Lisinopril)

Unter dieser Medikation war mein Blutdruck: 165/120 mm/Hg. Meine Beschwerden unter dieser Medikation waren folgende:

Mir ging es immer schlechter, der Blutdruck hat sich nicht geändert, im Gegenteil: Ich hatte Herzrhythmusstörungen, Herzschmerzen. Kein Antrieb mehr, fühlte mich sehr alt, alles war wie gedämpft – konnte mich im Beruf auf Zahlen usw. schlecht konzentrieren.

Mein Hausarzt hat dies nicht beachtet, führte einfach immer nur seine üblichen Untersuchungen durch und beachtete meine Herzschmerzen nicht. Nach 2 Jahren erst setzte er dann Lisinopril ab und gab mir Biso Lich – danach waren die Herzstolperer wie weg. Habe kein Vertrauen mehr, dieser Arzt hat sich bei mir entschuldigt, da er ja glaubte, ich nehme diese Tabletten sowieso nicht ... Habe aber seine Rezepte regelmäßig bekommen ... Das hat mich für eine andere Therapie sensibilisiert.

2) Mein Beginn mit Dr. Schnitzers Empfehlungen

Ich begann vor 2 Monaten, Dr. Schnitzers Empfehlungen zu folgen.

Ich begann folgendes zu essen:	täglich	manchmal	nie
Zum Frühstück Müslis aus keimfähigen, frisch vor der Zubereitung geschroteten Getreidekörnern, mit frischen Früchten und Nüssen:		X	
Zum Mittag- und/oder Abendessen verschiedene Blattsalate und rohe Wurzelgemüsesalate		X	
Angekeimte Hülsenfrüchte (Kichererbsen, Linsen, grüne Mungobohnen) als Beilage zu den Salaten		X	
Früchte (Äpfel, Birnen, Ananas usw.) nach Jahreszeit	X		
Vollkornbrot und –gebäck aus keimfähigen, frisch vor der Teigbereitung gemahlenen Getreiden (z.B. Weizen, Dinkel, Roggen)	X		

Das entspricht einer Befolgung der Empfehlungen zu 70 %.

Folgendes begann ich zu meiden:	völlig	meistens	verzehre ich noch
Fleisch, Geflügel, Ei, Fisch, Meeresfrüchte	X		
Milch und Milchprodukte (Käse, Yoghurt usw.)	X		
Industriezucker, Auszugsmehle und Produkte, welche diese enthalten	X		
Erhitzte (gekochte) Gemüse (unschädliche Ausnahme: Gedämpfte Kartoffeln)	X		

Das entspricht einer Befolgung der Empfehlungen zu 100 %.

Die Empfehlungen, was zu essen und was zu meiden ist, wurden somit von mir insgesamt gewertet zu 83,3 % befolgt.

3) Mein Arzt unterstützte mich wie folgt:

Mein Arzt unterstützte mich überhaupt nicht. Er äußerte sich dazu wie folgt: „Ist gefährlich, was Sie da tun, Sie machen sich Ihre Arterien kaputt. Die Tabletten schützen Sie vor Herzinfarkt bzw. Schlaganfall.“ Wörtlich: „Wollen Sie lange mit Tabletten oder kurz ohne leben?“

Ich suchte mir einen anderen Arzt mit homöopathischer Zusatzausbildung. Er unterstützte mich voll, und äußerte sich wie folgt: „Diese Medikamente richten mehr Schaden an als Nutzen."

Seit 6 Wochen esse ich sehr wenig, bewege mich mehr, mache Entspannungsübungen ... trinke viel Wasser, Tee (Kaffee abgesetzt).

Die beschriebenen kleinen Aderlässe (80-100 ml, 1 x pro Woche, max. 10 mal) zur Beschleunigung der Heilung hatte ich nicht.

4) Änderungen meines Blutdrucks und meiner Gesundheit

Mein durchschnittlicher Blutdruck unter der geänderten Ernährung war:

nach 4 Wochen: 145/95 mm/Hg;
nach 8 Wochen: 131/80 mm/Hg.

Habe eben meinen Blutdruck gemessen, während ich das schreibe: 130/80!

Die blutdrucksenkenden Medikamente setzte ich sofort bei Beginn der Ernährungsänderung ab.

5) Wie es mir jetzt geht

Gegenwärtig esse ich wie folgt:	**täglich**	**manchmal**	**nie**
Zum Frühstück Müslis aus keimfähigen, frisch vor der Zubereitung geschroteten Getreidekörnern, mit frischen Früchten und Nüssen:		**X**	
Zum Mittag- und/oder Abendessen verschiedene Blattsalate und rohe Wurzelgemüsesalate		**X**	
Angekeimte Hülsenfrüchte (Kichererbsen, Linsen, grüne Mungobohnen) als Beilage zu den Salaten		**X**	
Früchte (Äpfel, Birnen, Ananas usw.) nach Jahreszeit	**X**		
Vollkornbrot und –gebäck aus keimfähigen, frisch vor der Teigbereitung gemahlenen Getreiden (z.B. Weizen, Dinkel, Roggen)	**X**		

Das entspricht einer Befolgung der Empfehlungen zu 70 %.

Gegenwärtig meide ich folgendes:	völlig	meistens	verzehre ich noch
Fleisch, Geflügel, Ei, Fisch, Meeresfrüchte	X		
Milch und Milchprodukte (Käse, Yoghurt usw.)	X		
Industriezucker, Auszugsmehle und Produkte, welche diese enthalten	X		
Erhitzte (gekochte) Gemüse (unschädliche Ausnahme: Gedämpfte Kartoffeln)	X		

Das entspricht einer Befolgung der Empfehlungen zu 100 %.

Die Empfehlungen, was zu essen und was zu meiden ist, werden also von mir insgesamt gewertet zu 83,3 % befolgt.

Mein gegenwärtiger durchschnittlicher Blutdruck ist 131/80 mm/Hg.

Meine Erfahrungen mit dieser Veränderung in meinem Leben:

Ich fühle mich sehr wohl, habe wieder Freude am Leben, kann wieder besser denken, habe 9 kg abgenommen: Es geht mir sehr gut! Mein Problem ist: Es ändert sich, sobald ich anfange ein „normales" Essen zu mir zu nehmen. Das dürfte ich nie wieder. Schaffe ich das? Ich halte sehr viel von Ihrer Therapie! Herzlichen Dank für Ihren Rat, sehr geehrter Herr Dr. Schnitzer!

(So weit der Bericht von Frau K. G., 48 Jahre, vom 30. Nov. 2002)

Anmerkungen zu dem Bericht von Frau K. G.

von Dr. Johann Georg Schnitzer

Etwa 3 Jahre lang hatte diese Patientin einen Bluthochdruck von 165/95 mm/Hg, bevor sie begann, blutdrucksenkende Medikamente zu nehmen. Ihre Lebensumstände waren stressig und hatten eine Gewichtszunahme von 20 kg zur Folge. Schließlich begann sie, die verordneten 5 verschiedenen Medikamente (=„Standardtherapie des Bluthochdrucks") einzunehmen, mit einem „Erfolg", der so gar nicht den Versprechungen der Schulmedizin über die Effizienz dieser – von ihren Koryphäen gelehrten und vehement für lebenslängliche Verordnung propagierten – „Standardtherapie des Bluthochdrucks" entspricht:

Der systolische Blutdruckwert blieb trotz der 5 „blutdrucksenkenden“ Medikamente mit 165 mm/Hg gleich, und der diastolische Blutdruckwert *erhöhte* sich sogar von vorher 95 mm/Hg auf nunmehr 120 mm/Hg!!!

Der Patientin ging es immer schlechter – was für Jeden, der die wirklichen Zusammenhänge kennt, nur logisch ist – denn diese Medikamente sind aufgrund fehlender Kenntnisse über die eigentlichen Ursachen des Bluthochdrucks von den schulmedizinischen „Experten“ falsch konzipiert worden. Teilweise können diese Mittel deshalb reaktiv sogar blutdruckerhöhend wirken.

Trotz ihrer erheblichen Beeinträchtigung durch die Medikamente („kein Antrieb mehr, fühlte mich sehr alt, alles wie gedämpft, konnte mich schlecht konzentrieren“) konnte die Patienten einen Rest an Energie mobilisieren und selbst nach einem Weg aus der bedrohlichen Sackgasse suchen, in welche sie von ihrem Arzt hineinmanövriert worden war. Das hat ihr wahrscheinlich das Leben gerettet, und ihr dann ihre Gesundheit und Lebensfreude zurück gegeben.

Bericht von Herrn G. B. (52) aus Deutschland

1) Meine Bluthochdruck-Vorgeschichte

Bevor ich damit begann, Dr. Schnitzers Empfehlungen zu folgen, litt ich an Bluthochdruck seit 10 Jahren.

Mein durchschnittlicher Blutdruck war 140/95 mm/Hg, bevor ich Medikamente einnahm. Meine Beschwerden bestanden in anfallartigen Kopfschmerzen.

Zuletzt nahm ich das folgenden mir verschriebene Medikament ein:

Tensobon comp	1 x täglich 1 Tablette

Unter dieser Medikation war mein Blutdruck: 130/85 mm/Hg. Meine Beschwerden unter dieser Medikation waren folgende: Angeschwollene Beine und Hände, Kopfschmerzen, Müdigkeit.

2) Mein Beginn mit Dr. Schnitzers Empfehlungen

Ich begann vor 3 Jahren, Dr. Schnitzers Empfehlungen zu folgen.

Ich begann folgendes zu essen:	täglich	manchmal	nie
Zum Frühstück Müslis aus keimfähigen, frisch vor der Zubereitung geschroteten Getreidekörnern, mit frischen Früchten und Nüssen:	X		
Zum Mittag- und/oder Abendessen verschiedene Blattsalate und rohe Wurzelgemüsesalate	X		
Angekeimte Hülsenfrüchte (Kichererbsen, Linsen, grüne Mungobohnen) als Beilage zu den Salaten		X	
Früchte (Äpfel, Birnen, Ananas usw.) nach Jahreszeit	X		
Vollkornbrot und –gebäck aus keimfähigen, frisch vor der Teigbereitung gemahlenen Getreiden (z.B. Weizen, Dinkel, Roggen)	X		

Das entspricht einer Befolgung der Empfehlungen zu 90 %.

Folgendes begann ich zu meiden:	völlig	meistens	verzehre ich noch
Fleisch, Geflügel, Ei, Fisch, Meeresfrüchte	X		
Milch und Milchprodukte (Käse, Yoghurt usw.)	X		
Industriezucker, Auszugsmehle und Produkte, welche diese enthalten	X		
Erhitzte (gekochte) Gemüse (unschädliche Ausnahme: Gedämpfte Kartoffeln)	X		

Das entspricht einer Befolgung der Empfehlungen zu 100 %.

Die Empfehlungen, was zu essen und was zu meiden ist, wurden somit von mir insgesamt gewertet zu 95 % befolgt.

3) Mein Arzt unterstützte mich wie folgt:

Mein Arzt unterstützte mich voll.

Die beschriebenen kleinen Aderlässe (80-100 ml, 1 x pro Woche, max. 10 mal) zur Beschleunigung der Heilung hatte ich nicht.

4) Änderungen meines Blutdrucks und meiner Gesundheit

Mein durchschnittlicher Blutdruck unter der geänderten Ernährung war:

nach 4 Wochen:	130/85 mm/Hg;
nach 8 Wochen:	130/85 mm/Hg;
nach 12 Wochen:	130/80 mm/Hg.

Die blutdrucksenkenden Medikamente setzte ich 6 Wochen nach Beginn der Ernährungsänderung ab.

Die folgenden Veränderungen meiner Gesundheit stellte ich seither fest: Schwellungen an Beinen und Händen und die Kopfschmerzen verschwanden sofort. Ausschläge an den Beinen ungefähr nach einem Jahr weg. Die Kopfschmerzen traten nach einem Jahr wieder auf und sind, nachdem ich schwarzen Tee meide, weitgehend weg. Das Jucken und die Ausschläge an den Beinen sind wieder aufgetreten. Dazu kommt ein Ausschlag am Ohr. Beides klingt langsam ab. Zusammenfassend ist zu sagen, dass ich die Wirkung von Frischkost unmittelbar spüre. Esse ich einige Tage Müsli, Salate und Obst, fühle ich mich leicht und locker. Nach Fleischkost und Zerkochtem dumpf und niedergedrückt. Danach treten dann auch meistens die Kopfschmerzen auf.

5) Wie es mir jetzt geht

Gegenwärtig esse ich wie folgt:	täglich	manchmal	nie
Zum Frühstück Müslis aus keimfähigen, frisch vor der Zubereitung geschroteten Getreidekörnern, mit frischen Früchten und Nüssen:		X	
Zum Mittag- und/oder Abendessen verschiedene Blattsalate und rohe Wurzelgemüsesalate	X		
Angekeimte Hülsenfrüchte (Kichererbsen, Linsen, grüne Mungobohnen) als Beilage zu den Salaten		X	
Früchte (Äpfel, Birnen, Ananas usw.) nach Jahreszeit	X		
Vollkornbrot und –gebäck aus keimfähigen, frisch vor der Teigbereitung gemahlenen Getreiden (z.B. Weizen, Dinkel, Roggen)	X		

Das entspricht einer Befolgung der Empfehlungen zu 80 %.

Gegenwärtig meide ich folgendes:	völlig	meistens	verzehre ich noch
Fleisch, Geflügel, Ei, Fisch, Meeresfrüchte	X		
Milch und Milchprodukte (Käse, Yoghurt usw.)		X	
Industriezucker, Auszugsmehle und Produkte, welche diese enthalten	X		
Erhitzte (gekochte) Gemüse (unschädliche Ausnahme: Gedämpfte Kartoffeln)		X	

Das entspricht einer Befolgung der Empfehlungen zu 75 %.

Die Empfehlungen, was zu essen und was zu meiden ist, werden also insgesamt gewertet zu 77,5 % befolgt.

Mein gegenwärtiger durchschnittlicher Blutdruck ist 135/90 mm/Hg.

Meine Erfahrungen mit dieser Veränderung in meinem Leben:

Belastend ist das Verhältnis zu den Personen im näheren Umfeld. Eine derartige Ernährung wird von den meisten Mitmenschen lächerlich gemacht, nicht toleriert und sogar hintertrieben..

(So weit der Bericht von Herrn G. B., 52 Jahre, vom 2. Dezember 2002)

Anmerkungen zu dem Bericht von Herrn G. B.

von Dr. Johann Georg Schnitzer

10 Jahre lang – von seinem 39. bis zu seinem 49. Lebensjahr – litt dieser Patient an mäßigem Bluthochdruck (140/95 mm/Hg). Bevor dieser mit blutdrucksenkender Medikation behandelt wurde, traten anfallartige Kopfschmerzen als einzige „Nebenwirkung“ auf. Die Medikation senkte zwar den Blutdruck auf „normale“ 135/85 mm/Hg, jedoch um den Preis einer Verdreifachung der „Nebenwirkungen“: Angeschwollene Beine und Hände, immer noch Kopfschmerzen, und Müdigkeit.

Das Einzige, was bei einem mit Medikamenten zwangsweise gesenkten Blutdruck „normal“ ist, ist der auf dem Blutdruckmessgerät abgelesene Wert.

Der medikamentösen Blutdrucksenkung liegt ein tödlicher Trugschluss der „medizinischen Wissenschaft" zugrunde, an dessen Folgen Millionen von Menschen sterben müssen:

- **Richtig ist die Beobachtung,** dass Menschen, die an einem erhöhten Blutdruck erkranken, in der Folge auch einem erhöhten Risiko ausgesetzt sind, an Diabetes zu erkranken und einen Herzinfarkt, einen Hirnschlag, eine Embolie und das Versagen ihrer Nieren zu erleiden – mit teils tödlichem Ausgang.
- **Falsch ist der tödliche Trugschluss,** dass der erhöhte Blutdruck die *Ursache* dieser Risiken sei und man nur medikamentös den Blutdruck senken müsse, um diese „Folgerisiken" zu verringern.
- **In Wirklichkeit** ist Bluthochdruck keine „Ursache", sondern – so wie diese weiteren Risiken – nur eine *Folge* von tiefer liegenden gemeinsamen Ursachen des Bluthochdrucks und der übrigen Herz-Kreislauf-Krankheiten. Bluthochdruck tritt nur früher als die weiteren Risiken auf, weil der Organismus durch eine Erhöhung des Blutdrucks das Eintreten eben dieser Risiken zu verhüten oder zu verzögern sucht. Medikamentöse Blutdrucksenkung *beschleunigt* deren Eintreten. Bluthochdruck ist nur eine – wenn auch alarmierende – „Frühwarnung" vor den weiteren Risiken.
- **Der Irrglaube der „Schulmedizin",** im Bluthochdruck die Ursache der mit 50 % aller Sterbefälle häufigsten Todesursachengruppe (Herz-Kreislauf-Krankheiten) gefunden zu haben, hat zu jährlich Millionen Verschreibungen blutdrucksenkender Mitteln geführt, die ebenso wie die dafür ausgegebenen und von der Pharmabranche vereinnahmten Milliardenbeträge völlig nutzlos sind, weil die gemeinsamen Ursachen des Bluthochdrucks und der übrigen Herz-Kreislauf-Krankheiten weiterhin fortwirken. Deshalb konnte auch die Sterblichkeit trotz dieses riesigen Aufwandes nicht gesenkt werden: Nach wie vor verstirbt jeder zweite Bürger hochzivilisierter Länder an Herz-Kreislauf-Krankheiten.
- **Nur durch die Eliminierung der wirklichen Ursachen aus der Ernährung des Patienten und eine artgerechte natürliche Kost** ist es möglich, den Blutdruck gefahrlos zu normalisieren und die Risikozone der weiteren Herz-Kreislauf-Krankheiten zu verlassen. Gleichzeitig wird damit die konstitutionelle Gesundheit des Patienten auf eine sichere natürliche Basis gestellt.

Dieser Patient stellte alsdann seine Ernährung zu 95 % nach den Empfehlungen in einer früheren Auflage dieses Buches um. Sein Arzt unterstützte ihn dabei voll – Kompliment (weil das Gegenteil häufiger der Fall ist)! Der Blutdruck lag nach 4 Wochen (noch unter Medikation) bei 130/85 mm/Hg, nach 8 Wochen (nun ohne Medikation) beim gleichen Wert, und nach 12 Wochen bei 130/80 mm/Hg; damit war der Blutdruck völlig normal ohne jegliche Medikation.

Dass damit viel mehr erreicht war als „nur" die natürliche Ausheilung des Bluthochdrucks, geht aus den Anmerkungen des Patienten hervor. Er konnte auch an den Folgen gelegentlicher Ernährungsfehler feststellen, dass es tatsächlich diese natürliche, artgerechte Ernährung ist, die ihn geheilt hat und jetzt gesund erhält.

Empfehlung: Wenn das gegenwärtige Umfeld weder bereit noch fähig ist, aus der hier geschilderten niedrigsten Stufe der Erkenntnisfähigkeit herauszukommen und sich ernsthaft informieren zu lassen, dann sollte man sich ein neues, intelligenteres Umfeld suchen. Denn, wie man an diesem Beispiel sieht, kann ein unverständiges Umfeld zu einem pathogenen (krank machenden) Faktor werden: „Leute, Ihr macht mich krank!"

Bericht von Herrn H. K. (42) aus Deutschland

1) Meine Bluthochdruck-Vorgeschichte

Bevor ich damit begann, Dr. Schnitzers Empfehlungen zu folgen, litt ich an Bluthochdruck seit 3 Jahren.

Mein durchschnittlicher Blutdruck war 170/110 mm/Hg. Meine Beschwerden waren ständige Kopfschmerzen, Konzentrationsschwäche, Müdigkeit. Ich nahm keine Medikamente ein.

2) Mein Beginn mit Dr. Schnitzers Empfehlungen

Ich begann vor 3 Monaten, Dr. Schnitzers Empfehlungen zu folgen.

Ich begann folgendes zu essen:	täglich	manchmal	nie
Zum Frühstück Müslis aus keimfähigen, frisch vor der Zubereitung geschroteten Getreidekörnern, mit frischen Früchten und Nüssen:	X		
Zum Mittag- und/oder Abendessen verschiedene Blattsalate und rohe Wurzelgemüsesalate	X		
Angekeimte Hülsenfrüchte (Kichererbsen, Linsen, grüne Mungobohnen) als Beilage zu den Salaten	X		
Früchte (Äpfel, Birnen, Ananas usw.) nach Jahreszeit		X	
Vollkornbrot und –gebäck aus keimfähigen, frisch vor der Teigbereitung gemahlenen Getreiden (z.B. Weizen, Dinkel, Roggen)		X	

Das entspricht einer Befolgung der Empfehlungen zu 80 %.

Folgendes begann ich zu meiden:	völlig	meistens	verzehre ich noch
Fleisch, Geflügel, Ei, Fisch, Meeresfrüchte	X		
Milch und Milchprodukte (Käse, Yoghurt usw.)	X		
Industriezucker, Auszugsmehle und Produkte, welche diese enthalten	X		
Erhitzte (gekochte) Gemüse (unschädliche Ausnahme: Gedämpfte Kartoffeln)		X	

Das entspricht einer Befolgung der Empfehlungen zu 87,5 %.

Die Empfehlungen, was zu essen und was zu meiden ist, wurden somit von mir insgesamt gewertet zu 83,3 % befolgt.

3) Mein Arzt unterstützte mich wie folgt:

Mein Arzt unterstützte mich überhaupt nicht. Er äußerte sich dazu wie folgt: „Wenn Sie keine Mittel nehmen, ist Ihnen nicht mehr zu helfen."

Ich suchte mir einen anderen Arzt. Dieser unterstützte mich jedoch auch nicht besonders. Er äußerte sich wie folgt: „Dass Sie die Ernährung umgestellt haben, ist nicht schlecht, Sie sollten aber doch besser ein Mittel gegen Ihren hohen Blutdruck einnehmen."

Die beschriebenen kleinen Aderlässe wurden nicht vorgenommen.

4) Änderungen meines Blutdrucks und meiner Gesundheit

Mein durchschnittlicher Blutdruck unter der geänderten Ernährung war:

nach 4 Wochen:	140/100 mm/Hg;
nach 8 Wochen:	130/90 mm/Hg;
nach 12 Wochen:	120/85 mm/Hg.

Die folgenden Veränderungen meiner Gesundheit stellte ich seither fest: Meine Kopfschmerzen sind verschwunden, ich bin überhaupt nicht mehr müde, geistig voll fit und vital.

5) Wie es mir jetzt geht

Gegenwärtig esse ich wie folgt:	täglich	manchmal	nie
Zum Frühstück Müslis aus keimfähigen, frisch vor der Zubereitung geschroteten Getreidekörnern, mit frischen Früchten und Nüssen:			X
Zum Mittag- und/oder Abendessen verschiedene Blattsalate und rohe Wurzelgemüsesalate	X		
Angekeimte Hülsenfrüchte (Kichererbsen, Linsen, grüne Mungobohnen) als Beilage zu den Salaten	X		
Früchte (Äpfel, Birnen, Ananas usw.) nach Jahreszeit	X		
Vollkornbrot und –gebäck aus keimfähigen, frisch vor der Teigbereitung gemahlenen Getreiden (z.B. Weizen, Dinkel, Roggen)		X	

Das entspricht einer Befolgung der Empfehlungen zu 70 %.

Gegenwärtig meide ich folgendes:	völlig	meistens	verzehre ich noch
Fleisch, Geflügel, Ei, Fisch, Meeresfrüchte	X		
Milch und Milchprodukte (Käse, Yoghurt usw.)	X		
Industriezucker, Auszugsmehle und Produkte, welche diese enthalten	X		
Erhitzte (gekochte) Gemüse (unschädliche Ausnahme: Gedämpfte Kartoffeln)	X		

Das entspricht einer Befolgung der Empfehlungen zu 100 %.

Die Empfehlungen, was zu essen und was zu meiden ist, werden von mir also insgesamt gewertet zu 83,3 % befolgt.

Mein gegenwärtiger durchschnittlicher Blutdruck ist 115/80 mm/Hg.

Meine Erfahrungen mit dieser Veränderung in meinem Leben:

Mein Leben hat sich zum Positiven verändert.

(So weit der Bericht von Herrn H. K., 42 Jahre, vom 8. Februar 2003)

Anmerkungen zu dem Bericht von Herrn H. K.

von Dr. Johann Georg Schnitzer

Der Patient H. K. litt 3 Jahre lang an Bluthochdruck, begleitet von ständigen Kopfschmerzen, Konzentrationsschwäche, Müdigkeit. Sein Arzt wusste ihm keinen anderen Rat, als Pillen zu nehmen – was der Patient jedoch nicht wollte. „Dann ist Ihnen nicht zu helfen“, meinte der Arzt.

Ehrlicher wäre ein Eingeständnis gewesen, wenn dieser Arzt gesagt hätte: „Dann kann *ich* Ihnen nicht helfen.“

Auch ein nächster konsultierter Arzt erwies sich nicht als besonders hilfreich, und riet ebenfalls zur Pillen-Einnahme. Der Patient blieb jedoch bei seinem Entschluss, mit Pillen gar nicht erst anzufangen, sondern mit der begonnenen natürlichen und artgerechten Ernährung fortzufahren.

Er wurde belohnt mit einer raschen und vollständigen Ausheilung innerhalb von nur 3 Monaten eines vorher 3 Jahre lang bestehenden Bluthochdrucks, der sich von beachtlichen 170/110 mm/Hg auf 120/85 mm/Hg normalisierte. Darüber hinaus gewann H. K. seine natürliche Gesundheit und Leistungsfähigkeit zurück.

Auch in anderen Fällen hat sich gezeigt, dass der Heilungsverlauf viel direkter und unkomplizierter ist, wenn gar nicht erst mit solchen Medikamenten in das Blutdruckregulationssystem eingegriffen wird.

Das wäre auch für jeden Arzt leicht festzustellen. Aber die meisten erhalten keine Chance für diese therapeutische Erfahrung, weil sie, unter der „Matrix“ der Schulmedizin stehend und mit einer Art von Pawlow'schem Reflex konditioniert, bei Feststellung von Bluthochdruck nur über *eine* automatisierte Reaktion verfügen: Das Verschreiben von Pillen.

Bericht von Frau G. B. (39) aus Deutschland

1) Meine Bluthochdruck-Vorgeschichte

Bevor ich damit begann, Dr. Schnitzers Empfehlungen zu folgen, litt ich an Bluthochdruck seit 7 Jahren und 3 Monaten.

Mein durchschnittlicher Blutdruck war 145/98 mm/Hg, bevor ich Medikamente einnahm. Beschwerden hatte ich folgende: Kurzatmigkeit, Kopfschmerzen, Ohrenrauschen (nur einseitig), Herzrasen, Schwindel, allgemeine Abgeschlagenheit, geschwollene Hände.

Zuletzt nahm ich die folgenden mir verschriebenen Medikamente ein:

Metroprolol-Wolff mite	2 x täglich 1 Tablette
Carmen	1 x täglich 1 Tablette
Lisinopril	1 x täglich 1 Tablette

Unter dieser Medikation war mein Blutdruck 155/90 mm/Hg. Meine Beschwerden unter dieser Medikation waren folgende: Aggressivität (mich stört die Fliege an der Wand), Schwindel, Ohrenrauschen, Kurzatmigkeit, Probleme beim Wasserlassen (konnte nur wenig Wasser lassen), Rückenschmerzen, Kopfschmerzen.

2) Mein Beginn mit Dr. Schnitzers Empfehlungen

Ich begann vor 2 Monaten, Dr. Schnitzers Empfehlungen zu folgen.

Ich begann folgendes zu essen:	täglich	manchmal	nie
Zum Frühstück Müslis aus keimfähigen, frisch vor der Zubereitung geschroteten Getreidekörnern, mit frischen Früchten und Nüssen:	X		
Zum Mittag- und/oder Abendessen verschiedene Blattsalate und rohe Wurzelgemüsesalate	X		
Angekeimte Hülsenfrüchte (Kichererbsen, Linsen, grüne Mungobohnen) als Beilage zu den Salaten	X		

Früchte (Äpfel, Birnen, Ananas usw.) nach Jahreszeit	X		
Vollkornbrot und –gebäck aus keimfähigen, frisch vor der Teigbereitung gemahlenen Getreiden (z.B. Weizen, Dinkel, Roggen)		X	

Das entspricht einer Befolgung der Empfehlungen zu 90 %.

Folgendes begann ich zu meiden:	**völlig**	**meistens**	**verzehre ich noch**
Fleisch, Geflügel, Ei, Fisch, Meeresfrüchte	X		
Milch und Milchprodukte (Käse, Yoghurt usw.)	X		
Industriezucker, Auszugsmehle und Produkte, welche diese enthalten	X		
Erhitzte (gekochte) Gemüse (unschädliche Ausnahme: Gedämpfte Kartoffeln)	X		

Das entspricht einer Befolgung der Empfehlungen zu 100 %.

Die Empfehlungen, was zu essen und was zu meiden ist, wurden somit von mir insgesamt gewertet zu 95 % befolgt.

3) Mein Arzt unterstützte mich wie folgt:

Mein Arzt unterstützte mich nicht besonders. Er äußerte sich dazu wie folgt: „Bluthochdruck kann man nicht ausheilen. Wenn Sie es versuchen wollen, ist es Ihre Sache."

Die beschriebenen kleinen Aderlässe (80-100 ml, 1 x pro Woche, max. 10 mal) zur Beschleunigung der Heilung hatte ich nicht.

4) Änderungen meines Blutdrucks und meiner Gesundheit

Mein durchschnittlicher Blutdruck unter der geänderten Ernährung war:

nach 4 Wochen: 132/88 mm/Hg;

nach 8 Wochen: 128/76 mm/Hg;

Die blutdrucksenkenden Medikamente setzte ich wie folgt ab: Mit Beginn der Ernährungsänderung Carmen und Lisinopril sofort, Metroprolol-Wolff mite nach 4 Wochen.

Die folgenden Veränderungen meiner Gesundheit stellte ich seither fest: Gewichtsreduzierung um 7 Kilo in 6 Wochen, keine Kopfschmerzen, keine Rückenschmerzen, dünne Hände, keine Probleme mehr beim Wasserlassen, mehr Leistungsfähigkeit des gesamten Körpers, kein Schwindel mehr.

5) Wie es mir jetzt geht

Gegenwärtig esse ich wie folgt:	täg-lich	manch-mal	nie
Zum Frühstück Müslis aus keimfähigen, frisch vor der Zubereitung geschroteten Getreidekörnern, mit frischen Früchten und Nüssen:	X		
Zum Mittag- und/oder Abendessen verschiedene Blattsalate und rohe Wurzelgemüsesalate	X		
Angekeimte Hülsenfrüchte (Kichererbsen, Linsen, grüne Mungobohnen) als Beilage zu den Salaten	X		
Früchte (Äpfel, Birnen, Ananas usw.) nach Jahreszeit	X		
Vollkornbrot und –gebäck aus keimfähigen, frisch vor der Teigbereitung gemahlenen Getreiden (z.B. Weizen, Dinkel, Roggen)		X	

Das entspricht einer Befolgung der Empfehlungen zu 90 %.

Gegenwärtig meide ich folgendes:	völlig	meistens	verzehre ich noch
Fleisch, Geflügel, Ei, Fisch, Meeresfrüchte	X		
Milch und Milchprodukte (Käse, Yoghurt usw.)	X		
Industriezucker, Auszugsmehle und Produkte, welche diese enthalten	X		
Erhitzte (gekochte) Gemüse (unschädliche Ausnahme: Gedämpfte Kartoffeln)	X		

Das entspricht einer Befolgung der Empfehlungen zu 100 %.

Die Empfehlungen, was zu essen und was zu meiden ist, werden von mir also insgesamt gewertet zu 95 % befolgt.

Mein gegenwärtiger durchschnittlicher Blutdruck ist 128/76 mm/Hg.

Meine Erfahrungen mit dieser Veränderung in meinem Leben:

Jeden Tag bekomme ich ein Stückchen meiner Gesundheit zurück. Ich werde diese Ernährung weiterempfehlen und immer weiter führen.

(So weit der Bericht von Frau G. B., 39 Jahre, vom 14. März 2003)

Anmerkungen zu dem Bericht von Frau G. B.

von Dr. Johann Georg Schnitzer

Schon im Alter von 32 Jahren geriet diese Patientin in die Bluthochdruckfalle. Normalerweise passiert das den Frauen erst kurz nach der Menopause, wenn ihr Körper das bisherige „Überdruckventil" zur Eliminierung von Eiweißüberschüssen, die Regelblutung, nicht mehr zur Verfügung hat. Von diesem Zeitpunkt an häufen sich diese Überschüsse aus der artfremden Zivilisationskost (vor allem aus Fleisch, Fisch, Milch, Milchprodukten, Ei) im Körper an und führen zu Erkrankungen und Beschwerden.

Die Beschwerden und Symptome dieser Patientin zeigten schon vorher Folgen einer Eiweißspeicherung im Gefäß- und Lymphsystem.

Ihr Arzt jedoch, den Zusammenhang nicht erkennend, weil das schulmedizinische Dogma der „herrschenden Lehrmeinung" als „Brett vor dem Kopf" wirkte, verordnete gleich drei verschiedene blutdrucksenkende Mittel, die insgesamt viermal täglich einzunehmen waren (wenn man schon etwas falsch macht, kann man es auch gleich gründlich tun).

Logischerweise wurde die Sache dadurch erst richtig schlimm; die Patientin schildert die negativen Folgen dieser Fehlbehandlung.

Wie gefährlich die Situation wirklich geworden war, erkannte dieser Arzt ebenfalls nicht. Die Beeinträchtigung der Nierenfunktion („konnte nur wenig Wasser lassen") zeigte bereits drohendes Nierenversagen an, welches dann zu lebenslanger Abhängigkeit von einer künstlichen Niere geführt hätte (2 x wöchentlich mehrere Stunden „Blutwäsche" in einem Dialyse-Zentrum), mit starker Einschränkung der Lebensqualität.

Solche **Dialyse-Zentren** „sprießen derzeit wie Pilze aus dem Boden", und die Hersteller der Apparate und pharmazeutischen Substrate, welche für die Dialyse in großen Mengen gebraucht werden, sind eine der stärksten neueren Wachstumsbranchen an den Internationalen Börsen.

Diese Entwicklung bedeutet indessen keinen „medizinischen Fortschritt“, sondern signalisiert im Gegenteil das Versagen der „modernen Medizin“ auf breiter Front, wenn als Maßstab das Heilen von Krankheiten zugrunde gelegt wird.

Dem ausbleibenden Heilerfolg steht ein entsprechend großer kommerzieller Erfolg dieses Medizinsystems gegenüber, welcher sich darauf gründet, dass die Krankheiten nicht geheilt, sondern lebenslang dauerbehandelt und dabei in immer schwerere und noch lukrativere Krankheiten übergeführt werden.

Dass die solchermaßen dauerbehandelten Patienten im statistischen Durchschnitt nach 25 Jahren chronischer Krankheiten den Geist aufgeben und das Zeitliche segnen, ist für dieses Medizinsystem wirtschaftlich nicht von Belang, denn nach diesen 25 Jahren Krankheit ist bei dem Patienten ohnehin nicht mehr viel zu holen. Vor allem aber wachsen ständig reichlich neue Erkrankungsfälle nach, weil die wahren Ursachen dieser Krankheiten systematisch verschwiegen werden.

Im vorliegenden Fall suchte die Patientin selber nach einem Ausweg aus der medizinischen Sackgasse, fand eine frühere Auflage dieses Buches und befragte dazu ihren Arzt.

Nachdem dieser sich selbst nicht gerade mit therapeutischem Ruhm bekleckert hatte, wäre es klug gewesen, die Patientin zu ermutigen und die Ergebnisse ihrer Bemühungen mit ärztlich-wissenschaftlichem Interesse zu verfolgen. Statt dessen mauerte er beleidigt und wollte sie sogar davon abhalten: „Bluthochdruck kann man nicht ausheilen. Aber wenn Sie es versuchen wollen, ist es Ihre Sache.“

Ist das die Sorte von „Ärzten“, die heutzutage an den Universitäten ausgebildet werden, von Lehrern, die ihr Budget mit Forschungsaufträgen aus der Pharma-Industrie aufbessern und deshalb deren Absatzbemühungen dienlich sind?

Es war das Glück der Patientin, dass sie sich in ihrem Vorhaben nicht von ihrem Arzt beirren ließ. Sie stellte sehr konsequent (zu 95 %) auf die im genannten Buch empfohlene artgerechte natürliche Ernährung um, und hatte bereits nach 8 Wochen mit 128/76 einen völlig normalen Blutdruck ohne jegliche blutdrucksenkende Mittel erreicht.

Und das war noch nicht alles. Sie reduzierte ihr Körpergewicht um 7 Kilo in 6 Wochen, alle Beschwerden waren weg, und ihre Nieren hatten wieder ihre volle Funktionsfähigkeit zurückgewonnen.

Fälle wie dieser stehen für Hunderttausende, ja Millionen ganz ähnlich gelagerter Schicksale, die jedoch tragisch enden, weil die betreffenden Patienten nicht die Chance bekamen, an die rettenden Informationen zu gelangen.

Bericht von Frau L. W. (56) aus der Schweiz

1) Meine Bluthochdruck-Vorgeschichte

Bevor ich damit begann, Dr. Schnitzers Empfehlungen zu folgen, litt ich an Bluthochdruck seit 15 Jahren.

Mein durchschnittlicher Blutdruck war 160/100 mm/Hg, bevor ich Medikamente einnahm.

Beschwerden hatte ich keine; mein Hausarzt machte mich auf den zu hohen Blutdruck und zu hohes Cholesterin aufmerksam.

Zuletzt nahm ich die folgenden mir verschriebenen Medikamente ein:

Atacand plus 16/12,5	1 mal täglich
Aspirin cardio 100	1 mal täglich
Selipran 40	1 mal täglich

Unter dieser Medikation war mein Blutdruck 145/100 mm/Hg. Meine Beschwerden unter dieser Medikation waren folgende:

Schwindel, Druckgefühl im Kopf, Depression, Unfähigkeit zu denken, geschwollene Hände und Füße, Herzstechen, Suizidgedanken.

2) Mein Beginn mit Dr. Schnitzers Empfehlungen

Ich begann vor 3 Monaten, Dr. Schnitzers Empfehlungen zu folgen.

Ich begann folgendes zu essen:	täglich	manchmal	nie
Zum Frühstück Müslis aus keimfähigen, frisch vor der Zubereitung geschroteten Getreidekörnern, mit frischen Früchten und Nüssen:	X		

Zum Mittag- und/oder Abendessen verschiedene Blattsalate und rohe Wurzelgemüsesalate	**X**		
Angekeimte Hülsenfrüchte (Kichererbsen, Linsen, grüne Mungobohnen) als Beilage zu den Salaten		**X**	
Früchte (Äpfel, Birnen, Ananas usw.) nach Jahreszeit	**X**		
Vollkornbrot und –gebäck aus keimfähigen, frisch vor der Teigbereitung gemahlenen Getreiden (z.B. Weizen, Dinkel, Roggen)	**X**		

Das entspricht einer Befolgung der Empfehlungen zu 90 %.

Folgendes begann ich zu meiden:	**völlig**	**meistens**	**verzehre ich noch**
Fleisch, Geflügel, Ei, Fisch, Meeresfrüchte	**X**		
Milch und Milchprodukte (Käse, Yoghurt usw.)	**X**		
Industriezucker, Auszugsmehle und Produkte, welche diese enthalten	**X**		
Erhitzte (gekochte) Gemüse (unschädliche Ausnahme: Gedämpfte Kartoffeln)	**X**		
Gekochtes Obst und Säfte (auch frisch gepresste)	**X**		

Das entspricht einer Befolgung der Empfehlungen zu 100 %.

Die Empfehlungen, was zu essen und was zu meiden ist, wurden somit von mir insgesamt gewertet zu 95 % befolgt.

3) Mein Arzt unterstützte mich wie folgt:

Mein Arzt unterstützte mich überhaupt nicht. Er äußerte sich dazu wie folgt: „Mit der Ernährung können Sie überhaupt nichts erreichen. Das können Sie vergessen“.

Ich suchte mir einen anderen Arzt. Dieser unterstützte mich voll. Er hat mir die Diät empfohlen. Nach 2,5 Monaten war er ob dem Resultat hoch erfreut. Alle Blutwerte waren in Ordnung.

Die beschriebenen kleinen Aderlässe (80-100 ml, 1 x pro Woche, max. 10 mal) zur Beschleunigung der Heilung hatte ich nicht.

4) Änderungen meines Blutdrucks und meiner Gesundheit

Mein durchschnittlicher Blutdruck unter der geänderten Ernährung war:

nach 4 Wochen: 135/88 mm/Hg;
nach 12 Wochen: 128/85 mm/Hg.

Die blutdrucksenkenden Medikamente setzte ich sämtliche 1 Woche nach Beginn der Ernährungsänderung ab.

Die folgenden Veränderungen meiner Gesundheit stellte ich seither fest: Ich fühle mich vital, lebensfreudig, keine Depressionen mehr, Hände und Füße sind wieder schlank, kein Herzstechen mehr, 6 Kilo Gewichtsverlust.

5) Wie es mir jetzt geht

Gegenwärtig esse ich wie folgt:	**täg-lich**	**manch-mal**	**nie**
Zum Frühstück Müslis aus keimfähigen, frisch vor der Zubereitung geschroteten Getreidekörnern, mit frischen Früchten und Nüssen:	X		
Zum Mittag- und/oder Abendessen verschiedene Blattsalate und rohe Wurzelgemüsesalate	X		
Angekeimte Hülsenfrüchte (Kichererbsen, Linsen, grüne Mungobohnen) als Beilage zu den Salaten		X	
Früchte (Äpfel, Birnen, Ananas usw.) nach Jahreszeit	X		
Vollkornbrot und –gebäck aus keimfähigen, frisch vor der Teigbereitung gemahlenen Getreiden (z.B. Weizen, Dinkel, Roggen)	X		

Das entspricht einer Befolgung der Empfehlungen zu 90 %.

Gegenwärtig meide ich folgendes:	**völlig**	**meistens**	**verzehre ich noch**
Fleisch, Geflügel, Ei, Fisch, Meeresfrüchte	X		
Milch und Milchprodukte (Käse, Yoghurt usw.)	X		
Industriezucker, Auszugsmehle und Produkte, welche diese enthalten	X		

Erhitzte (gekochte) Gemüse (unschädliche Ausnahme: Gedämpfte Kartoffeln)		X	
Gekochtes Obst und Säfte (auch frisch gepresste)	X		

Das entspricht einer Befolgung der Empfehlungen zu 90 %.

Die Empfehlungen, was zu essen und was zu meiden ist, werden von mir also insgesamt gewertet zu 90 % befolgt.

Mein gegenwärtiger durchschnittlicher Blutdruck ist 128/85 mm/Hg.

Meine Erfahrungen mit dieser Veränderung in meinem Leben:

Ich hab's ja nicht geglaubt, aber ich hatte nichts mehr zu verlieren. Nachdem ich jahre- oder gar jahrzehntelang an Bluthochdruck litt, gegen den ich zuletzt Atacand plus, Aspirin cardio und wegen des Cholesterins Selipran verschrieben bekam, bin ich heute beschwerdefrei! Danke, danke!

Vor Weihnachten saß ich nur noch lethargisch und depressiv herum, nachts weinte ich, anstatt zu schlafen. Dabei war ich früher eine lebensfrohe Frau (56 Jahre, nach Polio im Rollstuhl). Da mein Mann nicht mehr zusehen konnte, wie ich mich veränderte (dank der Medikamente von unserem Hausarzt!), nahm er mich notfallmäßig mit zu Herrn Dr. G. W. in Z. Dieser machte mich auf Ihr Büchlein „Risikofaktor Bluthochdruck, lebensbedrohend, aber heilbar!" aufmerksam. Nach der Lektüre war ich überzeugt: Das ist der Weg, den ich gehen will. Ich hatte, wie gesagt, nichts mehr zu verlieren.

Und siehe da: Nach strenger Einhaltung Ihrer Diät konnte ich bereits eine Woche nach Beginn sämtliche Medikamente absetzen! Nun halte ich mich seit drei Monaten an Ihre Diät und habe keinerlei Schwierigkeiten mehr. Sämtliche Blutwerte sind optimal! Noch kann ich es kaum glauben. Ich fühle mich wieder vital und gesund und habe als schöne Nebenerscheinung erst noch 6 Kilo abgenommen. Ein Risikofaktor bleibt natürlich: Der Bewegungsmangel. Doch denke ich, dass ich mit dieser gesunden Nahrung weiterhin ein gutes, befriedigendes Leben führen und mich wieder meinen künstlerischen Tätigkeiten widmen kann.

Ich bin unendlich dankbar und empfehle die Diät allen, die es wissen wollen. Ich werde oft gefragt, weil man mir den Unterschied gut ansieht. Herzliche Grüße, L.W.

(So weit der Bericht von Frau L. W., 56 Jahre, vom 24. März 2003)

Anmerkungen zu dem Bericht von Frau L. W.

von Dr. Johann Georg Schnitzer

Seit 15 Jahren hatte diese Patientin Bluthochdruck. Sie „litt“ nicht darunter, so lange sie keine Medikamente dagegen nahm – denn ihr Organismus konnte das verengte Gefäßsystem und das dickflüssiger gewordene Blut voll durch eine Erhöhung des Blutdrucks kompensieren. Auf diese Weise war nach wie vor die Versorgung aller Zellen und Organe mit Sauerstoff und Energie gesichert, trotz der erschwerenden Bedingungen. Jeder gute Ingenieur würde bei diesen Gegebenheiten genau die gleichen Maßnahmen treffen: Er würde den Pumpendruck erhöhen, um den erhöhten Strömungswiderstand zu kompensieren.

Zum „Leiden“ wurde der Bluthochdruck erst mit der Verordnung blutdrucksenkender Mittel durch den Hausarzt – gemäß dem Dogma der „modernen Medizin“ dass Bluthochdruck ein Risikofaktor sei (bis dahin stimmt es), der nur durch lebenslängliches medikamentöses Senken des Blutdrucks verringert werden könne (das ist falsch!), da die Ursachen des Bluthochdrucks nicht bekannt seien (das ist ebenso falsch!).

Die verordneten drei verschiedenen Mittel konnten dann jedoch – im Gegensatz zu den Behauptungen der „modernen Medizin“ – den Blutdruck auch nicht normalisieren, denn er lag trotz Medikation immer noch bei 145/100 mm/Hg. Aber die Medikation reichte aus, um die bisherige (richtige, logische, bio-logische) Kompensation des erhöhten Strömungswiderstandes durch entsprechende Erhöhung des Blutdrucks zu behindern. Jetzt erst war die Versorgung der Zellen und Organe mit Sauerstoff und Energie mangelhaft, und deshalb traten jetzt erst entsprechende Beschwerden als „Nebenwirkungen“ der Medikation auf, welche die Patientin so schildert: „Schwindel, Druckgefühl im Kopf, Depression, Unfähigkeit zu Denken, geschwollene Hände und Füße, Herzstechen, Suizidgedanken.“

In Wirklichkeit sind das keine „Nebenwirkungen“, sondern die Hauptwirkungen von Medikamenten, welche aufgrund falscher Dogmen und Vorstellungen vom Wesen des Bluthochdrucks falsch konzipiert wurden. An den Folgen dieses hartnäckig verteidigten Irrtums der herrschenden Medizinschule leiden und sterben Millionen.

Die Patientin suchte und erfuhr wohl von der Möglichkeit, durch Änderung der Ernährung aus diesem Teufelskreis (Circulus vitiosus) auszubrechen. Ihr Hausarzt aber versuchte tatsächlich, sie davon abzuhalten(!): „Mit der Ernährung können Sie überhaupt nicht erreichen, das können Sie vergessen.“

Ihr Ehemann konnte schließlich der Verschlechterung ihres Zustandes durch die inkompetente (aber durchaus übliche, der gelehrten „Standardtherapie des Blutdrucks“ entsprechende) Behandlung ihres Arztes nicht mehr zusehen, und brachte sie als Notfall zu einem anderen Arzt. Es war purer Zufall, dass dieser eine frühere Auflage des vorliegenden Buches und die darin empfohlene „Diät“ (die einfach eine konsequent artgerechte natürliche Ernährung ist) kannte und ihr empfahl, und ein großer Glücksfall für die Patientin, der ihr das Leben rettete.

In nur 10 Wochen bewirkte diese einfache natürliche Kost, was vorher 15 Jahre lang die „Standardtherapie des Bluthochdrucks“ der herrschenden Medizinschule nicht erreichte: Eine völlige Normalisierung des Blutdrucks, aller Blutwerte, der körperlichen und der geistigen Gesundheit.

Wäre es da nicht an der Zeit für die „moderne Medizin“, die falschen Dogmen und wirkungsarmen, jedoch nebenwirkungsreichen „Therapien“ aufzugeben und statt dessen diese hoch wirksame, natürliche Heilbehandlung des Bluthochdrucks zur neuen Standardtherapie auszurufen?

Immerhin habe ich schon 1987 auf der Medizinischen Woche Baden-Baden einen ganzen Tag lang diese Heilbehandlung des Bluthochdrucks mit geheilten Patienten einem Auditorium von etwa 250 Ärzten und Ärztinnen vorgestellt – und gleichzeitig in zwei Büchern (eines für den Patienten, eines für den Arzt) veröffentlicht, damit man das neue Wissen Schwarz auf Weiß nach Hause tragen konnte. (Keiner der Zuhörer hat jedoch nachher diese Heilbehandlung bei seinen Patienten angewandt!).

Sind es etwa merkantile Gründe, welche dieses Beharrungsvermögen auf einem ebenso falschen wie einträglichen Dogma erklären? Denn nicht weniger als 50 % des „Dauerpatientenstammes“ der Arztpraxen bestehen aus Bluthochdruckpatienten, die ebenso wegen ihrer plötzlichen Gesundung wegfallen würden wie der beachtliche, vom Pharmasektor mit den fragwürdigen Bluthochdruckpillen erzielte jährliche Milliardenumsatz.

Inzwischen ist klar geworden, dass auch die „Gesundheitspolitik“ sich weigert, die Heil- und Verhütbarkeit des Bluthochdrucks und der Herz-Kreislauf-Krankheiten zur Kenntnis zu nehmen:

<http://www.dr-schnitzer.de/agdb005.htm>

Da rette sich, wer kann! Das Wissen dazu vermittelt dieses Buch.

Bericht von Herrn M. F. (36) aus Deutschland

1) Meine Bluthochdruck-Vorgeschichte

Bevor ich damit begann, Dr. Schnitzers Empfehlungen zu folgen, litt ich an Bluthochdruck seit 5 Jahren.

Mein durchschnittlicher Blutdruck war 145/95 mm/Hg, bevor ich Medikamente einnahm. Beschwerden hatte ich folgende: Ohrenrauschen, Schwindel, Herzpoltern, kontinuierliche Gewichtszunahme trotz Sport, Kaltschweißigkeit, Verstopfung, Völlegefühl, Fußschmerzen (Ferse), beim Sport schnell erschöpft und Muskelkater, häufig migräneartige Kopfschmerzen, häufig erkältet inklusive Neben- und Stirnhöhlenentzündungen.

Zuletzt nahm ich das folgende mir verschriebene Medikament ein:

Metroprolol 25	1 x täglich

Unter dieser Medikation war mein Blutdruck 140/90 mm/Hg. Meine Beschwerden unter dieser Medikation waren folgende:

Sehr niedriger Puls; ansonsten eigentlich keine Beschwerden, da die Dosis sehr gering war.

2) Mein Beginn mit Dr. Schnitzers Empfehlungen

Ich begann vor 3 Monaten, Dr. Schnitzers Empfehlungen zu folgen.

Ich begann folgendes zu essen:	täglich	manchmal	nie
Zum Frühstück Müslis aus keimfähigen, frisch vor der Zubereitung geschroteten Getreidekörnern, mit frischen Früchten und Nüssen:	X		
Zum Mittag- und/oder Abendessen verschiedene Blattsalate und rohe Wurzelgemüsesalate	X		
Angekeimte Hülsenfrüchte (Kichererbsen, Linsen, grüne Mungobohnen) als Beilage zu den Salaten	X		

Früchte (Äpfel, Birnen, Ananas usw.) nach Jahreszeit	X		
Vollkornbrot und –gebäck aus keimfähigen, frisch vor der Teigbereitung gemahlenen Getreiden (z.B. Weizen, Dinkel, Roggen)		X	

Das entspricht einer Befolgung der Empfehlungen zu 90 %.

Folgendes begann ich zu meiden:	**völlig**	**meistens**	**verzehre ich noch**
Fleisch, Geflügel, Ei, Fisch, Meeresfrüchte	X		
Milch und Milchprodukte (Käse, Yoghurt usw.)	X		
Industriezucker, Auszugsmehle und Produkte, welche diese enthalten	X		
Erhitzte (gekochte) Gemüse (unschädliche Ausnahme: Gedämpfte Kartoffeln)		X	
Gekochtes Obst und Säfte (auch frisch gepresste)	X		

Das entspricht einer Befolgung der Empfehlungen zu 90 %.

Die Empfehlungen, was zu essen und was zu meiden ist, wurden somit von mir insgesamt gewertet zu 90 % befolgt.

3) Mein Arzt unterstützte mich wie folgt:

Mein Arzt unterstützte mich voll. Er äußerte sich erstaunt, dass jemand den Ehrgeiz überhaupt aufbringt, diesen Weg zu gehen, aber hat mich prinzipiell unterstützt und mir sogar schriftlich meine Wiedergesundung bescheinigt.

Die beschriebenen kleinen Aderlässe (80-100 ml, 1 x pro Woche, max. 10 mal) zur Beschleunigung der Heilung hatte ich nicht.

4) Änderungen meines Blutdrucks und meiner Gesundheit

Mein durchschnittlicher Blutdruck unter der geänderten Ernährung war:

nach 4 Wochen: 135/85 mm/Hg;
nach 8 Wochen: 130/80 mm/Hg;
nach 12 Wochen: 125/75 mm/Hg.

Das blutdrucksenkende Medikament setzte ich sofort bei Beginn der Ernährungsänderung ab.

Die folgenden Veränderungen meiner Gesundheit stellte ich seither fest: Gewichtsverlust von z.Zt. 12 kg in 3 Monaten, Blutdruck normal, regelmäßige Verdauung, besseres Haarwachstum, kein Ohrenrauschen und Schwindel mehr, keine Kopfschmerzen mehr, Erkältungen klingen schneller ab und sind nicht mehr so heftig, geringere Schweißbildung und kaum Geruch, Zustand der Zähne bessert sich und weniger Zahnbelag, glättere Haut, Leistungsfähigkeit beim Sport steigt.

5) Wie es mir jetzt geht

Gegenwärtig esse ich wie folgt:	**täg-lich**	**manch-mal**	**nie**
Zum Frühstück Müslis aus keimfähigen, frisch vor der Zubereitung geschroteten Getreide-körnern, mit frischen Früchten und Nüssen:	X		
Zum Mittag- und/oder Abendessen verschie-dene Blattsalate und rohe Wurzelgemüsesalate	X		
Angekeimte Hülsenfrüchte (Kichererbsen, Linsen, grüne Mungobohnen) als Beilage zu den Salaten	X		
Früchte (Äpfel, Birnen, Ananas usw.) nach Jahreszeit	X		
Vollkornbrot und –gebäck aus keimfähigen, frisch vor der Teigbereitung gemahlenen Ge-treiden (z.B. Weizen, Dinkel, Roggen)		X	

Das entspricht einer Befolgung der Empfehlungen zu 90 %.

Gegenwärtig meide ich folgendes:	**völlig**	**meistens**	**verzehre ich noch**
Fleisch, Geflügel, Ei, Fisch, Meeresfrüchte	X		
Milch und Milchprodukte (Käse, Yoghurt usw.)	X		
Industriezucker, Auszugsmehle und Produkte, welche diese enthalten	X		
Erhitzte (gekochte) Gemüse (unschädliche Ausnahme: Gedämpfte Kartoffeln)		X	
Gekochtes Obst und Säfte (auch frisch ge-presste)	X		

Das entspricht einer Befolgung der Empfehlungen zu 90 %.

Die Empfehlungen, was zu essen und was zu meiden ist, werden von mir also insgesamt gewertet zu 90 % befolgt.

Mein gegenwärtiger durchschnittlicher Blutdruck ist 125/75 mm/Hg.

Meine Erfahrungen mit dieser Veränderung in meinem Leben:

Ich fühle mich wie neu geboren, da sich sämtliche Zimperlein vollständig abgestellt haben, so dass ich in meinem Körper nichts störendes mehr wahrnehme. Ich kann nur Jedem empfehlen, nach dieser Form zu leben, da sich die Lebensqualität in jeder Beziehung verbessert. Zunächst empfundene Einschränkungen in der Ernährung verschwinden nach einigen Wochen, und Abneigung gegenüber der früheren Ernährungsweise nimmt zu. Sämtliche von Herrn Dr. Schnitzer aufgestellte Thesen konnte ich an mir selbst beobachten.

(So weit der Bericht von Herrn M. F., 36 Jahre, vom 24. März 2003)

Anmerkungen zu dem Bericht von Herrn M. F.

von Dr. Johann Georg Schnitzer

Seit 5 Jahren eine relativ mäßige Erhöhung des Blutdrucks, und doch schon „ein ganzer Sack voller Beschwerden“: Ohrenrauschen, Schwindel, Herzpoltern, kontinuierliche Gewichtszunahme trotz Sport, Kaltschweißigkeit, Verstopfung, Völlegefühl, Fußschmerzen, beim Sport schnell erschöpft und Muskelkater, häufig migräneartige Kopfschmerzen, häufig erkältet, begleitet von Neben- und Stirnhöhlenentzündungen. Was bedeutet das?

Es bedeutet, dass der Organismus in großen Schwierigkeiten steckt, weil das Herz-Kreislauf-System bereits überfordert ist: Nur unzureichend schafft es die Erhöhung des Blutdrucks, die erforderlich gewesen wäre, um den erhöhten Strömungswiderstand (dickeres Blut, verengte Kapillargefäße) ausreichend zu kompensieren. Deshalb bestand eine ungenügende Sauerstoffversorgung der Muskeln, des Gehirns, des Hör- und Gleichgewichtsorgans und des Herzmuskels, und das Immunsystem war in der Abwehr von Infektionen beeinträchtigt.

Das bestätigt sich in der Auswirkung der relativ gering dosierten Medikation eines blutdrucksenkenden Mittels: „Sehr niedriger Puls." Das Herz war zu schwach, um kräftig gegen den erhöhten Strömungswiderstand anzukämpfen, und sich gleichzeitig auch noch gegen die künstlich erzwungene Blutdrucksenkung zur Wehr zu setzen; es hat „aufgegeben".

„Ansonsten eigentlich keine Beschwerden": Der durch mangelhafte Sauerstoffversorgung geschwächte Organismus hatte keine Kraft mehr für die mit Gesundungsoption ausgestatteten „Reaktionsphasen" (Homotoxinlehre von Dr. Hans Heinrich Reckeweg), und musste deshalb den „biologischen Schnitt" in Richtung konstitutionelle Kondensationsphasen überschreiten (Imprägnations-, Degenerations- und Neoplasmaphasen), welche nur noch die Option des vorläufigen Überlebens bieten.

Der Patient befindet sich „im Auge des Hurrikans", es ist „die trügerische Stille vor dem Sturm". Jeden Augenblick kann in dieser Situation ein plötzliches, fatales, vielleicht tödliches Herz-Kreislauf-Ereignis eintreten – oder der Patient kann in chronisches Siechtum hinübergleiten. Diese Zusammenhänge sind näher erläutert in meinem Buch „Der alternative Weg zur Gesundheit".

Instinktiv muss dieser Patient die tödliche Gefahr gespürt haben. Er suchte nach Alternativen, fand eine solche in einer vorangegangenen Auflage dieses Buches, und wandte die darin gegebenen Ernährungsempfehlungen umgehend zu 90 % an. Die blutdrucksenkende Medikation setzte er sofort ab. Sein Arzt – Gott segne ihn! – unterstützte den Patienten, wenn auch erstaunt über so viel Ehrgeiz, diesen Weg zu gehen (und bescheinigte ihm am Ende seine Wiedergesundung schriftlich).

Der Gesundungsprozess setzte umgehend ein. Schon nach 4 Wochen hatte sich der vorher 5 Jahre lang erhöhte Blutdruck (145/95 mm/Hg) normalisiert auf 135/85 mm/Hg, und nach 12 Wochen ideale 125/75 mm/Hg erreicht.

Dass es sich dabei um mehr als nur um eine Normalisierung des Blutdrucks handelt, nämlich um eine Regeneration des gesamten Organismus und das Erreichen einer stabilen, dynamischen, reaktionsfähigen Gesundheit, geht aus den Schilderungen des (ehemaligen) Patienten hervor, der – „mit Haut und Haaren" – wieder ein gesunder Mensch geworden ist.

Bericht von Herrn M. P. (31) aus Deutschland

1) Meine Bluthochdruck-Vorgeschichte

Bevor ich damit begann, Dr. Schnitzers Empfehlungen zu folgen, litt ich an Bluthochdruck seit 6 Monaten.

Mein durchschnittlicher Blutdruck war 180/120 mm/Hg, bevor ich Medikamente einnahm. Beschwerden hatte ich folgende:

Ich fühlte eine innere Unruhe bzw. fühlte mich oft aufgeregt und hatte teilweise zittrige Hände, stand irgendwie ständig unter Strom. Ich regte mich schnell grundlos auch über Kleinigkeiten auf. Diese Beschwerden traten letztes Jahr plötzlich auf und nahmen in einem Zeitraum von zwei Wochen so stark zu, dass ich zum Arzt ging. Der Blutdruck betrug 180/120 und wurde sofort mit Tabletten auf 150/100 gesenkt. Vor der Tabletteneinnahme habe ich nie regelmäßig Blutdruck gemessen, deshalb sind hierzu keine Angaben möglich.

Zuletzt nahm ich die folgenden mir verschriebenen Medikamente ein:

Beta-Blocker	1 x täglich
ACE-Hemmer	1 x täglich

(Beta-Blocker: Ich weiß den Namen nicht mehr, habe die Medikamente weggeworfen).

Unter dieser Medikation war mein Blutdruck 150/95 mm/Hg. Meine Beschwerden unter dieser Medikation waren folgende:

Anfänglich halfen die Medikamente gegen meine innere Unruhe usw. Leider traten auch erhebliche Nebenwirkungen auf: Depressionen, ständige Müdigkeit und Schlappheit auch nach stundenlangem Mittagsschlaf, ständig kalte Hände und Füße, Potenzprobleme, sehr stark verminderte Leistungsfähigkeit im Beruf und beim Sport (Kurzatmigkeit), nachts ständig schreckliche Alpträume, wachte morgens schweißgebadet und mit starkem Herzklopfen auf.

2) Mein Beginn mit Dr. Schnitzers Empfehlungen

Ich begann vor 3 Monaten, Dr. Schnitzers Empfehlungen zu folgen.

Ich begann folgendes zu essen:	täglich	manchmal	nie
Zum Frühstück Müslis aus keimfähigen, frisch vor der Zubereitung geschroteten Getreidekörnern, mit frischen Früchten und Nüssen:	X		
Zum Mittag- und/oder Abendessen verschiedene Blattsalate und rohe Wurzelgemüsesalate	X		
Angekeimte Hülsenfrüchte (Kichererbsen, Linsen, grüne Mungobohnen) als Beilage zu den Salaten		X	
Früchte (Äpfel, Birnen, Ananas usw.) nach Jahreszeit	X		
Vollkornbrot und –gebäck aus keimfähigen, frisch vor der Teigbereitung gemahlenen Getreiden (z.B. Weizen, Dinkel, Roggen)	X		

Das entspricht einer Befolgung der Empfehlungen zu 90 %.

Folgendes begann ich zu meiden:	völlig	meistens	verzehre ich noch
Fleisch, Geflügel, Ei, Fisch, Meeresfrüchte		X	
Milch und Milchprodukte (Käse, Yoghurt usw.)		X	
Industriezucker, Auszugsmehle und Produkte, welche diese enthalten	X		
Erhitzte (gekochte) Gemüse (unschädliche Ausnahme: Gedämpfte Kartoffeln)	X		
Gekochtes Obst und Säfte (auch frisch gepresste)	X		

Das entspricht einer Befolgung der Empfehlungen zu 80 %.

Die Empfehlungen, was zu essen und was zu meiden ist, wurden somit von mir insgesamt gewertet zu 85 % befolgt.

3) Mein Arzt unterstützte mich wie folgt:

Mein Arzt unterstützte mich überhaupt nicht. Ich habe meinen Kardiologen vorher nicht weiter eingeweiht. Ich suchte mir auch keinen anderen Arzt.

Die beschriebenen kleinen Aderlässe (80-100 ml, 1 x pro Woche, max. 10 mal) zur Beschleunigung der Heilung hatte ich nicht.

4) Änderungen meines Blutdrucks und meiner Gesundheit

Mein durchschnittlicher Blutdruck unter der geänderten Ernährung war:

nach 4 Wochen: 140/90 mm/Hg;
nach 8 Wochen: 135/85 mm/Hg;
nach 12 Wochen: 130/80 mm/Hg.

Die blutdrucksenkenden Medikamente setzte ich sofort bei Beginn der Ernährungsänderung ab.

Die folgenden Veränderungen meiner Gesundheit stellte ich seither fest:

Alle Beschwerden verschwanden in kürzester Zeit. Ich fühle mich wieder fit und leistungsfähig und schlafe erholsam. In 10 Wochen habe ich ohne Hunger 14 Kilo abgenommen bei einer Körpergröße von 173 cm und einem Anfangsgewicht von 84 kg.

5) Wie es mir jetzt geht

Gegenwärtig esse ich wie folgt:	**täg-lich**	**manch-mal**	**nie**
Zum Frühstück Müslis aus keimfähigen, frisch vor der Zubereitung geschroteten Getreidekörnern, mit frischen Früchten und Nüssen:	**X**		
Zum Mittag- und/oder Abendessen verschiedene Blattsalate und rohe Wurzelgemüsesalate	**X**		
Angekeimte Hülsenfrüchte (Kichererbsen, Linsen, grüne Mungobohnen) als Beilage zu den Salaten		**X**	
Früchte (Äpfel, Birnen, Ananas usw.) nach Jahreszeit	**X**		
Vollkornbrot und –gebäck aus keimfähigen, frisch vor der Teigbereitung gemahlenen Getreiden (z.B. Weizen, Dinkel, Roggen)	**X**		

Das entspricht einer Befolgung der Empfehlungen zu 90 %.

Gegenwärtig meide ich folgendes:	**völlig**	**meistens**	**verzehre ich noch**
Fleisch, Geflügel, Ei, Fisch, Meeresfrüchte		X	
Milch und Milchprodukte (Käse, Yoghurt usw.)		X	
Industriezucker, Auszugsmehle und Produkte, welche diese enthalten	X		
Erhitzte (gekochte) Gemüse (unschädliche Ausnahme: Gedämpfte Kartoffeln)	X		
Gekochtes Obst und Säfte (auch frisch gepresste)	X		

Das entspricht einer Befolgung der Empfehlungen zu 80 %.

Die Empfehlungen, was zu essen und was zu meiden ist, werden von mir also insgesamt gewertet zu 85 % befolgt.

Mein gegenwärtiger durchschnittlicher Blutdruck ist 130/80 mm/Hg.

Meine Erfahrungen mit dieser Veränderung in meinem Leben:

Ich werde auf jeden Fall weitermachen, da kleinste Ausrutscher in der Diät meiner Gesundheit nicht gut tun, obwohl ich diese Ausrutscher sicherlich bewusst herbeiführe und auch irgendwie manchmal brauche..

(So weit der Bericht von Herrn M. P., 31 Jahre, vom 27. März 2003).

Anmerkungen zu dem Bericht von Herrn M. P.

von Dr. Johann Georg Schnitzer

Dass mit seiner Gesundheit etwas grundlegend nicht in Ordnung ist, erkannte der Patient selbst an der geschilderten Symptomatik weit klarer als sein Arzt. Dieser maß nur den Blutdruck, stellte Bluthochdruck fest und verordnete sofort gleich zwei blutdrucksenkende Medikamente.

Mehr unternahm der Arzt nicht – weder fragte er nach den Lebensumständen, noch nach der Ernährungsweise des Patienten, noch gab er irgendwelche Ratschläge in dieser Richtung. Die vom Patienten geschilderte Verschlechterung war deshalb unvermeidlich.

Der Patient erkannte die Inkompetenz des Arztes – und wohl auch der „modernen Medizin“ an sich – im Hinblick auf seine Erkrankung, denn er suchte auch keinen anderen Arzt mehr auf, sondern nahm die Sache selber in die Hand und machte sich sachkundig.

Mit dem Wissen aus einer vorangegangenen Auflage dieses Buches folgte er den darin gegebenen Ernährungsempfehlungen zu 85 %. Die vom Arzt verordnete Medikation stoppte er sofort und warf die Medikamente weg.

Durch diese Selbsthilfemaßnahmen des Patienten war der Blutdruck schon nach 4 Wochen mit 140/90 mm/Hg niedriger als vorher unter Medikation (150/95 mm/Hg), und hatte sich in weiteren 8 Wochen vollständig auf 130/80 normalisiert.

Und nicht nur das. Der Patient fasst die Wiedergewinnung seiner natürlichen Gesundheit wie folgt zusammen: „Alle Beschwerden verschwanden in kürzester Zeit. Ich fühle mich wieder fit und leistungsfähig und schlafe erholsam.“ Gleichzeitig beschreibt er den Abbau seines bisherigen Übergewichts von 14 kg. und das Erreichen seines Idealgewichts von 70 kg bei einer Körpergröße von 173 cm.

Projektion des Falles auf die gesundheitliche Gesamtsituation

Man muss davon ausgehen, dass in einem Land wie Deutschland

- etwa ein Drittel bis zur Hälfte der arbeitenden Bevölkerung in ähnlicher Weise in die Bluthochdruckfalle geraten ist, welche die „moderne Medizin“ als Einbahnstraßen-Sackgasse aufgestellt hat (nur rein, nie wieder raus);
- dieses Drittel bis zur Hälfte der arbeitenden Bevölkerung ähnlich, wie es auch diesem Patienten drohte, mit Pillen bis ans Lebensende symptomatisch „therapiert“ wird;
- dieses Drittel bis zur Hälfte der arbeitenden Bevölkerung dadurch ähnliche Beeinträchtigungen der Leistungsfähigkeit wie dieser Patient erleiden muss;
- nur die Wenigsten der an Bluthochdruck und der Inkompetenz der „modernen Medizin“ leidenden, und trotzdem – wenn auch beeinträchtigt – arbeitenden Menschen den Zugang zu dem in diesem Buch vermittelten Wissen gefunden haben, welches die-

sem Patienten den Fluchtweg aus der lebenslangen Gefangenschaft im Labyrinth der „modernen Medizin" mit ihren fortgezeugten chronischen Leiden aufzeigte.

Allein diese Gesamtsituation der Millionen unter Bluthochdruck leidenden, wegen inkompetenter Behandlung durch die „moderne Medizin" nicht geheilten, sondern durch deren „Dauertherapie" in ihrer körperlichen und geistigen Leistungsfähigkeit beeinträchtigten, trotzdem arbeitenden Menschen reicht aus, die bundesdeutsche und die europäische Wirtschaftsmisere zu erklären.

Sie erklärt darüber hinaus, warum die Wirtschaftsräume in Fernost so viel erfolgreicher sind: Deren Bevölkerungen haben, aufgrund ihrer traditionell mehr artgerechten, natürlicheren Ernährung dieses Massenproblem Bluthochdruck nicht – noch nicht. „Der Westen" bemüht sich eifrig, seine krank machenden Ernährungsgewohnheiten in alle Länder der Erde zu exportieren, und diese werden dort – in Unkenntnis der Folgen, die verschwiegen werden – auch bereitwillig angenommen. Wenn die internationale Konkurrenz ebenfalls krank wird, sind die Wettbewerbsbedingungen auf dem Weltmarkt wieder „fairer", und außerdem eröffnen sich dann große neue Märkte für den Export der „modernen Medizin" und der Produkte der Pharma-Industrie. Was für eine „schöne neue Welt"!

Bericht von Ms. D. R. (52) aus den USA

aus dem Englischen übersetzt

1) Meine Bluthochdruck-Vorgeschichte

Bevor ich damit begann, Dr. Schnitzers Empfehlungen zu folgen, litt ich an Bluthochdruck seit 3 Monaten (so weit mir bekannt ist).

Mein durchschnittlicher Blutdruck war 167/103 mm/Hg.

Beschwerden hatte ich keine, aber ich entdeckte, dass mein Blutdruck „mäßig erhöht" war, als ich meinen Arzt mit einem anderen Problem aufsuchte. Als seine Sprechstundenhilfe meinen Blutdruck maß, entdeckte ich das erste Mal in meinem Leben, dass mein Blutdruck mäßig erhöht war. Als ich meinen Arzt etwa 9 Monate zuvor aufgesucht hatte, war der Blutdruck 130/80 mm/Hg, und ebenfalls 130/80 mm/Hg vor 4 Monaten, als ich ihn mit anderen Problemen aufsuchte.

Ich nahm es vor 3 Monaten selbst in die Hand, Ihr Buch zu erwerben und mir selbst beizubringen, wie ich meinen Blutdruck senken und diesen dort halten kann, wo er hingehört.

Medikamente nahm ich keine ein. Mein Arzt hat nur gefordert, dass ich Änderungen in meinem Lifestyle (Lebensstil) vornehme, und hat keine Medikamente verschrieben.

2) Mein Beginn mit Dr. Schnitzers Empfehlungen

Ich begann vor 3 Monaten, Dr. Schnitzers Empfehlungen zu folgen.

Ich begann folgendes zu essen:	**täglich**	**manchmal**	**nie**
Zum Frühstück Müslis aus keimfähigen, frisch vor der Zubereitung geschroteten Getreidekörnern, mit frischen Früchten und Nüssen:	**X**		
Zum Mittag- und/oder Abendessen verschiedene Blattsalate und rohe Wurzelgemüsesalate	**X**		
Angekeimte Hülsenfrüchte (Kichererbsen, Linsen, grüne Mungobohnen) als Beilage zu den Salaten		**X**	
Früchte (Äpfel, Birnen, Ananas usw.) nach Jahreszeit	**X**		
Vollkornbrot und –gebäck aus keimfähigen, frisch vor der Teigbereitung gemahlenen Getreiden (z.B. Weizen, Dinkel, Roggen)	**X**		

Das entspricht einer Befolgung der Empfehlungen zu 90 %.

Folgendes begann ich zu meiden:	**völlig**	**meistens**	**verzehre ich noch**
Fleisch, Geflügel, Ei, Fisch, Meeresfrüchte			**X**
Milch und Milchprodukte (Käse, Yoghurt usw.)		**X**	
Industriezucker, Auszugsmehle und Produkte, welche diese enthalten		**X**	
Erhitzte (gekochte) Gemüse (unschädliche Ausnahme: Gedämpfte Kartoffeln)		**X**	

Das entspricht einer Befolgung der Empfehlungen zu 37,5 %.

Die Empfehlungen, was zu essen und was zu meiden ist, wurden somit von mir insgesamt gewertet zu 66,6 % befolgt.

3) Mein Arzt unterstützte mich wie folgt:

Mein Arzt unterstützte mich überhaupt nicht, sondern empfahl mir nur, für mehr körperliche Bewegung und mehr Schlaf zu sorgen, und ihn nach 3 Monaten wieder aufzusuchen. Er sagte kein Wort über eine Änderung meiner Ernährung.

Indessen war es vor 4 Monaten, dass ich bei ihm war; Ihr Buch erwarb ich vor 3 Monaten, und das war der Zeitpunkt, zu dem ich begann, meine Ernährung Ihren Empfehlungen entsprechend zu ändern, und mindestens 30 Minuten täglich auf meinem Heimtrainer („treadmill") zu trainieren. Nachdem ich zuvor nur 4-5 Stunden pro Nacht geschlafen hatte, änderte ich dieses ebenfalls und sorge dafür, dass ich mindestens 7 Stunden Schlaf pro Nacht bekomme.

Einen anderen Arzt suchte ich nicht.

Die beschriebenen kleinen Aderlässe (80-100 ml, 1 x pro Woche, max. 10 mal) zur Beschleunigung der Heilung hatte ich nicht.

4) Änderungen meines Blutdrucks und meiner Gesundheit

Mein durchschnittlicher Blutdruck unter der geänderten Ernährung war:

nach 4 Wochen:	143/95 mm/Hg;
nach 8 Wochen:	120/83 mm/Hg;
nach 12 Wochen:	122/82 mm/Hg.

Die folgenden Veränderungen meiner Gesundheit stellte ich seither fest: Ich verlor 5-7 Pfund „Speck" (flab), wurde straffer, und ich habe mehr Energie. Außerdem fühle ich mich besser, und ich achte viel mehr darauf, was ich zu essen habe, um gesund zu bleiben.

5) Wie es mir jetzt geht

Gegenwärtig esse ich wie folgt:	täg-lich	manch-mal	nie
Zum Frühstück Müslis aus keimfähigen, frisch vor der Zubereitung geschroteten Getreidekörnern, mit frischen Früchten und Nüssen:	X		

Zum Mittag- und/oder Abendessen verschiedene Blattsalate und rohe Wurzelgemüsesalate	**X**		
Angekeimte Hülsenfrüchte (Kichererbsen, Linsen, grüne Mungobohnen) als Beilage zu den Salaten		**X**	
Früchte (Äpfel, Birnen, Ananas usw.) nach Jahreszeit	**X**		
Vollkornbrot und –gebäck aus keimfähigen, frisch vor der Teigbereitung gemahlenen Getreiden (z.B. Weizen, Dinkel, Roggen)	**X**		

Das entspricht einer Befolgung der Empfehlungen zu 90 %.

Gegenwärtig meide ich folgendes:	völlig	meistens	verzehre ich noch
Fleisch, Geflügel, Ei, Fisch, Meeresfrüchte			**X**
Milch und Milchprodukte (Käse, Yoghurt usw.)		**X**	
Industriezucker, Auszugsmehle und Produkte, welche diese enthalten		**X**	
Erhitzte (gekochte) Gemüse (unschädliche Ausnahme: Gedämpfte Kartoffeln)		**X**	

Das entspricht einer Befolgung der Empfehlungen zu 37,5 %.

Die Empfehlungen, was zu essen und was zu meiden ist, werden von mir also insgesamt gewertet zu 66,6 % befolgt.

Mein gegenwärtiger durchschnittlicher Blutdruck ist 120/83 mm/Hg.

Meine Erfahrungen mit dieser Veränderung in meinem Leben:

Ich habe vor, den ganzen Rest meines Lebens hindurch darauf zu achten, was ich esse, und dazu Ihre Empfehlungen zu nutzen; zu trainieren (exercising); mein Gewicht unter Kontrolle zu halten; zu meditieren und zu entspannen mit tiefen Atemzügen; und genügend Schlaf zu bekommen. Im Älterwerden hoffe ich, meinen Blutdruck unter Kontrolle zu halten, um das hohe Risiko von Herz-Kreislauf-Krankheiten zu vermeiden, die 50 % unserer Gesellschaft erfahren müssen. Danke für Ihre fortgesetzte Forschung auf diesem Gebiet.

(So weit der Bericht von Ms. D. R., 52 Jahre, vom 7. November 2001)

Anmerkungen zu dem Bericht von Ms. D. R.

von Dr. Johann Georg Schnitzer

Wie leicht es doch ist, einen beginnenden Bluthochdruck auszuheilen, wenn eine aufgeschlossene und intelligente Patientin auf einen vernünftigen Arzt trifft.

Indem die Patientin den Ernährungsempfehlungen in meinem Englischen Buch „Hypertension Causes & Cure“ lediglich zu 66 % folgte, konnte sie ihren Blutdruck, der kurz zuvor auf 167/103 mm/Hg angestiegen war, innerhalb von nur 8 Wochen wieder auf 120/83 mm/Hg normalisieren.

Gleichzeitig verbesserte sich ihre allgemeine Gesundheit: Sie baute 5-7 Pfund Übergewicht ab, wurde straffer, gewann mehr Energie und wurde gesundheitsbewusster. Aufgrund dieser positiven Erfahrung beschloss sie, für ihr ganzes weiteres Leben in dieser Weise auf ihre Gesundheit zu achten, um das hohe Risiko der Herz-Kreislauf-Krankheiten zu vermeiden, dem 50 % auch der Amerikanischen Gesellschaft zum Opfer fallen.

Ihr Arzt hatte zwar das Gefühl, dass er dieser Patientin nicht gleich Bluthochdruckpillen verschreiben sollte, weil eine Änderung des Lebensstils vielleicht ausreichen könnte; aber er wusste ihr dazu nur mehr Schlaf und körperliche Bewegung anzuraten. Von den entscheidenden Ernährungszusammenhängen hatte er offensichtlich keine Ahnung.

Bericht von Mrs. J. U. (73) aus England

aus dem Englischen übersetzt

1) Meine Bluthochdruck-Vorgeschichte

Ich weiß nicht, wie lange ich schon an Bluthochdruck litt, bevor ich damit begann, Dr. Schnitzers Empfehlungen zu folgen.

Mein durchschnittlicher Blutdruck war 229/99 mm/Hg, bevor ich Medikamente einnahm. Beschwerden hatte ich die folgenden: Herzklopfen, unregelmäßiger Herzschlag, und gelegentliches Nasenbluten, aber ich hatte diese auch in der Kindheit.

Zuletzt nahm ich das folgende mir verschriebene Medikament ein:

Atenolol 25 mg	1 x täglich

Unter dieser Medikation war mein Blutdruck 222/97 mm/Hg. Meine Beschwerden unter dieser Medikation waren die gleichen – keine Änderung. Aber meine Ärztin wollte die Medikation auf 50 mg pro Tag erhöhen. Ich lehnte ab und suchte einen homöopathischen Arzt in London auf, der mir vor 3 Monaten Sepia 30 verschrieb.

2) Mein Beginn mit Dr. Schnitzers Empfehlungen

Ich begann vor 2 Monaten, Dr. Schnitzers Empfehlungen zu folgen.

Ich begann folgendes zu essen:	**täglich**	**manchmal**	**nie**
Zum Frühstück Müslis aus keimfähigen, frisch vor der Zubereitung geschroteten Getreidekörnern, mit frischen Früchten und Nüssen:			**X**
Zum Mittag- und/oder Abendessen verschiedene Blattsalate und rohe Wurzelgemüsesalate	**X**		
Angekeimte Hülsenfrüchte (Kichererbsen, Linsen, grüne Mungobohnen) als Beilage zu den Salaten	**X**		
Früchte (Äpfel, Birnen, Ananas usw.) nach Jahreszeit	**X**		
Vollkornbrot und –gebäck aus keimfähigen, frisch vor der Teigbereitung gemahlenen Getreiden (z.B. Weizen, Dinkel, Roggen)	**X**		

Das entspricht einer Befolgung der Empfehlungen zu 80 %.

Folgendes begann ich zu meiden:	**völlig**	**meistens**	**verzehre ich noch**
Fleisch, Geflügel, Ei, Fisch, Meeresfrüchte	**X**		
Milch und Milchprodukte (Käse, Yoghurt usw.)		**X**	
Industriezucker, Auszugsmehle und Produkte, welche diese enthalten	**X**		
Erhitzte (gekochte) Gemüse (unschädliche Ausnahme: Gedämpfte Kartoffeln)		**X**	

Das entspricht einer Befolgung der Empfehlungen zu 75 %.

Die Empfehlungen, was zu essen und was zu meiden ist, wurden somit von mir insgesamt gewertet zu 77,7 % befolgt.

3) Meine Ärztin unterstützte mich wie folgt:

Meine Ärztin unterstützte mich überhaupt nicht. Ihr Kommentar bestand in einem großen Lacher. Obwohl sie von der Sepia-Verordnung beeindruckt war und diese aufschrieb, nahm sie keine Notiz davon, als ich ihr erzählte, dass es die Diät war, welche meinen Blutdruck niedrig hielt. Ich werde ihr Ihr Buch bringen; vielleicht wird sie einen näheren Blick darauf werfen.

Ich suchte mir keinen anderen Arzt. Die beschriebenen kleinen Aderlässe (80-100 ml, 1 x pro Woche, max. 10 mal) zur Beschleunigung der Heilung hatte ich nicht.

4) Änderungen meines Blutdrucks und meiner Gesundheit

Mein durchschnittlicher Blutdruck unter der geänderten Ernährung war:

nach 4 Wochen:	135/66 mm/Hg;
nach 8 Wochen:	133/61 mm/Hg;

Das blutdrucksenkende Medikament setzte ich sofort bei Beginn der Ernährungsänderung ab, die homöopathische Sepia 30 nach 4 Wochen.

Die folgenden Veränderungen meiner Gesundheit stellte ich fest: Kein Herzklopfen und keine unregelmäßigen Herzschläge mehr. Ich bin glücklicher als ich lange Zeit vorher gewesen bin. Ich habe mehr Energie.

5) Wie es mir jetzt geht

Gegenwärtig esse ich wie folgt:	**täglich**	**manchmal**	**nie**
Zum Frühstück Müslis aus keimfähigen, frisch vor der Zubereitung geschroteten Getreidekörnern, mit frischen Früchten und Nüssen:	**X**		
Zum Mittag- und/oder Abendessen verschiedene Blattsalate und rohe Wurzelgemüsesalate	**X**		

Angekeimte Hülsenfrüchte (Kichererbsen, Linsen, grüne Mungobohnen) als Beilage zu den Salaten	X		
Früchte (Äpfel, Birnen, Ananas usw.) nach Jahreszeit	X		
Vollkornbrot und –gebäck aus keimfähigen, frisch vor der Teigbereitung gemahlenen Getreiden (z.B. Weizen, Dinkel, Roggen)	X		

Das entspricht einer Befolgung der Empfehlungen zu 100 %.

Gegenwärtig meide ich folgendes:	**völlig**	**meistens**	**verzehre ich noch**
Fleisch, Geflügel, Ei, Fisch, Meeresfrüchte	X		
Milch und Milchprodukte (Käse, Yoghurt usw.)		X	
Industriezucker, Auszugsmehle und Produkte, welche diese enthalten	X		
Erhitzte (gekochte) Gemüse (unschädliche Ausnahme: Gedämpfte Kartoffeln)		X	

Das entspricht einer Befolgung der Empfehlungen zu 75 %.

Die Empfehlungen, was zu essen und was zu meiden ist, werden von mir also insgesamt gewertet zu 88,9 % befolgt.

Mein gegenwärtiger durchschnittlicher Blutdruck ist 113/49 mm/Hg.

Meine Erfahrungen mit dieser Veränderung in meinem Leben:

Ich hatte nicht viel in meiner Ernährung zu ändern, da ich schon vorher über 30 Jahre lang weder Fisch, noch Fleisch, Eier oder Geflügel gegessen habe. Wir hatten immer eine Schüssel voll Salat am Abend und Früchte am Morgen. Ich aß nur Deutsches Brot, aber jetzt backe ich mein eigenes Brot mit biologischem Weizenmehl, das ich selbst zuhause mahle, unmittelbar vor dem Backen. Und ich habe angekeimte biologische Körner und Hülsenfrüchte. Ich trinke nicht und rauche nicht, aber ich vermisse meine hausgemachte Schokolade.

(So weit der Bericht von Mrs. J. U., 73 Jahre, vom 7. November 2001)

Anmerkungen zu dem Bericht von Mrs. J. U.

von Dr. Johann Georg Schnitzer

Die Patientin hatte eine unbekannt lange Zeit an Bluthochdruck gelitten, und dieser reagierte auch fast überhaupt nicht auf das verordnete blutdrucksenkende Mittel.

Ihre Ärztin machte daraufhin das Übliche: Sie wollte die Dosierung des Medikaments erhöhen, anstatt sich zu fragen, welchen Grund der Körper der Patientin haben könnte, nicht auf das Medikament zu reagieren. Die Patientin lehnte dies ab, suchte einen homöopathischen Arzt auf und änderte ihre Ernährung, indem sie den Empfehlungen in meinem Buch „Hypertension Causes & Cure“ zu etwa 78 % folgte.

Innerhalb von nur 8 Wochen normalisierte sich der Blutdruck der Patientin auf 133/61 mm/Hg. Nachdem sie die Befolgung der Ernährungsempfehlungen auf 90 % erhöhte, erreichte sie ihren natürlichen niedrigen Blutdruck von 113/49 mm/Hg. Alle Beschwerden verschwanden, sie ist glücklicher als während einer langen Zeit zuvor und hat mehr Energie.

Besonders interessant ist an diesem Bericht, dass die Patientin schon vorher seit über 30 Jahren Vegetarierin war. Die relativ gering erscheinenden Änderungen, die sie vorzunehmen hatte, waren dann gerade die entscheidenden!

Das Erscheinungsbild der Ärztin in diesem Bericht ergibt leider das übliche: Mental konditioniert vom „herrschenden medizinischen Dogma“, nahm sie nur wahr, was dieses Dogma wahrzunehmen erlaubt. Hierdurch war sie unfähig, aus diesem Fall zu lernen, was ihr hätte helfen können, ihre anderen Bluthochdruckpatienten ebenfalls auf die von der Patientin demonstrierte Weise zu heilen.

Es ist schon überaus merkwürdig: Da will die „moderne Medizin“ als Wissenschaft gelten, und bietet den angehenden Medizinern auch die Möglichkeit der Dissertation (Erwerb des Doktortitels), mit welcher der frisch promovierte Mediziner („Staatsexamen erfolgreich bestanden“) den Nachweis erbringen soll, dass er in der Lage ist, selbständig wissenschaftlich zu arbeiten – eine Fähigkeit, die man ihm gerade mehrere Jahre durch Einimpfen der „herrschenden medizinischen Lehrmeinungen“ abgewöhnt hat. Vielleicht braucht es deshalb für die Dissertation zwei „Doktorväter“, die aufpassen, dass nichts wissenschaftlich erarbeitet wird, was das Lehrgebäude der Medizin ins Wanken bringen könnte.

Bericht von Herrn P. Q. (68) aus Deutschland

1) Meine Bluthochdruck-Vorgeschichte

Bevor ich damit begann, Dr. Schnitzers Empfehlungen zu folgen, litt ich an Bluthochdruck seit 16 Jahren.

Mein durchschnittlicher Blutdruck war 160/100mm/Hg, bevor ich Medikamente einnahm. Beschwerden hatte ich keine, aber Cortisonbehandlung wegen Okularer Myasthenie bis zu 80 mg/Tag. Nach kurzer Zeit war dann der Blutdruckanstieg.

Zuletzt nahm ich die folgenden mir verschriebenen Medikamente ein:

Decortin 10 mg	alle 2 Tage
Ranitidin 150 mg	alle 2 Tage
Vesdil 10 mg	täglich früh
Lorzaar 50 mg	täglich abends

Unter dieser Medikation war mein Blutdruck 135/90 mm/Hg. Meine Beschwerden unter dieser Medikation waren folgende:

Anfangs nahm ich ca. 12 Jahre lang nur Briserin Mite. Nach Herzschrittmacher-Implantation vor 2 Jahren wegen Sinus-Syndrom – 29 Pulse/min bei absoluter Köperruhe – umgestellt auf Vesdil 10 mg. Im Laufe danach stetige Blutdruckerhöhung auf ca. 145/95-100 mm/Hg, danach zusätzlich Lorzaar 25 mg, das hat einige Zeit geholfen auf 135/90 mm/Hg, danach wieder Anstieg auf 145/95 mm/Hg. Erhöhung Lorzaar auf 50 mg. Danach – vor jetzt 4 Monaten – Blutdruck 135/90 mm/Hg. Keine besonderen Beschwerden, aber 2-3 Wochen später keine Erektionsfähigkeit, und nachts zweimal aufgewacht mit Ohrensausen.

Da hatte ich den Kanal voll und habe mich durchs Internet gewühlt, wobei ich bei dr-schnitzer.de hängen blieb.

2) Mein Beginn mit Dr. Schnitzers Empfehlungen

Ich begann vor 3 Monaten, Dr. Schnitzers Empfehlungen zu folgen.

Ich begann folgendes zu essen:	täglich	manchmal	nie
Zum Frühstück Müslis aus keimfähigen, frisch vor der Zubereitung geschroteten Getreidekörnern, mit frischen Früchten und Nüssen:	X		
Zum Mittag- und/oder Abendessen verschiedene Blattsalate und rohe Wurzelgemüsesalate	X		
Angekeimte Hülsenfrüchte (Kichererbsen, Linsen, grüne Mungobohnen) als Beilage zu den Salaten	X		
Früchte (Äpfel, Birnen, Ananas usw.) nach Jahreszeit	X		
Vollkornbrot und –gebäck aus keimfähigen, frisch vor der Teigbereitung gemahlenen Getreiden (z.B. Weizen, Dinkel, Roggen)	X		

Das entspricht einer Befolgung der Empfehlungen zu 100 %.

Folgendes begann ich zu meiden:	völlig	meistens	verzehre ich noch
Fleisch, Geflügel, Ei, Fisch, Meeresfrüchte	X		
Milch und Milchprodukte (Käse, Yoghurt usw.)		X	
Industriezucker, Auszugsmehle und Produkte, welche diese enthalten	X		
Erhitzte (gekochte) Gemüse (unschädliche Ausnahme: Gedämpfte Kartoffeln)	X		
Gekochtes Obst und Säfte (auch frisch gepresste)	X		

Das entspricht einer Befolgung der Empfehlungen zu 90 %.

Die Empfehlungen, was zu essen und was zu meiden ist, wurden somit von mir insgesamt gewertet zu 95 % befolgt.

3) Meine Ärztin unterstützte mich wie folgt:

Meine Ärztin unterstützte mich nicht besonders. Da ich mit meiner Ärztin von Jugend an befreundet bin, habe ich einen kurzen Draht. Habe ihr das Büchlein „Die kausale Therapie der essentiellen Hypertonie“ ausgeliehen und das Thema kurz mit ihr besprochen. Grundsätzlich offen, aber mit ihrer Praxis überlastet. Habe ihr angeboten meine Frau und mich als ihr Versuchskaninchen zu betrachten. Grundsätzlich ist ja ihre Meinung, mehr Obst und Gemüse, weniger Fleisch, aber eben kein fundiertes Wissen in dieser Richtung, aber willig.

Nach 2 Wochen Ernährungsumstellung war ich unter Medikamenten auf 115/80 mm/Hg, und sie meinte, selbst beeindruckt, wir sollten mal eine Tablette weglassen. Ich haben mich da einfach an Ihre Empfehlung gehalten und die Dosis halbiert, was auch gut ging.

Zum gleichen Zeitpunkt sind wir, also Ende Februar, mit unserem Wohnmobil nach Korsika-Sardinien verreist. Also hatte unsere Ärztin eh keine Chance, aber sie vertraut mir im großen und ganzen, und so haben wir eben alle 2 Wochen die Restdosis halbiert.

Als wir letzte Woche (April) zurückkamen, war unsere Ärztin kurz hier und brachte mir mein Büchlein zurück mit dem Hinweis, sie hätte noch keine Zeit gehabt, aber ich solle ihr ein eigenes bestellen für ihren Urlaub, was ich auch tun werde, das ist doch schon was!!! Sie war perplex, mit 1,84 m habe ich noch 74 kg, also 9 kg weniger, und alle Bluthochdruckmedikamente abgeworfen bei einem derzeitigen Mittel von 134/88 mm/Hg bei 3 Messungen täglich.

Die beschriebenen kleinen Aderlässe (80-100 ml, 1 x pro Woche, max. 10 mal) zur Beschleunigung der Heilung hatte ich nicht.

4) Änderungen meines Blutdrucks und meiner Gesundheit

Mein durchschnittlicher Blutdruck unter der geänderten Ernährung war:

nach 4 Wochen:	114/82 mm/Hg;
nach 8 Wochen:	134/81 mm/Hg;
nach 12 Wochen:	133/89 mm/Hg.

Die blutdrucksenkenden Medikamente stoppte ich wie folgt: Vesdil 10 mg nach 8 Wochen, Lorzaar 50 mg nach 8 Wochen.

Die folgenden Veränderungen meiner Gesundheit stellte ich fest:

Geringere Neigung zu Muskelkater, Kräftezuwachs, vorher früh täglich 4 Liegestütze und schlagartig war die Kraft weg, jetzt jeden Morgen lokker 10 Stütze mit langsamem Kraftnachlass ab 8-9. Ab der 11. Woche wieder volle Erektion ohne Zeitlimit bis zur Ejakulation, kam schlagartig auf einmal wieder. Da stimmt der Kopf auch wieder.

Gewichtsreduktion um 9 kg, deshalb auch weniger Cortison, 7,5 mg alternierend alle 2 Tage. Bluttest von gestern Cholesterin 242, LDL 158, HDL 58,1, Hämatokrit 46,6.

5) Wie es mir jetzt geht

Gegenwärtig esse ich wie folgt:	täg-lich	manch-mal	nie
Zum Frühstück Müslis aus keimfähigen, frisch vor der Zubereitung geschroteten Getreidekörnern, mit frischen Früchten und Nüssen:	X		
Zum Mittag- und/oder Abendessen verschiedene Blattsalate und rohe Wurzelgemüsesalate	X		
Angekeimte Hülsenfrüchte (Kichererbsen, Linsen, grüne Mungobohnen) als Beilage zu den Salaten	X		
Früchte (Äpfel, Birnen, Ananas usw.) nach Jahreszeit	X		
Vollkornbrot und –gebäck aus keimfähigen, frisch vor der Teigbereitung gemahlenen Getreiden (z.B. Weizen, Dinkel, Roggen)	X		

Das entspricht einer Befolgung der Empfehlungen zu 100 %.

Gegenwärtig meide ich folgendes:	völlig	meistens	verzehre ich noch
Fleisch, Geflügel, Ei, Fisch, Meeresfrüchte	X		
Milch und Milchprodukte (Käse, Yoghurt usw.)		X	
Industriezucker, Auszugsmehle und Produkte, welche diese enthalten	X		
Erhitzte (gekochte) Gemüse (unschädliche Ausnahme: Gedämpfte Kartoffeln)	X		
Gekochtes Obst und Säfte (auch frisch gepresste)	X		

Das entspricht einer Befolgung der Empfehlungen zu 90 %.

Die Empfehlungen, was zu essen und was zu meiden ist, werden von mir also insgesamt gewertet zu 95 % befolgt.

Mein gegenwärtiger durchschnittlicher Blutdruck ist 134/88 mm/Hg.

Meine Erfahrungen mit dieser Veränderung in meinem Leben:

Da wir auf einer langen Reise waren, ist der Bekanntenkreis etwas verblüfft über meine Schlankheit. Keine Blutdruckmedikamente mehr zu nehmen stößt auf Skepsis. Letzte Woche hatte ich Termin für Herzschrittmacherkontrolle und Prostatavorsorge. Kardiologen waren über Ergebnisse beeindruckt, aber nur bla, bla, bla, als ich ihnen mein Buch „Die kausale Therapie der essentiellen Hypertonie" gab; traurig. Urologin meint, ich sei gut in Form, und sie hätte jetzt auch 6 kg durch Reduzierung von Kohlenhydraten erreicht. Mehr war nicht drin.

Also freut es mich für mich selbst. Das Einzige was momentan stört ist mein zu großes Fell, da schlackert die Haut, aber meine Ärztin meint da würde sich im Lauf der Zeit einiges noch positiv tun. Bin Jahrgang 1934. Aderlässe würde ich gern wegen dem diastolischen Druck machen, aber ab Mitte Mai bis Mitte Oktober leben wir ziemlich autark auf unserem Segelboot in Skandinavien. Aber danach geht's los, die Kasse zahlt es nicht. Hier weiß ich noch nicht so recht, Hausarzt oder Heilpraktiker.

(So weit der Bericht von Herrn P. Q., 68 Jahre, vom 30. April 2003)

Anmerkungen zu dem Bericht von Herrn P. Q.

von Dr. Johann Georg Schnitzer

Die als erstes Ereignis in dieser Krankengeschichte erwähnte okulare Myasthenie (Schwäche oder Lähmung der äußeren Augenmuskeln) ist vermutlich nicht der Anfang gewesen; denn solche schwerwiegenden Beeinträchtigungen der Funktionsfähigkeit von Zellverbänden und Organen treten in aller Regel nicht „aus heiterem Himmel" auf. Vielmehr sind sie meistens die Folge eines medikamentösen Eingriffs in einen akuten, entzündlichen oder fieberhaften Abwehrkampf des Immunsystems. Dazu reicht es schon aus, wenn eine Grippe mit fiebersenkenden oder entzündungshemmenden Mitteln oder Antibiotika behandelt wird. Solche Eingriffe finden sich auch in der Vorgeschichte der meisten Fälle von Diabetes Typ I und Leukämie. Diese Zusammenhänge sind eingehender in meinem Buch „Der alternative Weg zur Gesundheit" erklärt.

Nachdem solches passiert war und als Folge die Myasthenia ocularis auftrat, war der nächste Behandlungsfehler, nun mit Cortison – einem

Hormon der Nebennierenrinde – die Sache zu verschlimmbessern. Die Verabreichung von Cortison ist ein schwerwiegender Eingriff und bewirkt eine langfristige Beeinträchtigung der körpereigenen Produktion dieses Hormons. Richtig wäre statt dessen gewesen, den ursprünglich angerichteten Schaden durch biomedizinische Maßnahmen (die Homöopathie bietet da wirksame Möglichkeiten, was allerdings ihre profunde Kenntnis voraussetzt) und durch optimal gesunde, artgerechte, natürliche Ernährung auszuheilen.

Als Folge der Cortisonbehandlung trat als Nächstes Bluthochdruck auf. Keinerlei Zusammenhang mit vorangegangenen Behandlungsfehlern erkennend, heißt die „Schulmedizin" den Bluthochdruck als völlig eigenständige Erkrankung willkommen („Befund positiv!" – positiv für wen wohl? Für den Patienten sicher nicht) – und lässt dieser ihre „Standardbehandlung des Bluthochdrucks" angedeihen, die nicht heilt, sondern nur sicherstellt, dass diese Erkrankung lebenslang im Patienten verbleibt und möglichst auch noch Junge zeugt.

Diese ließen denn auch nicht lange auf sich warten: Als Nächstes traten ein zu langsamer Puls (29/min! – eine „Nebenwirkung" von Bluthochdruckpillen) und Herzrhythmusstörungen auf. Wen wundert das eigentlich noch, bei solcher Medikation? Jetzt konnte ein Herzschrittmacher implantiert werden, was ein solch blühendes Geschäft geworden ist, dass Herstellerfirmen heimlich und gesetzwidrig Provisionen an Ärzte zahlten, damit ihr Produkt möglichst häufig zum Einsatz kommt.

Richtig wäre gewesen, dem medikamentös malträtierten Herzen durch Richtigstellung der Ernährung und Absetzen der Medikamente Entlastung zu verschaffen und den Herzrhythmus durch homöopathische Feinsteuerung wieder ins Gleichgewicht zu bringen (wofür es hochwirksame, völlig unschädliche homöopathische Arzneimittel gibt).

Nein, ganz im Gegenteil wurden die Dosierungen der blutdrucksenkenden Mittel weiter erhöht, da der Blutdruck trotz aller Medikation weiter anstieg. Ärztliches Nachdenken, warum er das wohl tat? Fehlanzeige. So ließ die Erzeugung des nächsten Zuwachses der „Krankheitsfamilie" nicht lange auf sich warten: Impotenz durch Verlust der Erektionsfähigkeit, und nächtliches Ohrensausen!

Jetzt wäre auch die nächste medikamentöse Verordnung fällig gewesen: Eine jener teuren Potenzpillenpräparate, die ein so großes Geschäft geworden sind, weil der Bluthochdruck bei Millionen von Patienten nicht kurz und bündig geheilt, sondern sorgsam als Dauereinnahmequelle gepflegt („behandelt“) wird, da dieser immerhin 50 % zum Gesamteinkommen der Arztpraxen beiträgt, und das auch noch mit lukrativen „Nebenwirkungen“ wie einem steigenden Behandlungsbedarf von Impotenz.

In diesem Fall jedoch riss dem Patienten mit dem Eintreten der für ihn weniger angenehmen Nebenwirkungen „Impotenz“ und „nächtliches Ohrensausen“ der Geduldsfaden. Er hatte einfach „den Kanal voll“, wühlte sich durchs Internet und wurde mit dr-schnitzer.de fündig.

Von da an wendete sich sein weiteres gesundheitliches Schicksal zum Guten. Er nutzte die gegebenen Ernährungsempfehlungen zu 95 %, reduzierte die blutdrucksenkenden Mittel zügig und konnte sie nach 8 Wochen „abwerfen“. Sein Blutdruck blieb jetzt auch ohne diese Medikamente mit 134/88 mm/Hg vollständig normal. Er konnte 9 kg Übergewicht abbauen und eine schlanke Idealfigur erreichen, die im Freundeskreis Aufsehen erregte. Körperkraft und Ausdauer nahmen zu, und ab der 11. Woche seit Ernährungsumstellung kehrte die volle Erektionsfähigkeit ohne Zeitlimit bis zur Ejakulation zurück.

Der Patient hat – nach 16 Jahren erfolgloser, statt dessen folgenschwerer „schulmedizinischer Behandlung“ – in nur 3 Monaten seine vollständige Gesundheit und Vitalität zurückerobert, indem er seinem Körper wieder die wichtigste Voraussetzung der Gesundheit verfügbar gemacht hat: Eine artgerechte, natürliche Ernährung. Und das alles geschah im Alter von 68 Jahren!

Die beabsichtigten kleinen Blutentnahmen nach dem Ende des ausgedehnten Segelurlaubs sind eine kluge Maßnahme, denn mit 46,6 Volumenprozent fester Blutzellen im Blut (Hämatokrit) ist dieser Wert immer noch um etwa 5 % zu hoch, eine Folge vorher langjähriger Überschüsse an Eiweiß in der heute üblichen Ernährung (Verzehr von Nahrungsmitteln tierischer Herkunft).

Die beiden Mediziner haben in dieser Geschichte klägliche Figuren abgegeben. Beide, sowohl die von Jugend an befreundete Ärztin als der Kardiologe, konnten sehr wohl mit eigenen Augen mitverfolgen, wie der Patient innerhalb von 3 Monaten von chronischen Krankheiten genas, die sie zuvor 16 Jahre lang nicht heilen konnten. Trotzdem nahm sich die Ärztin nicht die wenige Zeit, die Therapieanleitung „Die kausale Therapie der essentiellen Hypertonie“ zu lesen, und der Kardiologe kommentierte die Überreichung derselben nur mit belanglosem „bla, bla, bla“.

Dazu Professor Palmström: „... und daraus schließt er messerscharf, dass nicht sein kann, was nicht sein darf!“

Bericht von Herrn H. W. (56) aus Deutschland

1) Meine Bluthochdruck-Vorgeschichte

Bevor ich damit begann, Dr. Schnitzers Empfehlungen zu folgen, litt ich an Bluthochdruck seit 5 Jahren und 6 Monaten.

Mein durchschnittlicher Blutdruck war 155/90 mm/Hg, bevor ich Medikamente einnahm. Beschwerden:

Diabetes 5 x täglich spritzen!!! 3 x Kurzzeit-, 2 x Langzeit-Insulin. Leistungsschwäche, Herzstechen.

Zuletzt nahm ich die folgenden mir verschriebenen Medikamente:

Insulin, je 6-10 Einheiten	5 x täglich
Enalapril 5 mg	0,5 x täglich
Bisoprolol	0,5 x täglich
Herzass-ratio	1 x täglich
Sortis	1 x täglich

Unter dieser Medikation war mein Blutdruck 140/85 mm/Hg. Meine Beschwerden unter dieser Medikation waren folgende:

Diabetes 5 x spritzen etc. (Die Dosierung sollte ursprünglich doppelt so hoch sein), Übelkeit, unkonzentriert, nicht leistungsfähig, Potenzprobleme; trotz Medikamente (besser deshalb) Herzinfarkt! Danach logischerweise alles noch schlimmer!!

2) Mein Beginn mit Dr. Schnitzers Empfehlungen

Ich begann vor 5 Monaten, Dr. Schnitzers Empfehlungen zu folgen.

Ich begann folgendes zu essen:	täglich	manchmal	nie
Zum Frühstück Müslis aus keimfähigen, frisch vor der Zubereitung geschroteten Getreidekörnern, mit frischen Früchten und Nüssen:		X	
Zum Mittag- und/oder Abendessen verschiedene Blattsalate und rohe Wurzelgemüsesalate	X		

Angekeimte Hülsenfrüchte (Kichererbsen, Linsen, grüne Mungobohnen) als Beilage zu den Salaten		X	
Früchte (Äpfel, Birnen, Ananas usw.) nach Jahreszeit	X		
Vollkornbrot und –gebäck aus keimfähigen, frisch vor der Teigbereitung gemahlenen Getreiden (z.B. Weizen, Dinkel, Roggen)			

Das entspricht einer Befolgung der Empfehlungen zu 60 %.

Folgendes begann ich zu meiden:	völlig	meistens	verzehre ich noch
Fleisch, Geflügel, Ei, Fisch, Meeresfrüchte		X	
Milch und Milchprodukte (Käse, Yoghurt usw.)		X	
Industriezucker, Auszugsmehle und Produkte, welche diese enthalten		X	
Erhitzte (gekochte) Gemüse (unschädliche Ausnahme: Gedämpfte Kartoffeln)		X	
Gekochtes Obst und Säfte (auch frisch gepresste)	X		

Das entspricht einer Befolgung der Empfehlungen zu 60 %.

Die Empfehlungen, was zu essen und was zu meiden ist, wurden somit von mir insgesamt gewertet zu 60 % befolgt.

3) Mein Arzt unterstützte mich wie folgt:

Mein Arzt unterstützte mich überhaupt nicht. Er lehnt jede Verantwortung ab! Einen anderen Arzt suchte ich nicht.

Die beschriebenen kleinen Aderlässe (80-100 ml, 1 x pro Woche, max. 10 mal) zur Beschleunigung der Heilung hatte ich nicht.

4) Änderungen meines Blutdrucks und meiner Gesundheit

Mein durchschnittlicher Blutdruck unter der geänderten Ernährung war:

nach 4 Wochen: 130/80 mm/Hg;

nach 8 Wochen: 125/80 mm/Hg;

nach 12 Wochen: 120/75 mm/Hg.

Die blutdrucksenkenden Medikamente stoppte ich ab Änderung meiner Ernährung nach Dr. Schnitzers Empfehlungen wie folgt:

Enalapril 5 mg	nach 2 Wochen
Bisoprolol	nach 2 Wochen
Herzass-ratio	nach 2 Wochen
Sortis	nach 1 Woche

Die folgenden Veränderungen meiner Gesundheit stellte ich seither fest:

Eigentlich kann man keine Vergleiche vor und nach einem Herzinfarkt machen!!!!!! Um so wichtiger ist es, die Unterschiede der Medikamenten-Behandlung zur Schnitzer"diät" zu wissen. Ohne meinen Herzinfarkt wäre ich richtig gesund!!!!! Bis auf gelegentliche Übelkeit bei Lage-Änderungen bin ich top fit.

5) Wie es mir jetzt geht

Gegenwärtig esse ich wie folgt:	**täglich**	**manchmal**	**nie**
Zum Frühstück Müslis aus keimfähigen, frisch vor der Zubereitung geschroteten Getreidekörnern, mit frischen Früchten und Nüssen:	X		
Zum Mittag- und/oder Abendessen verschiedene Blattsalate und rohe Wurzelgemüsesalate		X	
Angekeimte Hülsenfrüchte (Kichererbsen, Linsen, grüne Mungobohnen) als Beilage zu den Salaten		X	
Früchte (Äpfel, Birnen, Ananas usw.) nach Jahreszeit	X		
Vollkornbrot und –gebäck aus keimfähigen, frisch vor der Teigbereitung gemahlenen Getreiden (z.B. Weizen, Dinkel, Roggen)		X	

Das entspricht einer Befolgung der Empfehlungen zu 70 %.

Gegenwärtig meide ich folgendes:	**völlig**	**meistens**	**verzehre ich noch**
Fleisch, Geflügel, Ei, Fisch, Meeresfrüchte		X	

Milch und Milchprodukte (Käse, Yoghurt usw.)		X	
Industriezucker, Auszugsmehle und Produkte, welche diese enthalten		X	
Erhitzte (gekochte) Gemüse (unschädliche Ausnahme: Gedämpfte Kartoffeln)		X	
Gekochtes Obst und Säfte (auch frisch gepresste)	X		

Das entspricht einer Befolgung der Empfehlungen zu 60 %.

Die Empfehlungen, was zu essen und was zu meiden ist, werden von mir also insgesamt gewertet zu 65 % befolgt.

Mein gegenwärtiger durchschnittlicher Blutdruck ist 120/75 mm/Hg.

Meine Erfahrungen mit dieser Veränderung in meinem Leben:

Der Anfang, ohne einen persönlichen Grund (wie Herzinfarkt) seine Essgewohnheiten zu ändern, ist sehr schwer. Aber es kann Sie genau vor diesem persönlichen Grund schützen. Ich habe mich leider erst nach dem Herzinfarkt intensiv um meine Gesundheit gekümmert!

Nicht vergessen möchte ich, auf den Diabetes-Verlauf hinzuweisen. Ich spritze jetzt 3 x in der Woche und nur weil ich von der Richtlinie abweiche. Noch eine für Diabetiker wichtige Erkenntnis – ich nenne sie Diabetikerschleife!! Sündigen heißt mehr spritzen, mehr spritzen heißt mehr Hunger, mehr Hunger heißt mehr sündigen. Ganz zu schweigen von den Unterzuckerungen, die Sie ohne Spritzen ja nicht hätten! Diese Zusammenhänge sind alle jederzeit reproduzierbar für Jedermann. Und für mich ist es ein Verbrechen an der Menschheit, dass die natürlichen Mittel nicht publiziert werden!

(So weit der Bericht von Herrn H. W., 56 Jahre, vom 17. Mai 2003)

Anmerkungen zu dem Bericht von Herrn H.W.

von Dr. Johann Georg Schnitzer

Wäre dieser Patient frühzeitig, als er das erste Mal medizinischen Rat suchte – vielleicht wegen unbestimmter Beschwerden oder einer banalen Grippe – an einen wirklichen Arzt geraten, dann wäre ihm sein ganzer späterer Leidensweg erspart geblieben. Denn auch Diabetes entsteht nicht „aus heiterem Himmel", sondern durch Ernährungsfehler des Patienten (Diabetes Typ II) oder durch Behandlungsfehler eines Arztes (Diabetes Typ I). Die Zusammenhänge sind in meinem Buch „Diabetes heilen" beschrieben.

So jedoch wurde der Patient „nach allen Regeln der Kunst" immer tiefer in chronische und lebensbedrohende Krankheiten hineinbehandelt. Will heißen „nach allen Regeln der herrschenden medizinischen Lehrmeinung". Denn: Hält sich der behandelnde Arzt an letztere, so ist er juristisch „auf der sicheren Seite". Gerichtlich kann es ihm nicht als „Kunstfehler" vorgeworfen werden, wenn der Patient schließlich an der kunstvollen Behandlung verstirbt.

Warum? Weil jedes Gericht sich in medizinischen Fachfragen auf „sachverständige Gutachter" stützen muss, und weil jedes Gericht vorzugsweise auf Gutachter der „herrschenden Lehrmeinung der Schulmedizin" verlässt, um sich nicht selbst vorwerfen zu lassen, es habe sein Urteil auf „Außenseiter" gestützt. Diese Gutachter sind nicht selten – vor allem, wenn es in die höheren Gerichtsinstanzen geht – gleichzeitig jene Institutschefs und „medizinischen Koryphäen", welche einen erheblichen Teil ihres Forschungsetats aus Forschungsaufträgen der in ihrem Fachgebiet tätigen Pharmaindustrie finanzieren.

Das ist die gegenwärtige Wirklichkeit, welche Kurt G. Blüchel mit dem Titel seines 2003 veröffentlichten Buches anprangert: „Heilen verboten, Töten erlaubt – Die organisierte Kriminalität im Gesundheitswesen" (C. Bertelsmann, München 2003, ISBN 3-570-00703-0).

Man lese dazu auch die schon erwähnte Abhandlung von Prof. Dr. jur. Dr. phil. Erich Fechner: „Wirtschaftliche Interessen und das Recht der freien Meinungsäußerung zugunsten des Allgemeinwohls (insbesondere in Fragen der Volksgesundheit) – Eine rechtssoziologische Betrachtung zugleich auch über den Einfluss wirtschaftlicher Interessen auf wissenschaftliche Meinungsbildung". Diese schon 1964 vorgetragene, 1967 in der JURISTENZEITUNG (Tübingen, Heft 15/16/1967, S. 457-463) veröffentlichte Arbeit Prof. Fechners zeigt, wie lange dieser Miss-Stand schon besteht. Die ganze Abhandlung steht im Internet:

http://www.dr-schnitzer.de/efwi001.htm
http://www.dr-schnitzer.de/efwi002.htm
http://www.dr-schnitzer.de/efwi003.htm
http://www.dr-schnitzer.de/efwi004.htm

Der Patient hat durchaus Recht, wenn er schreibt: „Und für mich ist es ein Verbrechen an der Menschheit, dass die(se) natürlichen Mittel nicht publiziert werden!“ Das ist eine Anklage nicht nur gegen die „herrschende Schulmedizin“, sondern gleichzeitig gegen alle großen, die öffentliche Meinung bildenden und beherrschenden Medien, welche „unabhängig“ zu informieren vorgeben, in Wirklichkeit jedoch nahezu „wasserdicht“ alle jene Informationen von der Öffentlichkeit fernhalten, welche die von Krankheiten und von deren Ursachen lebenden Wirtschaftsbereiche beeinträchtigen könnten.

Denn der Leidensweg des Patienten wäre durchaus noch nicht zu Ende gewesen, hätte er nicht selbst nach Alternativen gesucht. Vielmehr hätte sich diese „Via dolorosa“ bis zum finalen Exitus fortgesetzt, z.B. mit Augenhintergrundblutungen und Erblindung, und/oder einem weiteren Herzinfarkt, und/oder mit Nierenversagen und Dialyse für den Rest seines Lebens, und/oder Diabetesgangrän und Beinamputation, und/oder Leberzirrhose und innerem Verbluten durch Speiseröhren-Varizen.

So aber konnte der Patient, weil er die notwendigen Informationen gefunden und gegen den ausdrücklichen Widerstand seines Arztes angewendet hat, aus der vorprogrammierten Abwärtsspirale aussteigen und seiner Gesundheit wieder eine natürliche Basis schaffen. Das ist „Der alternative Weg zur Gesundheit“, dem ich ein Buch mit diesem Titel gewidmet habe: <http://www.dr-schnitzer.de/awg001.htm>.

Bericht von Herrn H. R., (62) aus Deutschland

1) Meine Bluthochdruck-Vorgeschichte

Bevor ich damit begann, Dr. Schnitzers Empfehlungen zu folgen, litt ich an Bluthochdruck seit 10 Jahren.

Mein durchschnittlicher Blutdruck war 170/100 mm/Hg, bevor ich Medikamente einnahm. An Beschwerden hatte ich folgende: Ich fühlte mich einfach nicht wohl. War ständig müde und der innere Antrieb, was zu tun, fehlte mir.

Zuletzt nahm ich die folgenden mir verschriebenen Medikamente ein:

Betablocker	2 x täglich
Diverse, fast die	ganze Palette

Unter dieser Medikation war mein Blutdruck 160/95 mm/Hg. Meine Beschwerden unter dieser Medikation waren folgende:

Habe eine lange Leidensgeschichte hinter mir und bekam fast alle Mittel gegen Bluthochdruck verschrieben. Meine letzte Behandlung im Klinikzentrum Marburg, die Aussage des behandelnden Arztes: „Wenn wir mit diesem Mittel den Blutdruck nicht runterkriegen, dann müssen wir halt ein zweites mit dazu nehmen."

Durch die Betablocker fühlte ich mich noch schlapper und konnte fast nicht mehr arbeiten. In das Internet gab ich „Bluthochdruck" ein und das war meine Rettung. Ich fand Dr. Schnitzers Buch und die sehr logische Begründung, sich so zu ernähren, gefiel mir.

2) Mein Beginn mit Dr. Schnitzers Empfehlungen

Ich begann vor 1 Jahr und 6 Monaten, Dr. Schnitzers Empfehlungen zu folgen.

Ich begann folgendes zu essen:	täglich	manchmal	nie
Zum Frühstück Müslis aus keimfähigen, frisch vor der Zubereitung geschroteten Getreidekörnern, mit frischen Früchten und Nüssen:	X		
Zum Mittag- und/oder Abendessen verschiedene Blattsalate und rohe Wurzelgemüsesalate	X		
Angekeimte Hülsenfrüchte (Kichererbsen, Linsen, grüne Mungobohnen) als Beilage zu den Salaten		X	
Früchte (Äpfel, Birnen, Ananas usw.) nach Jahreszeit	X		
Vollkornbrot und –gebäck aus keimfähigen, frisch vor der Teigbereitung gemahlenen Getreiden (z.B. Weizen, Dinkel, Roggen)	X		

Das entspricht einer Befolgung der Empfehlungen zu 90 %.

Folgendes begann ich zu meiden:	völlig	meistens	verzehre ich noch
Fleisch, Geflügel, Ei, Fisch, Meeresfrüchte		X	
Milch und Milchprodukte (Käse, Yoghurt usw.)			X
Industriezucker, Auszugsmehle und Produkte, welche diese enthalten	X		
Erhitzte (gekochte) Gemüse (unschädliche Ausnahme: Gedämpfte Kartoffeln)			X
Gekochtes Obst und Säfte (auch frisch gepresste)	X		

Das entspricht einer Befolgung der Empfehlungen zu 40 %.

Die Empfehlungen, was zu essen und was zu meiden ist, wurden somit von mir insgesamt gewertet zu 70 % befolgt.

3) Mein Arzt unterstützte mich wie folgt:

Mein Arzt unterstützte mich nicht besonders. Auf die Frage meines Hausarztes „Wie haben Sie es geschafft, Ihren Blutdruck zu normalisieren und 12 kg abzunehmen?" habe ich nur geantwortet: „Schauen Sie doch mal im Internet unter ‚Dr. Schnitzer' nach." Einen anderen Arzt suchte ich mir nicht.

Die beschriebenen kleinen Aderlässe (80-100 ml, 1 x pro Woche, max. 10 mal) zur Beschleunigung der Heilung hatte ich nicht.

4) Änderungen meines Blutdrucks und meiner Gesundheit

Mein durchschnittlicher Blutdruck unter der geänderten Ernährung war:

nach 4 Wochen: 140/90 mm/Hg;
nach 8 Wochen: 135/85 mm/Hg;
nach 12 Wochen: 135/80 mm/Hg.

Die blutdrucksenkenden Medikamente setzte ich sofort bei Beginn der Ernährungsänderung ab.

Die folgenden Veränderungen meiner Gesundheit stellte ich seither fest:

Innerhalb 3 Wochen nahm ich 12 kg ab und fühlte mich schon nach der ersten Woche besser. Bei meinem nächsten Besuch beim Hausarzt war das Ergebnis schon sichtbar. Cholesteringehalt und Blutdruck waren schon fast im normalen Bereich.

5) Wie es mir jetzt geht

Gegenwärtig esse ich wie folgt:	täg-lich	manch-mal	nie
Zum Frühstück Müslis aus keimfähigen, frisch vor der Zubereitung geschroteten Getreidekörnern, mit frischen Früchten und Nüssen:	X		
Zum Mittag- und/oder Abendessen verschiedene Blattsalate und rohe Wurzelgemüsesalate	X		
Angekeimte Hülsenfrüchte (Kichererbsen, Linsen, grüne Mungobohnen) als Beilage zu den Salaten		X	
Früchte (Äpfel, Birnen, Ananas usw.) nach Jahreszeit	X		
Vollkornbrot und –gebäck aus keimfähigen, frisch vor der Teigbereitung gemahlenen Getreiden (z.B. Weizen, Dinkel, Roggen)	X		

Das entspricht einer Befolgung der Empfehlungen zu 90 %.

Gegenwärtig meide ich folgendes:	völlig	meistens	verzehre ich noch
Fleisch, Geflügel, Ei, Fisch, Meeresfrüchte		X	
Milch und Milchprodukte (Käse, Yoghurt usw.)			X
Industriezucker, Auszugsmehle und Produkte, welche diese enthalten	X		
Erhitzte (gekochte) Gemüse (unschädliche Ausnahme: Gedämpfte Kartoffeln)		X	
Gekochtes Obst und Säfte (auch frisch gepresste)		X	

Das entspricht einer Befolgung der Empfehlungen zu 50 %.

Die Empfehlungen, was zu essen und was zu meiden ist, werden von mir also insgesamt gewertet zu 70 % befolgt.

Mein gegenwärtiger durchschnittlicher Blutdruck ist 135/80 mm/Hg.

Meine Erfahrungen mit dieser Veränderung in meinem Leben:

Dank Dr. Schnitzer fühle ich mich sehr gut und treibe wieder Sport, was ich mit den Betablockern nicht konnte. Ich bin ihm zu ewigem Dank verpflichtet und versuche seine Theorie im Bekanntenkreis weiterzugeben. Das Wichtigste war, nicht mehr müde zu sein und wieder Spaß am Leben zu haben.

Auch konnte ich wieder Sport treiben, es war wie ein neues Leben zu beginnen. Ich fühle meinen Körper wieder, vor allem morgens, und nehme das Leben gelassener hin. Das wichtigste war, dass der zweite Wert unter 100 ging. Jetzt ist er öfters unter 80, was ich nie für möglich gehalten habe. So bald ich mal „sündige“, wenn mal eingeladen wird normale Kost zu essen, fühle ich mich nicht wohl. Außerdem schmeckt es mir meistens nicht mehr (Fleisch etc.).

(So weit der Bericht von Herrn H. R., 62 Jahre, vom 19. Mai 2003)

In einer späteren E-Mail schrieb Herr H. R.:

„Sehr geehrter Herr Dr. Schnitzer, vor 4 Jahren hatte ich Ihre Seite im Internet entdeckt und begann meine Ernährung umzustellen. Nach 3 Monaten und 10 kg Gewichtsabnahme hatte sich mein Blutdruck fast ‚normalisiert'. Nun geht es mir immer besser, und ich werde Ihnen ewig dankbar sein. Mit 63 Jahren mache ich nun manchen jungen Leuten im Rollschuhlaufen (Inliner) was vor, und mein Leben ist wie umgewandelt. Auch mein Schwager, der extrem hohe Zuckerwerte hatte, erklärt mir nun, dass nur eine Scheibe Weißbrot seinen Zucker in die Höhe treibt. Ich hatte ihm vor 3 Monaten meine alte Getreidemühle geschenkt, und er ist nun begeistert von seinem selbst gebackenen Brot. Ich kann nur immer wieder sagen ‚Danke', und möge es mehr Ärzte wie Sie geben. Freundlichst H. R.“

Anmerkungen zu dem Bericht von Herrn H. R.

von Dr. Johann Georg Schnitzer

Dieser Patient litt 10 Jahre lang an Bluthochdruck, der ohne Medikation 170/100 mm/Hg betrug. Ihm wurden „fast alle, diverse, fast die ganze Palette“ an blutdrucksenkenden Mitteln verschrieben, mit geringer Wirkung: Trotz solch massiver Medikation war der Blutdruck mit 160/95 immer noch viel zu hoch. Die eigentliche „Wirkung“ lag in den Nebenwirkungen: „Durch die Betablocker fühlte ich mich noch schlapper und konnte fast nicht mehr arbeiten.“

Die Rettung – nach 10 Jahren „ärztlich betreutem“ Leidensweg – kam nicht vom Hausarzt, sie kam auch nicht vom Klinikzentrum Marburg, sondern kam aus dem Internet: „Ich gab ‚Bluthochdruck’ ein und das war die Rettung. Ich fand Dr. Schnitzers Buch, und die sehr logische Begründung, sich so zu ernähren, gefiel mir.“

Schon in der ersten Woche nach Ernährungsänderung fühlte sich der Patient besser, und nahm innerhalb von 3 Wochen 12 (10) kg ab. Die Pillen hat er sofort abgesetzt. Beim nächsten Hausarztbesuch waren Cholesterinspiegel und Blutdruck schon fast im normalen Bereich. Ganz normal war der Blutdruck dann bereits nach 8 Wochen – und blieb es auch mehr als 1 Jahr später. Der (ehemalige) Patient fasst es so zusammen:

„Das Wichtigste war, nicht mehr müde zu sein und wieder Spaß am Leben zu haben. Auch konnte ich wieder Sport treiben, es war, wie ein neues Leben zu beginnen. Ich fühle meinen Körper wieder ... und nehme das Leben gelassener hin.“

Der Bericht macht deutlich, dass die Beschwerden und der Bluthochdruck von selbst verschwanden, nachdem die natürlichen Gesundheitsgrundlagen durch eine artgerechte natürliche Ernährung zu nur 70 % wieder hergestellt wurden – und das im Alter von 62 Jahren, und nach vorangegangenen 10 Jahren Leiden und dessen vergeblicher Behandlung mit allen Registern der „Standardtherapie des Bluthochdrucks“ der üblichen Schulmedizin.

Der behandelnde Arzt im genannten Universitäts-Klinikzentrum hatte, nachdem die bisherigen Mittel nichts halfen, der herrschenden Lehrmeinung folgend nur eine Möglichkeit gesehen: „ ... dann müssen wir halt ein zweites mit dazunehmen.“ Und wenn das auch nicht hilft? Dann müssen wir halt ein drittes mit dazunehmen ... usw.

Der Hausarzt hat den Patienten bei seinen eigenen Anstrengungen, gesund zu werden, zwar auch nicht besonders unterstützt. Aber er fragte wenigstens, nachdem der Erfolg eingetreten war: „Wie haben Sie es nur geschafft, Ihren Blutdruck zu normalisieren und 12 kg abzunehmen?“ Das war ein gesunder, eigenständiger Denkansatz.

Leider erfahren wir nicht, ob dieser Arzt dann dem Rat des Patienten gefolgt ist, sich im Internet sachkundig zu machen, und ob er von dann an alle seine chronischen Bluthochdruckpatienten in ähnlich effektiver Weise ausgeheilt hat, wie es ihm dieser Patient in Eigenregie als so enorm wirksam vorgeführt hat.

Bericht von Herrn I. F. (39) aus Deutschland

1) Meine Bluthochdruck-Vorgeschichte

Bevor ich damit begann, Dr. Schnitzers Empfehlungen zu folgen, litt ich an Bluthochdruck seit 29 Jahren. Mein durchschnittlicher Blutdruck war 170/95 mm/Hg, bevor ich Medikamente einnahm.

Zuletzt nahm ich das folgende mir verschriebene Medikament ein:

Beloc Zok 95 mg	1 x täglich

Unter dieser Medikation war mein Blutdruck 140/90 mm/Hg. Meine Beschwerden unter dieser Medikation waren folgende: Müdigkeit.

2) Mein Beginn mit Dr. Schnitzers Empfehlungen

Ich begann vor 5 Monaten, Dr. Schnitzers Empfehlungen zu folgen.

Ich begann folgendes zu essen:	**täglich**	**manchmal**	**nie**
Zum Frühstück Müslis aus keimfähigen, frisch vor der Zubereitung geschroteten Getreidekörnern, mit frischen Früchten und Nüssen:	**X**		
Zum Mittag- und/oder Abendessen verschiedene Blattsalate und rohe Wurzelgemüsesalate	**X**		
Angekeimte Hülsenfrüchte (Kichererbsen, Linsen, grüne Mungobohnen) als Beilage zu den Salaten		**X**	
Früchte (Äpfel, Birnen, Ananas usw.) nach Jahreszeit	**X**		
Vollkornbrot und –gebäck aus keimfähigen, frisch vor der Teigbereitung gemahlenen Getreiden (z.B. Weizen, Dinkel, Roggen)	**X**		

Das entspricht einer Befolgung der Empfehlungen zu 90 %.

Folgendes begann ich zu meiden:	**völlig**	**meistens**	**verzehre ich noch**
Fleisch, Geflügel, Ei, Fisch, Meeresfrüchte	**X**		

Milch und Milchprodukte (Käse, Yoghurt usw.)	X		
Industriezucker, Auszugsmehle und Produkte, welche diese enthalten	X		
Erhitzte (gekochte) Gemüse (unschädliche Ausnahme: Gedämpfte Kartoffeln)	X		
Gekochtes Obst und Säfte (auch frisch gepresste)	X		

Das entspricht einer Befolgung der Empfehlungen zu 100 %.

Die Empfehlungen, was zu essen und was zu meiden ist, wurden somit von mir insgesamt gewertet zu 95 % befolgt.

3) Mein Arzt unterstützte mich wie folgt:

Mein Arzt unterstützte mich überhaupt nicht. Ich wendete mich jedoch nicht an einen anderen Arzt.

Die beschriebenen kleinen Aderlässe (80-100 ml, 1 x pro Woche, max. 10 mal) zur Beschleunigung der Heilung hatte ich nicht.

4) Änderungen meines Blutdrucks und meiner Gesundheit

Mein durchschnittlicher Blutdruck unter der geänderten Ernährung war:

nach 4 Wochen: 135/85 mm/Hg;

nach 8 Wochen: 130/80 mm/Hg;

nach 12 Wochen: 130/80 mm/Hg.

Das blutdrucksenkende Medikament setzte ich nach 5 Wochen ab.

Die folgenden Veränderungen meiner Gesundheit stellte ich seither fest: Meine Müdigkeit war verschwunden.

5) Wie es mir jetzt geht

Gegenwärtig esse ich wie folgt:	täg-lich	manch-mal	nie
Zum Frühstück Müslis aus keimfähigen, frisch vor der Zubereitung geschroteten Getreidekörnern, mit frischen Früchten und Nüssen:	X		

Zum Mittag- und/oder Abendessen verschiedene Blattsalate und rohe Wurzelgemüsesalate	X		
Angekeimte Hülsenfrüchte (Kichererbsen, Linsen, grüne Mungobohnen) als Beilage zu den Salaten		X	
Früchte (Äpfel, Birnen, Ananas usw.) nach Jahreszeit	X		
Vollkornbrot und –gebäck aus keimfähigen, frisch vor der Teigbereitung gemahlenen Getreiden (z.B. Weizen, Dinkel, Roggen)	X		

Das entspricht einer Befolgung der Empfehlungen zu 90 %.

Gegenwärtig meide ich folgendes:	**völlig**	**meistens**	**verzehre ich noch**
Fleisch, Geflügel, Ei, Fisch, Meeresfrüchte		X	
Milch und Milchprodukte (Käse, Yoghurt usw.)		X	
Industriezucker, Auszugsmehle und Produkte, welche diese enthalten	X		
Erhitzte (gekochte) Gemüse (unschädliche Ausnahme: Gedämpfte Kartoffeln)		X	
Gekochtes Obst und Säfte (auch frisch gepresste)	X		

Das entspricht einer Befolgung der Empfehlungen zu 70 %.

Die Empfehlungen, was zu essen und was zu meiden ist, werden von mir also insgesamt gewertet zu 80 % befolgt.

Mein gegenwärtiger durchschnittlicher Blutdruck ist 128/80 mm/Hg.

Meine Erfahrungen mit dieser Veränderung in meinem Leben:

Durch diese Methode habe ich wieder zu einem energiereichen Leben gefunden, und mein gesundheitlicher Allgemeinzustand hat sich sehr verbessert..

(So weit der Bericht von Herrn I. F., 39 Jahre, 21. Mai 2003)

Anmerkungen zu dem Bericht von Herrn I. F.

von Dr. Johann Georg Schnitzer

Bluthochdruck wurde von der Medizin lange als „Alterskrankheit“ bezeichnet, bis sich das wegen immer jünger werdender Patienten nicht mehr halten ließ. Dieser Patient erkrankte bereits als Junge daran, und wurde immer nur symptomatisch mit Pillen behandelt, ohne dass ein Arzt sich je die Mühe gemacht hätte, nach den Ursachen zu suchen.

Da ging dem überaus geduldigen, der Medizin bisher langmütig vertrauenden Patienten (Patient = „der Geduldige, der Leidende“) im Alter von 39 Jahren plötzlich doch die Geduld aus, und er nahm die Sache selber in die Hand, wobei ihn sein Arzt in keiner Weise unterstützte:

Er stellte konsequent (zu 95 %) seine Ernährung auf die in diesem Buch empfohlene artgerechte, natürliche Ernährung um, und siehe da:

Nach 5 Wochen konnte er die Pillen absetzen, die zuvor Jahrzehnte lang den Bluthochdruck nicht geheilt, ihm jedoch ebenso lang ständige Müdigkeit beschert hatten. In nur 8 Wochen seit Beginn der Ernährungsänderung war sein Blutdruck völlig normal geworden und blieb es auch bei nur noch 80 % Einhaltung der empfohlenen Ernährungsmaßnahmen. Seine Müdigkeit war verschwunden, seine Lebensenergie kehrte zurück, und sein Allgemeinzustand hat sich „sehr verbessert“.

Frage an die „Experten“:

Was wird eigentlich an unseren Universitäten jahrelang den Studenten der Medizin beigebracht, um sie zu jungen Ärzten auszubilden, und was sind eigentlich die Inhalte der „ärztlichen Fortbildung“, wenn schon so einfache, so wirksam zur Ausheilung eines weit verbreiteten Leidens führende, überdies ganz natürliche und von negativen Nebenwirkungen freie Methoden anscheinend den allermeisten heutigen Ärzten unbekannt sind, oder zumindest von den meisten Ärzten praktisch nicht angewendet und den Patienten nicht empfohlen werden, sondern diesen teils sogar davon abgeraten wird? Und was sind die tieferen Gründe dafür?

Diese Fragen stehen seit Mai 2003 bei diesem Fall der Bluthochdruckstudie 02 auf meiner Internet-Site, mit dem Nachsatz: „Über Antworten von Kollegen zu diesen Fragen würde ich mich freuen. Meine E-Mail-Adresse: Dr.Schnitzer@t-online.de.“ Bis Drucklegung der Auflage 2009 dieses Buches war keine einzige Antwort auf diese Fragen eingegangen.

Bericht von Herrn J. M. (63) aus Deutschland

1) Meine Bluthochdruck-Vorgeschichte

Bevor ich damit begann, Dr. Schnitzers Empfehlungen zu folgen, litt ich an Bluthochdruck seit 15 Jahren.

Mein durchschnittlicher Blutdruck war 150/95 mm/Hg, bevor ich Medikamente einnahm.

Körperliche Beschwerden sind mir nicht aufgefallen. Aber vor 7 Jahren hatte ich einen Herzinfarkt. Ich bin 183 cm groß und wog 77 kg. Ich habe immer Ausdauersport getrieben.

Zuletzt nahm ich die folgenden mir verschriebenen Medikamente ein:

Xanef 10 mg	1 x täglich
ASS 100 mg	1 x täglich
Betablocker	1 x täglich

Unter dieser Medikation war mein Blutdruck 135/88 mm/Hg. Meine Beschwerden unter dieser Medikation waren folgende:

Mit dem Betablocker nach dem Herzinfarkt ging meine Leistungsfähigkeit auf 20-30 min zurück. Den Betablocker habe ich bereits ein Jahr später nach einem Schwächeanfall auf Anraten eines Internisten auf Mallorca abgesetzt. Danach ging es mir besser.

2) Mein Beginn mit Dr. Schnitzers Empfehlungen

Ich begann vor 1 Jahr und 2 Monaten, Dr. Schnitzers Empfehlungen zu folgen.

Ich begann folgendes zu essen:	täglich	manchmal	nie
Zum Frühstück Müslis aus keimfähigen, frisch vor der Zubereitung geschroteten Getreidekörnern, mit frischen Früchten und Nüssen:	X		
Zum Mittag- und/oder Abendessen verschiedene Blattsalate und rohe Wurzelgemüsesalate	X		

Angekeimte Hülsenfrüchte (Kichererbsen, Linsen, grüne Mungobohnen) als Beilage zu den Salaten		X	
Früchte (Äpfel, Birnen, Ananas usw.) nach Jahreszeit	X		
Vollkornbrot und –gebäck aus keimfähigen, frisch vor der Teigbereitung gemahlenen Getreiden (z.B. Weizen, Dinkel, Roggen)	X		

Das entspricht einer Befolgung der Empfehlungen zu 90 %.

Folgendes begann ich zu meiden:	**völlig**	**meistens**	**verzehre ich noch**
Fleisch, Geflügel, Ei, Fisch, Meeresfrüchte	X		
Milch und Milchprodukte (Käse, Yoghurt usw.)		X	
Industriezucker, Auszugsmehle und Produkte, welche diese enthalten	X		
Erhitzte (gekochte) Gemüse (unschädliche Ausnahme: Gedämpfte Kartoffeln)		X	
Gekochtes Obst und Säfte (auch frisch gepresste)	X		

Das entspricht einer Befolgung der Empfehlungen zu 80 %.

Die Empfehlungen, was zu essen und was zu meiden ist, wurden somit von mir insgesamt gewertet zu 85 % befolgt.

3) Mein Arzt unterstützte mich wie folgt:

Mein Arzt unterstützte mich nicht besonders. Ich gehe zweimal im Jahr zu einem befreundeten Kardiologen zur Kontrolle meines Herzinfarkts. Er sieht meine Entwicklung mit Interesse, hält es aber für einen Einzelfall, solange keine kompetente wissenschaftliche Studie vorliegt.

Ich suchte mir keinen anderen Arzt. Die beschriebenen kleinen Aderlässe (80-100 ml, 1 x pro Woche, max. 10 mal) zur Beschleunigung der Heilung hatte ich nicht.

4) Änderungen meines Blutdrucks und meiner Gesundheit

Mein durchschnittlicher Blutdruck unter der geänderten Ernährung war:

nach 4 Wochen: 133/94 mm/Hg;
nach 8 Wochen: 128/88 mm/Hg;
nach 12 Wochen: 122/82 mm/Hg.

Die blutdrucksenkenden Medikamente setzte ich sofort bei Beginn der Ernährungsänderung ab / stoppte ich wie folgt:

Xanef 10 mg	nach 4 Wochen
ASS 100 mg	nach 8 Wochen
Betablocker	schon früher abgesetzt (s. oben)

Die folgenden Veränderungen meiner Gesundheit stellte ich fest: Meine Leistungsfähigkeit hat sich verbessert (Ergometerleistungsgrenze 250 Watt). Ich habe 5 kg auf 72 kg abgenommen. Ich habe für mich 1 mal täglich normalen Stuhlgang. Früher hatte ich alle 3-5 Tage sehr festen Stuhlgang.

5) Wie es mir jetzt geht

Gegenwärtig esse ich wie folgt:	**täg-lich**	**manch-mal**	**nie**
Zum Frühstück Müslis aus keimfähigen, frisch vor der Zubereitung geschroteten Getreidekörnern, mit frischen Früchten und Nüssen:	**X**		
Zum Mittag- und/oder Abendessen verschiedene Blattsalate und rohe Wurzelgemüsesalate	**X**		
Angekeimte Hülsenfrüchte (Kichererbsen, Linsen, grüne Mungobohnen) als Beilage zu den Salaten		**X**	
Früchte (Äpfel, Birnen, Ananas usw.) nach Jahreszeit	**X**		
Vollkornbrot und –gebäck aus keimfähigen, frisch vor der Teigbereitung gemahlenen Getreiden (z.B. Weizen, Dinkel, Roggen)	**X**		

Das entspricht einer Befolgung der Empfehlungen zu 90 %.

Gegenwärtig meide ich folgendes:	**völlig**	**meistens**	**verzehre ich noch**
Fleisch, Geflügel, Ei, Fisch, Meeresfrüchte	**X**		
Milch und Milchprodukte (Käse, Yoghurt usw.)		**X**	

Industriezucker, Auszugsmehle und Produkte, welche diese enthalten	X		
Erhitzte (gekochte) Gemüse (unschädliche Ausnahme: Gedämpfte Kartoffeln)		X	
Gekochtes Obst und Säfte (auch frisch gepresste)	X		

Das entspricht einer Befolgung der Empfehlungen zu 80 %.

Die Empfehlungen, was zu essen und was zu meiden ist, werden von mir also insgesamt gewertet zu 85 % befolgt.

Mein gegenwärtiger durchschnittlicher Blutdruck ist 124/82 mm/Hg.

Meine Erfahrungen mit dieser Veränderung in meinem Leben:

Heute fühle ich mich sehr wohl und bin normal leistungsfähig.

(So weit der Bericht von Herrn J. M., 63 Jahre, vom 28. April 2004)

Anmerkungen zu dem Bericht von Herrn J. M.

von Dr. Johann Georg Schnitzer

Der regelmäßige Ausdauersport und die Medikation (2 verschiedene Mittel täglich) konnten den Herzinfarkt (entgegen gängiger schulmedizinischer Behauptung) nicht verhüten, obwohl außerdem kein Übergewicht bestand – einfach deshalb, weil die Ursachen des Bluthochdrucks fortbestanden und der Patient von den behandelnden Ärzten nicht darüber informiert wurde.

Der nach dem Herzinfarkt als drittes Medikament verordnete Betablokker brachte die Regulationssysteme der Blut- und Sauerstoff-Versorgung an den Rand des Zusammenbruchs (Schwächeanfall). Ein Arzt war wenigstens so klug, dessen Absetzung anzuraten.

Der eigentliche Gesundungsprozess setzte erst mit der Ausschaltung der Ursachen und der Umstellung auf eine artgerechte, natürliche Ernährung ein, und führte im Ergebnis dazu, dass sich der ehemalige Patient nach 15 Jahren Bluthochdruckleiden und Dauermedikation heute, im Alter von 63 Jahren, sehr wohl fühlt, normal leistungsfähig ist und einen normalen Blutdruck ohne jegliche Medikation hat.

Dass regelmäßiger Ausdauersport allein nicht vor den gefährlichen Verengungen der Herzkranzgefäße schützt, wenn die Ernährung falsch ist, musste im Jahr 2004 auch der frühere Amerikanische Präsident Bill Clinton erfahren; er musste sich deshalb einer Bypass-Operation unterziehen (operativer Ersatz verengter Herzkranzgefäße durch Venen, die dem Bein entnommen werden). Wie oft war er doch vorher im Fernsehen beim Jogging zu sehen gewesen!

„Medizinertypisch“ ist die Haltung des befreundeten Kardiologen: Was nicht ins herrschende Dogma passt („Hypertonie braucht lebenslange Medikation, da unheilbar“), wird als „Einzelfall“ abgetan, „so lange keine kompetente wissenschaftliche Studie vorliegt“. Das beruhigt das ärztliche Gewissen, wenn wie bisher mit der nicht heilenden und die Folgen nicht verhütenden Medikation fortgefahren wird.

Auch im vorliegenden Fall hat diese Medikation den nach 7 Jahren „Behandlung“ auftretenden Herzinfarkt nicht verhütet (und das ist kein Einzelfall) – obwohl das doch regelmäßig von Ärzten behauptet und die ganze Pillenmedikation damit begründet wird, die mit Bluthochdruck einhergehenden Herz-Kreislauf-Risiken verhüten zu wollen!

Mit „kompetent“ meint der Kardiologe gewiss jene Koryphäen und Medizinpäpste, die in ihren Instituten Arzneimittelforschung gemäß der „herrschenden Lehrmeinung“ betreiben, welche von der einschlägigen Industrie gefördert oder ganz gesponsert wird. Nichtmedikamentöse Studien werden nicht gefördert und nicht durchgeführt, da nicht erwünscht. Gesundung, und das auch noch ohne Medikamente, könnte dann nicht mehr als „Einzelfall“ abgetan werden, und das wäre höchst kontraproduktiv für den von Krankheiten lebenden Macht- und Wirtschaftsbereich.

Die von mir über das Internet seit 2002 durchgeführte Bluthochdruckstudie ist, soweit mir bekannt, weltweit die einzige nichtmedikamentöse Studie, und sie wird ohne jegliche Förderung durchgeführt.

Objektiver Prüfstein für wahre Kompetenz ist nicht die Machtposition von Koryphäen und Medizinpäpsten in der Dogmenhierarchie der „modernen“ Medizin (einer „opinion-based medicine“, eine vorwiegend auf *Meinungen* herrschender Koryphäen basierende Medizin), sondern vielmehr die einfache Feststellung: „Wer heilt, hat recht!“

Das entspricht auch der zunehmend geforderten und erst vereinzelt praktizierten „evidence-based medicine“, einer auf Offenkundigkeit, Offensichtlichkeit der Wirkungen basierenden Medizin.

Wie die im Internet laufende Studie zeigt, ist dieser Fall auch kein „Einzelfall“ (*Meinung* des Kardiologen) mehr, sondern die Regel:

„Wie sie ihren Bluthochdruck heilten“

<http://www.dr-schnitzer.de/bluthochdruckstudie02-einfuehrung.html>

Es ist eine offene Studie, das heißt, auch weitere Teilnehmer können dazu beitragen, wenn sie durch konsequente Anwendung der in diesem Buch gegebenen Empfehlungen ihren Bluthochdruck ausgeheilt haben. Der Fragebogen für die Teilnahme ist:

<http://www.dr-schnitzer.de/inquiry2.html>

Bericht von Frau C. G. (68) aus Deutschland

1) Meine Bluthochdruck-Vorgeschichte

Bevor ich damit begann, Dr. Schnitzers Empfehlungen zu folgen, litt ich an Bluthochdruck seit 3 Jahren.

Mein durchschnittlicher Blutdruck war 170/100 mm/Hg. Beschwerden hatte ich außer Müdigkeit keine.

Ich hatte keine blutdrucksenkenden Mittel eingenommen.

2) Mein Beginn mit Dr. Schnitzers Empfehlungen

Ich begann vor 4 Monaten, Dr. Schnitzers Empfehlungen zu folgen:

Ich begann folgendes zu essen:	täglich	manchmal	nie
Zum Frühstück Müslis aus keimfähigen, frisch vor der Zubereitung geschroteten Getreidekörnern, mit frischen Früchten und Nüssen:	X		
Zum Mittag- und/oder Abendessen verschiedene Blattsalate und rohe Wurzelgemüsesalate	X		
Angekeimte Hülsenfrüchte (Kichererbsen, Linsen, grüne Mungobohnen) als Beilage zu den Salaten		X	
Früchte (Äpfel, Birnen, Ananas usw.) nach Jahreszeit	X		

Vollkornbrot und –gebäck aus keimfähigen, frisch vor der Teigbereitung gemahlenen Getreiden (z.B. Weizen, Dinkel, Roggen)		X	

Das entspricht einer Befolgung der Empfehlungen zu 80 %.

Folgendes begann ich zu meiden:	**völlig**	**meistens**	**verzehre ich noch**
Fleisch, Geflügel, Ei, Fisch, Meeresfrüchte		X	
Milch und Milchprodukte (Käse, Yoghurt usw.)		X	
Industriezucker, Auszugsmehle und Produkte, welche diese enthalten		X	
Erhitzte (gekochte) Gemüse (unschädliche Ausnahme: Gedämpfte Kartoffeln)		X	
Gekochtes Obst und Säfte (auch frisch gepresste)			X

Das entspricht einer Befolgung der Empfehlungen zu 40 %.

Die Empfehlungen, was zu essen und was zu meiden ist, wurden somit von mir insgesamt gewertet zu 60 % befolgt.

3) Meine Ärztin unterstützte mich wie folgt:

Meine Ärztin unterstützte mich voll. Sie hatte Bedenken gegen volle Rohkost.

Die beschriebenen kleinen Aderlässe (80-100 ml, 1 x pro Woche, max. 10 mal) zur Beschleunigung der Heilung hatte ich nicht.

4) Änderungen meines Blutdrucks und meiner Gesundheit

Mein durchschnittlicher Blutdruck unter der geänderten Ernährung war:

nach 4 Wochen: 150/95 mm/Hg;
nach 8 Wochen: 130/85 mm/Hg;
nach 12 Wochen: 130/85 mm/Hg.

Die folgenden Veränderungen meiner Gesundheit stellte ich seither fest:

Mein Gesundheitszustand ist inzwischen bestens, und ich danke Ihnen von Herzen für die Information. Ich spüre, wenn ich nicht konsequent mit meiner Ernährung bin, dass mein Körper sofort negativ reagiert.

5) Wie es mir jetzt geht

Gegenwärtig esse ich wie folgt:	**täg-lich**	**manch-mal**	**nie**
Zum Frühstück Müslis aus keimfähigen, frisch vor der Zubereitung geschroteten Getreidekörnern, mit frischen Früchten und Nüssen:	X		
Zum Mittag- und/oder Abendessen verschiedene Blattsalate und rohe Wurzelgemüsesalate	X		
Angekeimte Hülsenfrüchte (Kichererbsen, Linsen, grüne Mungobohnen) als Beilage zu den Salaten		X	
Früchte (Äpfel, Birnen, Ananas usw.) nach Jahreszeit		X	
Vollkornbrot und –gebäck aus keimfähigen, frisch vor der Teigbereitung gemahlenen Getreiden (z.B. Weizen, Dinkel, Roggen)	X		

Das entspricht einer Befolgung der Empfehlungen zu 80 %.

Gegenwärtig meide ich folgendes:	**völlig**	**meistens**	**verzehre ich noch**
Fleisch, Geflügel, Ei, Fisch, Meeresfrüchte	X		
Milch und Milchprodukte (Käse, Yoghurt usw.)	X		
Industriezucker, Auszugsmehle und Produkte, welche diese enthalten			X
Erhitzte (gekochte) Gemüse (unschädliche Ausnahme: Gedämpfte Kartoffeln)		X	
Gekochtes Obst und Säfte (auch frisch gepresste)	X		

Das entspricht einer Befolgung der Empfehlungen zu 70 %.

Die Empfehlungen, was zu essen und was zu meiden ist, werden von mir also insgesamt gewertet zu 75 % befolgt.

Mein gegenwärtiger durchschnittlicher Blutdruck ist 125/85 mm/Hg.

Meine Erfahrungen mit dieser Veränderung in meinem Leben:

Mein Leben hat sich sehr beruhigt, ich gehe mehr nach innen und es geht mir täglich besser. Nicht dass es mir zuvor schlecht ging, aber mein Leben war hektischer und stressiger.

Ich folge der Rohkost noch nicht vollständig; da ich sehr von Ayurveda beeinflusst bin, esse ich immer noch Reis, und leider schaffe ich es noch nicht ganz, von Schokolade wegzukommen, besonders abends vor dem Schlafengehen.

Ich glaube man sollte sich am Anfang nicht allzu sehr vergewaltigen im Bezug auf die Diät, da ja auch die Psyche und der Geist in Harmonie sein müssen, um ein gesundes Leben zu führen. Ich habe Ihre Bücher schon sehr oft weiterempfohlen und werde das auch weiterhin tun.

(So weit der Bericht von Frau C. G, 68 Jahre, vom 22. April 2004)

Anmerkungen zu dem Bericht von Frau C. G.

von Dr. Johann Georg Schnitzer

Wer gar nicht erst mit den Bluthochdruckpillen anfängt, sondern gleich die richtigen Ernährungsmaßnahmen trifft, erzielt leichter eine Normalisierung nicht nur des Blutdrucks, sondern auch der allgemeinen Gesundheit und damit auch der Psyche.

Schokolade ist da allerdings nicht das Richtige, und vor dem Zubettgehen ist sie ein direkter Zerstörungsangriff auf die Zähne, und der darin enthaltene Zucker beeinträchtigt die Verträglichkeit gesunder Kost.

Die „Bedenken gegen volle Rohkost" der Ärztin beruhen auf einer Wissenslücke. Denn es waren gerade die zu diesem Zeitpunkt noch konsumierten isolierten Kohlenhydrate (Industriezucker und Auszugsmehle) und außerdem Säfte, welche die Unverträglichkeit voller Rohkost verursacht haben (eine Erkenntnis von Dr. M. O. Bruker). Diese sind auch ein Grund für die noch relativ labile Gesundheitslage zu diesem Zeitpunkt: „... dass mein Körper sofort negativ reagiert".

Nichts spricht gegen Reis: Dieser hat durchaus die guten Wirkungen des vollen Korns, wenn er als Vollreis verwendet wird. Bei meiner von 1985 bis 1987 in Sri Lanka durchgeführten Lepra-Studie verwendeten wir für die Müslis frisch geschroteten Vollreis, der zerstoßen und über Nacht in etwas Wasser eingeweicht wurde. Weizen wäre in dem feuchten Klima nicht lagerfähig. Die übrige Kost bestand aus angekeimten Hülsenfrüchten und Blatt- und Wurzelgemüsesalaten, alles roh verzehrt.

Unter dieser Kost – volle Rohkost, der Schnitzer-Intensivkost entsprechend – waren schon nach 4 Wochen die Lepra-typischen brennenden Schmerzen der Haut verschwunden, und nach 10 Wochen waren teils handtellergroße Leprageschwüre abgeheilt, zunächst mit rosafarbener neuer Haut. In weiteren Wochen nahm diese dann auch die natürliche hellbraune Hautfarbe wieder an. Nichts also gegen volle Rohkost:

<http://www.dr-schnitzer.de/lepra-heilen.html>

Bericht von Herrn A. S. (55) aus der Schweiz

1) Meine Bluthochdruck-Vorgeschichte

Bevor ich damit begann, Dr. Schnitzers Empfehlungen zu folgen, litt ich an Bluthochdruck seit 10 Jahren.

Mein durchschnittlicher Blutdruck war 150/95 mm/Hg. Beschwerden hatte ich keine. Der Arzt wollte mir wegen meines Diabetes blutdrucksenkende Mittel verschreiben; ich weigerte mich und habe zum Glück Ihre Bücher entdeckt.

2) Mein Beginn mit Dr. Schnitzers Empfehlungen

Ich begann vor 6 Monaten, Dr. Schnitzers Empfehlungen zu folgen.

Ich begann folgendes zu essen:	täglich	manchmal	nie
Zum Frühstück Müslis aus keimfähigen, frisch vor der Zubereitung geschroteten Getreidekörnern, mit frischen Früchten und Nüssen:	X		
Zum Mittag- und/oder Abendessen verschiedene Blattsalate und rohe Wurzelgemüsesalate		X	
Angekeimte Hülsenfrüchte (Kichererbsen, Linsen, grüne Mungobohnen) als Beilage zu den Salaten			X

Früchte (Äpfel, Birnen, Ananas usw.) nach Jahreszeit	X		
Vollkornbrot und –gebäck aus keimfähigen, frisch vor der Teigbereitung gemahlenen Getreiden (z.B. Weizen, Dinkel, Roggen)		X	

Das entspricht einer Befolgung der Empfehlungen zu 60 %.

Folgendes begann ich zu meiden:	**völlig**	**meistens**	**verzehre ich noch**
Fleisch, Geflügel, Ei, Fisch, Meeresfrüchte		X	
Milch und Milchprodukte (Käse, Yoghurt usw.)	X		
Industriezucker, Auszugsmehle und Produkte, welche diese enthalten		X	
Erhitzte (gekochte) Gemüse (unschädliche Ausnahme: Gedämpfte Kartoffeln)		X	
Gekochtes Obst und Säfte (auch frisch gepresste)	X		

Das entspricht einer Befolgung der Empfehlungen zu 70 %.

Die Empfehlungen, was zu essen und was zu meiden ist, wurden somit von mir insgesamt gewertet zu 65 % befolgt.

3) Mein Arzt unterstützte mich wie folgt:

Mein Arzt unterstützte mich überhaupt nicht. Er äußerte sich dazu wie folgt: „Unmöglich."

Ich suchte mir einen anderen Arzt. Dieser unterstützte mich auch nicht besonders. Er glaubt nicht daran, sagt, es gäbe ganz selten Verbesserungen, eher zufällig.

Die beschriebenen kleinen Aderlässe (80-100 ml, 1 x pro Woche, max. 10 mal) zur Beschleunigung der Heilung hatte ich nicht.

4) Änderungen meines Blutdrucks und meiner Gesundheit

Mein durchschnittlicher Blutdruck unter der geänderten Ernährung war:

nach 4 Wochen: 140/90 mm/Hg;
nach 8 Wochen: 135/85 mm/Hg;
nach 12 Wochen: 120/80 mm/Hg.

Die folgenden Veränderungen meiner Gesundheit stellte ich seither fest: Insulinbedarf um 30 % reduziert.

5) Wie es mir jetzt geht

Gegenwärtig esse ich wie folgt:	**täg-lich**	**manch-mal**	**nie**
Zum Frühstück Müslis aus keimfähigen, frisch vor der Zubereitung geschroteten Getreidekörnern, mit frischen Früchten und Nüssen:	**X**		
Zum Mittag- und/oder Abendessen verschiedene Blattsalate und rohe Wurzelgemüsesalate	**X**		
Angekeimte Hülsenfrüchte (Kichererbsen, Linsen, grüne Mungobohnen) als Beilage zu den Salaten		**X**	
Früchte (Äpfel, Birnen, Ananas usw.) nach Jahreszeit	**X**		
Vollkornbrot und –gebäck aus keimfähigen, frisch vor der Teigbereitung gemahlenen Getreiden (z.B. Weizen, Dinkel, Roggen)		**X**	

Das entspricht einer Befolgung der Empfehlungen zu 80 %.

Gegenwärtig meide ich folgendes:	**völlig**	**meistens**	**verzehre ich noch**
Fleisch, Geflügel, Ei, Fisch, Meeresfrüchte		**X**	
Milch und Milchprodukte (Käse, Yoghurt usw.)	**X**		
Industriezucker, Auszugsmehle und Produkte, welche diese enthalten		**X**	
Erhitzte (gekochte) Gemüse (unschädliche Ausnahme: Gedämpfte Kartoffeln)		**X**	
Gekochtes Obst und Säfte (auch frisch gepresste)	**X**		

Das entspricht einer Befolgung der Empfehlungen zu 70 %.

Die Empfehlungen, was zu essen und was zu meiden ist, werden von mir also insgesamt gewertet zu 75 % befolgt.

Mein gegenwärtiger durchschnittlicher Blutdruck ist 120/80 mm/Hg.

Meine Erfahrungen mit dieser Veränderung in meinem Leben:

Leider Dauerkampf in Partnerschaft, ich muss die Konsequenzen ziehen und mich trennen. Mein Ziel ist immer noch, vom Insulin wegzukommen.

(So weit der Bericht von Herrn A. S., 55 Jahre, vom 23. April 2004)

Anmerkungen zu dem Bericht von Herrn A. S.

von Dr. Johann Georg Schnitzer

Hier hat bereits eine Einhaltung der empfohlenen Maßnahmen zu 65 % eine vollständige Normalisierung des langjährigen Bluthochdrucks auf 120/80 mm/Hg bewirkt, und der Insulinbedarf konnte um 30 % verringert werden. Die nachfolgende Steigerung auf eine 75-prozentige Einhaltung der empfohlenen Ernährungsmaßnahmen hat den erreichten Gesundungsgrad so stabilisiert, dass auch der berichtete Dauerkampf in der Partnerschaft (=Stressfaktor) diesem Erfolg nichts anhaben konnte.

Auch hier wurde von Anfang an auf blutdrucksenkende Mittel verzichtet, und auch hier konnte schon mit geringerer, nur 65-prozentiger Anwendung der empfohlenen Maßnahmen dann eine vollständige Normalisierung des Blutdrucks erreicht werden. Das legt die Vermutung nahe, dass die Einnahme blutdrucksenkender Mittel nachher eine natürliche Ausheilung des Bluthochdrucks durch artgerechte Ernährung schwieriger (wenn auch nicht ganz unmöglich) macht.

Denn die Pillentherapie gleicht dem Fahren mit Vollgas und angezogener Bremse: Der Organismus will durch erhöhten Blutdruck die Versorgung mit Sauerstoff und Energie trotz verengter Gefäße sichern; die Pillen vereiteln dies durch erzwungene Drucksenkung (was zu den „Nebenwirkungen" dieser Mittel führt); dagegen wehrt sich der Organismus mit doppelter Anstrengung. So können „blutdrucksenkende" Mittel reaktiv zu weiterer Blutdruckerhöhung führen, und wenn sie abgesetzt werden, die Ausheilung des Bluthochdrucks verzögern.

Für die „moderne Medizin" geben die beiden nacheinander konsultierten Ärzte ein Bild des Jammers ab. Der erste Arzt unterstützte den Patienten in seinem Bemühen um Gesundheit überhaupt nicht und warf ihm nur die Bemerkung „Unmöglich" an den Kopf. Auch der daraufhin konsultierte zweite Arzt unterstützte den Patienten (milde ausgedrückt) kaum und äußerte, er glaube nicht daran, es gäbe ganz selten Verbesserungen, eher zufällig.

Angesichts der Häufung solch ablehnender und teils sogar abratender Haltungen von Vertretern der „modernen Medizin“ drängen sich die folgenden Fragen auf:

- Ist das tatsächlich ärztliches Nichtwissen?
- Ist es ein die Tatsachen ignorierender „blinder Glaube“ an das herrschende, längst obsolet gewordene Lehrdogma?
- Ist es „selektive Wahrnehmung“, ein Ausblenden aller auf Heilbarkeit hindeutenden Erfahrungen und Beobachtungen?
- Geht es darum, das eigene ärztliche Gewissen zu beruhigen und trotz solch „beunruhigender“ Beobachtungen von sich häufenden ‚spontanen' Heilungen“ weitermachen zu können wie bisher?
- Ist es, trotz insgeheim besseren Wissens, Teil einer Kampagne „gezielter Desinformation“, um die Pfründe aus chronisch an Bluthochdruck, Diabetes oder beidem leidenden Patienten nicht zu verlieren, die immerhin zusammen ca. 75 % der Gesamteinnahmen ärztlicher Praxen ausmachen, so lange deren Gesundung durch Vorenthalten des „Gewusst Wie“ verhindert wird?

Juristisch gesehen kann es jedenfalls bei Nichtwissen eine unterlassene, bei Untätigkeit trotz besseren Wissens sogar eine verweigerte Hilfeleistung sein, mit welchen Tatbeständen sich das Strafgesetzbuch befasst.

Ein Verstoß gegen den „Eid des Hippokrates“ ist es auf jeden Fall.

Bericht von Herrn S. H. (39) aus Deutschland

1) Meine Bluthochdruck-Vorgeschichte

Bevor ich damit begann, Dr. Schnitzers Empfehlungen zu folgen, litt ich an Bluthochdruck seit 9 Jahren.

Mein durchschnittlicher Blutdruck war 145/100 mm/Hg, bevor ich Medikamente einnahm. Beschwerden hatte ich folgende:

Große innere Unruhe, Nervosität, Gereiztheit, starke Stimmungsschwankungen.

Zuletzt nahm ich die folgenden mir verschriebenen Medikamente ein:

Selectol	1 x täglich
Lorzaar	1 x täglich

Unter dieser Medikation war mein Blutdruck 135/95 mm/Hg. Beschwerden hatte ich unter dieser Medikation keine.

2) Mein Beginn mit Dr. Schnitzers Empfehlungen

Ich begann vor 10 Monaten, Dr. Schnitzers Empfehlungen zu folgen.

Ich begann folgendes zu essen:	täglich	manchmal	nie
Zum Frühstück Müslis aus keimfähigen, frisch vor der Zubereitung geschroteten Getreidekörnern, mit frischen Früchten und Nüssen:	X		
Zum Mittag- und/oder Abendessen verschiedene Blattsalate und rohe Wurzelgemüsesalate		X	
Angekeimte Hülsenfrüchte (Kichererbsen, Linsen, grüne Mungobohnen) als Beilage zu den Salaten		X	
Früchte (Äpfel, Birnen, Ananas usw.) nach Jahreszeit	X		
Vollkornbrot und –gebäck aus keimfähigen, frisch vor der Teigbereitung gemahlenen Getreiden (z.B. Weizen, Dinkel, Roggen)		X	

Das entspricht einer Befolgung der Empfehlungen zu 70 %.

Folgendes begann ich zu meiden:	völlig	meistens	verzehre ich noch
Fleisch, Geflügel, Ei, Fisch, Meeresfrüchte	X		
Milch und Milchprodukte (Käse, Yoghurt usw.)		X	
Industriezucker, Auszugsmehle und Produkte, welche diese enthalten		X	
Erhitzte (gekochte) Gemüse (unschädliche Ausnahme: Gedämpfte Kartoffeln)		X	
Gekochtes Obst und Säfte (auch frisch gepresste)	X		

Das entspricht einer Befolgung der Empfehlungen zu 70 %.

Die Empfehlungen, was zu essen und was zu meiden ist, wurden somit von mir insgesamt gewertet zu 70 % befolgt.

3) Mein Arzt unterstützte mich wie folgt:

Mein Arzt unterstützte mich überhaupt nicht. Er äußerte sich dazu wie folgt: „Die Ausheilung des Bluthochdrucks ist nicht möglich. Die Medikation ist dauerhaft notwendig. Alternativen gibt es nicht."

Einen anderen Arzt suchte ich mir nicht.

Die beschriebenen kleinen Aderlässe (80-100 ml, 1 x pro Woche, max. 10 mal) zur Beschleunigung der Heilung hatte ich nicht.

4) Änderungen meines Blutdrucks und meiner Gesundheit

Mein durchschnittlicher Blutdruck unter der geänderten Ernährung war:

nach 4 Wochen: 135/90 mm/Hg;
nach 8 Wochen: 125/82 mm/Hg;
nach 12 Wochen: 130/90 mm/Hg.

Die blutdrucksenkenden Medikamente setzte ich wie folgt ab:

Lorzaar	nach 6 Wochen
Selectol	nach 10 Wochen

Die folgenden Veränderungen meiner Gesundheit stellte ich seither fest: Sehr gutes allgemeines Wohlbefinden.

5) Wie es mir jetzt geht

Gegenwärtig esse ich wie folgt:	**täglich**	**manchmal**	**nie**
Zum Frühstück Müslis aus keimfähigen, frisch vor der Zubereitung geschroteten Getreidekörnern, mit frischen Früchten und Nüssen:	**X**		
Zum Mittag- und/oder Abendessen verschiedene Blattsalate und rohe Wurzelgemüsesalate		**X**	

Angekeimte Hülsenfrüchte (Kichererbsen, Linsen, grüne Mungobohnen) als Beilage zu den Salaten		X	
Früchte (Äpfel, Birnen, Ananas usw.) nach Jahreszeit	X		
Vollkornbrot und –gebäck aus keimfähigen, frisch vor der Teigbereitung gemahlenen Getreiden (z.B. Weizen, Dinkel, Roggen)		X	

Das entspricht einer Befolgung der Empfehlungen zu 70 %.

Gegenwärtig meide ich folgendes:	**völlig**	**meistens**	**verzehre ich noch**
Fleisch, Geflügel, Ei, Fisch, Meeresfrüchte	X		
Milch und Milchprodukte (Käse, Yoghurt usw.)		X	
Industriezucker, Auszugsmehle und Produkte, welche diese enthalten		X	
Erhitzte (gekochte) Gemüse (unschädliche Ausnahme: Gedämpfte Kartoffeln)		X	
Gekochtes Obst und Säfte (auch frisch gepresste)	X		

Das entspricht einer Befolgung der Empfehlungen zu 70 %.

Die Empfehlungen, was zu essen und was zu meiden ist, werden von mir also insgesamt gewertet zu 70 % befolgt.

Mein gegenwärtiger durchschnittlicher Blutdruck ist 128/88 mm/Hg.

Meine Erfahrungen mit dieser Veränderung in meinem Leben:

Sehr gutes allgemeines Wohlbefinden. Keinerlei Krankheiten wie Grippe oder Erkältungen. Sehr gute Leistungsfähigkeit und Ausgewogenheit..

So weit der Bericht von Herrn S. H. vom 3. Mai 2004, mittels Fragebogen der Bluthochdruckstudie. Außerdem schrieb er in einer E-Mail:

„Betrifft: Vielen Dank – Blutdruckheilung war erfolgreich!

Sehr geehrter Herr Dr. Schnitzer, die große Freude über die Ausheilung des Bluthochdruckes und mein hervorragendes Wohlbefinden sind der Anlass für diesen Brief. Auf diesem Wege möchte ich mich recht herzlich bei Ihnen für Ihre unermüdliche und aufopfernde Arbeit an der Gesundheit der Menschen bedanken. Waren es doch die zahlreichen Bücher, Internetinformationen und Kontakte, welche mir zur Rückerlangung meiner Gesundheit verholfen haben. Zu meiner Person: Geboren 1967, bin ich seit 1992 als Projektingenieur tätig. Sitzende Tätigkeit und erhebliche Stressfaktoren begleiteten und begleiten meinen Alltag. Der Umgang damit hat sich allerdings erheblich geändert.

Zur Ernährung sei gesagt, dass ich vor Erkennung meiner Leiden eine kaum bewusste Ernährungsweise betrieben habe, war diese doch von den allgemeinen gesellschaftlichen Bedingungen und dem Alltagsrhythmus geprägt. Fettiges Essen, Süßigkeiten und falsche Kombinationen waren an der Tagesordnung. Seit 1995 treibe ich wieder regelmäßig Sport, Fußball und Ausdauerlauf. Den Fußball habe ich inzwischen aufgegeben. Das Verletzungsrisiko und die damit einhergehenden beruflichen Risiken sind einfach zu hoch.

Zunächst werde ich Ihnen meinen Krankheits- und Heilungsverlauf kurz darlegen:

02/1998: Schlagartiger gesundheitlicher Zusammenbruch auf der Arbeit, sehr starkes Durstgefühl, schwindelig… Einlieferung ins Krankenhaus, Blutdruck 220/120, sehr schlecht Blutfettwerte, Nierenwerte nicht in Ordnung. 14-tägiger Krankenhausaufenthalt und Einstellung auf Beta-Blocker (1 x Selectol täglich). Eingestellter Wert: 135/85. Gewicht: 75 kg (bei einer Körpergröße von 176 cm).

Rückkehr in den Alltag, nach kurzer Zeit erneute Probleme. Anfallartige, schlechte Gesundheitszustände. Nach einem Besuch bei McDonalds mit Genuss von Cola, Burger und Pommes wieder schlechtes Befinden, am ganzen Körper gezittert. Erneuter Check bei verschiedenen „Experten“: ohne Ergebnis.

05/1998-03/2001: Erkenntnis, dass die Schwierigkeiten durch Aufnahme bestimmter Nahrungsmittel oder Kombinationen verursacht werden. Durch Vermeidung dieser konnten die anfallartigen Schwierigkeiten weitgehend vermieden bzw. gemindert werden. Regelmäßiger Besuch des Hausarztes (FA für innere Medizin) und Untersuchungen. Die Frage, ob die Situation der Einnahme von Medikamenten in der Zukunft irgendwie verändert werden könnte, wurde ausdrücklich verneint. Beschäftigung mit Stressbewältigung durch YOGA und damit weitere Änderung der Lebens- und Ernährungsgewohnheiten. 1998 Gewichtsreduzierung auf 70 kg, bis 2001 allerdings wieder Zunahme auf 75 kg bedingt durch sich einschleichende Unachtsamkeiten.

03/2001: Ärzteehepaar kennen gelernt. Nach Aussage dieser wirklich hilfsbereiten Menschen ist mein Krankheitsbild für einen so jungen Menschen nicht normal. Daraufhin erneute Aufnahme im Krankenhaus in der Abteilung der Ärztin zu weiterführenden Untersuchungen. Aber auch diese sehr intensiven Prozeduren führten zu keinem Ergebnis. Ein „besseres" (und natürlich teureres) Blutdruckmedikament wurde eingestellt: 1 x LORZAAR täglich.

09/2001: Intensivierung der Yoga-Übungen über Kontakte zu entsprechenden Lehrern und weitere Umstellung der Ernährung (sättigende Nahrung => möglichst natürlich).

12/2001: Letzter Fleischgenuss, danach lakto-vegetarische Ernährung. (allerdings mit relativ viel Käse).

02/2002: Erneute Schwierigkeiten, hoher Blutdruck (160/105). Einlieferung in Krankenhaus (5 Tage), ohne Ergebnis. Neueinstellung der Blutdruckmedikamente (1 Selectol, 1 Lorzaar) => Blutdruck 135/95, Gewicht: 68 kg. Nach eigenen Erkenntnissen war die Ursache der regelmäßige Genuss von gesalzenen Pistazien.

05/2002: Eigene Untersuchungen über die Abhängigkeit des Blutdrucks vom Luftdruck. Erstaunliche Erkenntnisse über einen langen Zeitraum: Starke Schwankungen des Luftdruckes begünstigen den Bluthochdruck. In den Zeiträumen meiner Schwierigkeiten lagen jeweils solche starken Schwankungen vor. Eine weitere Erkenntnis: durch das Weglassen von Salz wird diese Abhängigkeit gebrochen. Blutdruckwerte schwankend, im Durchschnitt aber 135/95.

07/2003: Recherche im Internet führt zu Dr. Schnitzer. Beschaffung aller notwendigen Geräte und Hilfsmittel zur Realisierung der Schnitzer-Kost.

08/2003: Beginn mit Schnitzer-Normalkost. Für mich wichtigste Änderung: kein Käse und keine Milchprodukte. Einhaltungsrate: ca. 80%.

10/2003: Blutdruck fällt auf 120/82. Weglassen von Lorzaar wird möglich. Wichtigste Erkenntnis: Keinerlei Auswirkungen auf den Blutdruckwert. Gewicht: 65 kg.

12/2003: Wegfall Beta-Blocker SELECTOL: Zunächst für einige Tage Anstieg des Blutdruckes auf 145/100, dann fallend. Gewicht: 63 kg.

4/2004: Blutdruck heute im Wochendurchschnitt 130/90. Tendenz weiter fallend. Bei Abweichung in der Ernährung allerdings sofort wieder schwankend. Ich erfreue mich bester Gesundheit und fühle mich sehr wohl. Sportliche Betätigung: Heute laufe ich 2-3 mal pro Woche 10-15 km als Ausdauer-Langlauf.

Weitere Ziele: Am 15. Mai 2004 werde ich am Rennsteigmarathon teilnehmen. Ein weiteres Ziel ist die Ausbildung zum Yoga-Lehrer und Ernährungsberatung. Auf diese Weise möchte ich meine gewonnenen Erfahrungen weitervermitteln und möglichst vielen Menschen zugänglich machen.

Die Erkenntnisse zum Thema Gesundheit führen mich inzwischen zu Betrachtungen über dieses Thema hinaus. Es stellt sich für mich in verschiedenen Lebensbereichen die Frage, inwiefern wir den Manipulationen, Einflüssen und Prägungen der Gesellschaft unterliegen? Handelt es sich hierbei um die gezielte „Verdummung“ des eigentlich kreativen Wesens Mensch mit dem Ziel der Ausnutzung seiner Energien zum Nutzen anderer? Filme wie „Matrix 1“ oder „Sie leben“ und die Auseinandersetzung mit fernöstlichen Philosophien und dem Buddhismus bestärken mich in diesen Betrachtungen.

Das Leben hat sich für mich durch die Krankheit und deren weitgehende Ausheilung Dank Ihrer Empfehlungen vollkommen verändert. Nochmals vielen Dank dafür. Ich wünsche Ihnen alles Gute, viel Gesundheit und weiterhin viel Kraft für die Verbreitung Ihrer Heilungsmethoden. Ich werde Sie im Rahmen meiner Möglichkeiten in meinem Bekanntenkreis und persönlichen Umfeld stets weiterempfehlen.

Mit freundlichen Grüßen, S.H., (36 Jahre)“

Anmerkungen zu dem Bericht von Herrn S. H.

von Dr. Johann Georg Schnitzer

Mit Anwendung der empfohlenen Maßnahmen zu ca. 70 % hat dieser Patient, der zuvor 9 Jahre lang unter nicht heilende Dauermedikation gesetzt worden war und dabei viel durchmachen musste, innerhalb von nur 12 Wochen seinen Blutdruck normalisiert – ohne solche Pillen!

Und nicht nur das – seine ganze konstitutionelle Gesundheit, sein Wohlbefinden, sein Immunsystem, seine körperliche Leistungsfähigkeit und seine psychische Ausgewogenheit sind optimal und lassen nichts mehr zu wünschen übrig.

Warum? weil hier eine chronische Krankheit nicht mit Pillen „bekämpft“, „behandelt“ oder „eingestellt“, sondern einfach durch Wiederherstellung der natürlichen Gesundheitsgrundlagen geheilt wurde.

Durch seinen zusätzlichen dokumentarischen E-Mail-Bericht hat der Patient nicht nur für andere an Bluthochdruck leidende Menschen, sondern vor allem auch für Ärzte und „Gesundheitspolitiker“ deutlich gemacht, welche Odyssee den Millionen von Bluthochdruckkranken aufgrund des dürftigen Wissens sogenannter „Experten“ zugemutet wird, wie viel Schaffenskraft fähiger, hoch ausgebildeter Fachleute im besten Mannesalter (hier ein jetzt 36-jähriger Projektingenieur in der Industrie), welche die Wirtschaft dringend braucht, durch das Fehlen eines effektiven Gesundheitswesens verloren geht.

Ein weiteres Mal wird klar, wie einfach es wäre, die Gesundheit der Bevölkerung und die eigene auf natürliche Weise zu erhalten, und die Menschen vor solchen chronischen Krankheiten und vor den aufgestellten Fallen eines kranken, durch möglichst viele und möglichst chronische Krankheiten prosperierenden „Gesundheitswesens“ zu schützen.

Sein autoritärer Arzt aber, der den Patienten beim Bemühen um Wiedergesundung überhaupt nicht unterstützte, wurde alsdann durch den mittels „Selbsthilfe“ erzielten Gesundungserfolg des Patienten als anmaßender Ignorant bloßgestellt (Si tacuisses, philosophus mansisses – wenn du geschwiegen hättest, wärest du ein Philosoph geblieben).

Hätte dieser Arzt angesichts seiner mangelhaften Kenntnisse und seiner überholten dogmatischen Auffassungen gesagt: „*Meines Wissens* ist die Ausheilung des Bluthochdrucks nicht möglich, deshalb *sehe ich* nur die Möglichkeit dauerhafter Medikation. Alternativen sind *mir* nicht bekannt“ – dann wäre er wenigstens (wenn er es wirklich nicht wusste) ehrlich geblieben, mit dem Risiko allerdings, dass der Patient das Vertrauen in ihn verloren hätte und er seinen Patienten.

So aber versuchte der Arzt, durch die unwahre absolute Behauptung „Die Ausheilung des Bluthochdrucks ist nicht möglich. Die Medikation ist dauerhaft notwendig. Alternativen gibt es nicht.“ – den Patienten als Dauereinnahmequelle auch weiterhin zu erhalten, indem er ihm suggerierte: Anderes und anderswo brauchst du gar nicht erst zu versuchen!

Zu diesem ethischen und moralischen Verfall der einstmals hoch angesehenen Medizin und der Gesellschaft im Ganzen, welcher inzwischen auch diesem geheilten Patienten zu denken gibt, braucht man jedoch nicht erst in Philosophien und Religionen aus Fernost nach Hilfe und Halt zu suchen; beides findet man auch schon in reichem Maße in den philosophischen und religiösen Grundlagen des Abendlandes.

Bericht von Herrn W. E. (36) aus Deutschland

1) Meine Bluthochdruck-Vorgeschichte

Bevor ich damit begann, Dr. Schnitzers Empfehlungen zu folgen, litt ich an Bluthochdruck seit 10 Jahren.

Mein durchschnittlicher Blutdruck war 160/100 mm/Hg, bevor ich Medikamente einnahm.

Beschwerden hatte ich folgende: Schwindel, Kurzatmigkeit, Herzklopfen bei Anstrengung.

Zuletzt nahm ich das folgende mir verschriebene Medikament ein:

ACE Hemmer	1 x täglich

Unter dieser Medikation war mein Blutdruck 145/95 mm/Hg. Meine Beschwerden unter dieser Medikation waren folgende: Siehe oben.

2) Mein Beginn mit Dr. Schnitzers Empfehlungen

Ich begann vor 1 Jahr und 3 Monaten, Dr. Schnitzers Empfehlungen zu folgen.

Ich begann folgendes zu essen:	täglich	manchmal	nie
Zum Frühstück Müslis aus keimfähigen, frisch vor der Zubereitung geschroteten Getreidekörnern, mit frischen Früchten und Nüssen:	X		
Zum Mittag- und/oder Abendessen verschiedene Blattsalate und rohe Wurzelgemüsesalate	X		
Angekeimte Hülsenfrüchte (Kichererbsen, Linsen, grüne Mungobohnen) als Beilage zu den Salaten		X	

Früchte (Äpfel, Birnen, Ananas usw.) nach Jahreszeit	X		
Vollkornbrot und –gebäck aus keimfähigen, frisch vor der Teigbereitung gemahlenen Getreiden (z.B. Weizen, Dinkel, Roggen)	X		

Das entspricht einer Befolgung der Empfehlungen zu 90 %.

Folgendes begann ich zu meiden:	völlig	meistens	verzehre ich noch
Fleisch, Geflügel, Ei, Fisch, Meeresfrüchte		X	
Milch und Milchprodukte (Käse, Yoghurt usw.)		X	
Industriezucker, Auszugsmehle und Produkte, welche diese enthalten	X		
Erhitzte (gekochte) Gemüse (unschädliche Ausnahme: Gedämpfte Kartoffeln)		X	
Gekochtes Obst und Säfte (auch frisch gepresste)	X		

Das entspricht einer Befolgung der Empfehlungen zu 70 %.

Die Empfehlungen, was zu essen und was zu meiden ist, wurden somit von mir insgesamt gewertet zu 80 % befolgt.

3) Mein Arzt unterstützte mich wie folgt:

Mein Arzt unterstützte mich überhaupt nicht. Ich habe nicht einmal den Versuch gewagt, um Unterstützung zu bitten. Einen anderen Arzt suchte ich mir nicht.

Die beschriebenen kleinen Aderlässe (80-100 ml, 1 x pro Woche, max. 10 mal) zur Beschleunigung der Heilung hatte ich nicht.

4) Änderungen meines Blutdrucks und meiner Gesundheit

Mein durchschnittlicher Blutdruck unter der geänderten Ernährung war:

nach 4 Wochen: 155/95 mm/Hg;

nach 8 Wochen: 150/90 mm/Hg;

nach 12 Wochen: 145/90 mm/Hg.

Das blutdrucksenkende Medikament setzte ich sofort bei Beginn der geänderten Ernährung ab. Folgende Veränderungen stellte ich fest:

Weniger Herzklopfen, weniger Atemnot, weniger Schwindel.

5) Wie es mir jetzt geht

Gegenwärtig esse ich wie folgt:	täg-lich	manch-mal	nie
Zum Frühstück Müslis aus keimfähigen, frisch vor der Zubereitung geschroteten Getreidekörnern, mit frischen Früchten und Nüssen:	X		
Zum Mittag- und/oder Abendessen verschiedene Blattsalate und rohe Wurzelgemüsesalate	X		
Angekeimte Hülsenfrüchte (Kichererbsen, Linsen, grüne Mungobohnen) als Beilage zu den Salaten		X	
Früchte (Äpfel, Birnen, Ananas usw.) nach Jahreszeit	X		
Vollkornbrot und –gebäck aus keimfähigen, frisch vor der Teigbereitung gemahlenen Getreiden (z.B. Weizen, Dinkel, Roggen)	X		

Das entspricht einer Befolgung der Empfehlungen zu 90 %.

Gegenwärtig meide ich folgendes:	völlig	meistens	verzehre ich noch
Fleisch, Geflügel, Ei, Fisch, Meeresfrüchte		X	
Milch und Milchprodukte (Käse, Yoghurt usw.)		X	
Industriezucker, Auszugsmehle und Produkte, welche diese enthalten	X		
Erhitzte (gekochte) Gemüse (unschädliche Ausnahme: Gedämpfte Kartoffeln)		X	
Gekochtes Obst und Säfte (auch frisch gepresste)	X		

Das entspricht einer Befolgung der Empfehlungen zu 70 %.

Die Empfehlungen, was zu essen und was zu meiden ist, werden von mir also insgesamt gewertet zu 80 % befolgt.

Mein gegenwärtiger durchschnittlicher Blutdruck ist 125/80 mm/Hg.

Meine Erfahrungen mit dieser Veränderung in meinem Leben:

Schnitzer-Kost hat für mich nur positive Veränderungen in meinem Leben zur Folge.

(So weit der Bericht von Herrn W. E., 36 Jahre, vom 4. Mai 2004)

Anmerkungen zu dem Bericht von Herrn W. E.

von Dr. Johann Georg Schnitzer

Im Alter von 26 Jahren erkrankte dieser Patient bereits an Bluthochdruck, und wurde dann 10 Jahre lang erfolglos mit der täglichen Einnahme eines ACE Hemmers behandelt: Weder erreichte der Blutdruck (mit trotzdem noch 145/95) normale Werte, noch wurden die Beschwerden geringer (Schwindel, Kurzatmigkeit, Herzklopfen bei Anstrengung).

Mit der Ernährungsumstellung (die Ernährungsempfehlungen zu 80 % anwendend) setzte der Patient den ACE Hemmer sofort vollständig ab. Gegenüber dem ursprünglich unbehandelten Wert (160/100) waren es nach 4 Wochen noch155/95, nach 8 Wochen 150/90, nach 12 Wochen 145/90, bei gleichzeitigem Nachlassen der Beschwerden: „Weniger Herzklopfen, weniger Atemnot, weniger Schwindel". 1 Jahr später hatte sich der Blutdruck mit 125/82 vollständig normalisiert, und der Patient berichtet von nur positiven Veränderungen in seinem Leben durch diese Ernährungsumstellung.

Seinen Arzt um Unterstützung zu bitten bei dem Bemühen, gesund zu werden, diesen Versuch hat der Patient nicht einmal gewagt.

Der zeitlich verzögerte Heilungsverlauf ist ein weiterer Hinweis darauf, dass nach zunächst medikamentöser Blutdrucksenkung die völlige Ausheilung mehr Zeit braucht. Denn der Organismus hatte gute und intelligente Gründe, den Blutdruck zu erhöhen, weil der Strömungswiderstand im Kreislauf durch verengte Gefäße und dickflüssigeres Blut (höhere Viskosität) erhöht war. Nur mit höherem „Pumpendruck" konnte die Versorgung des Organismus mit Sauerstoff und Energie sichergestellt werden. Jeder Ingenieur würde die gleiche Maßnahme treffen.

Wird in dieser Situation, ohne Normalisierung des Strömungswiderstandes (was nur mit den empfohlenen Ernährungsmaßnahmen geht) der Blutdruck per Medikation „normalisiert" (heruntergedrückt), so ist die Versorgung mit Sauerstoff und Energie unzureichend. Deshalb treten dann erst richtig Beschwerden auf, die als „Nebenwirkungen" der Medikamente fehlgedeutet werden, und deshalb strengt sich der Organismus an, trotz der medikamentösen Behinderung auch weiterhin einen höheren Blutdruck zu fahren. Das ist der Mechanismus, wie „blutdrucksenkende" Medikamente als Langzeitfolge reaktiv blutdruckerhöhend wirken können – selbst nachdem sie abgesetzt worden sind.

Von der weniger „intelligenten" modernen Medizin werden die unverstandenen Bemühungen des Organismus, den situationsbedingt erforderlichen höheren Blutdruck aufrecht zu erhalten, mit Erhöhungen der Dosierungen und weiteren Medikamenten beantwortet – bis der medikamentös vergewaltigte Organismus aufgeben muss und es zur Herz-Kreislauf-Katastrophe kommt (Herzinfarkt, Hirnschlag, Embolie). Die heutige „Standardtherapie des Bluthochdrucks" umfasst nicht weniger als 5 verschiedene Medikamente, die täglich, und das bis ans Lebensende, teils mehrfach einzunehmen sind! Der Umsatz mit diesen Bluthochdruckmedikamenten beträgt derzeit allein in Deutschland geschätzte 50 bis 75 Millionen EUR, nicht pro Jahr, sondern pro Tag. Im Jahr sind es dann stolze ca. 23,5 Milliarden (= 23500 mal 1 Million) Pharma-Umsatz.

Wirtschaftlich gesehen wird es mit einer solchen persönlichen Herz-Kreislauf-Katastrophe des Patienten für die „moderne Medizin" erst richtig interessant – und so setzt sie jetzt mit hohem Aufwand und noch höheren Honorareinnahmen und Krankenhausrechnungen alles daran, das Leben des Patienten zu retten (was vor der Katastrophe mit einer einfachen Ernährungsberatung so viel kostengünstiger zu machen gewesen wäre). Denn tot würde der Patient natürlich auch nichts mehr bringen.

Allerdings bleiben bei diesem riskanten Spiel (es ist wie „Russisches Roulette") am Ende, wenn auch teils erst beim zweiten oder dritten „Lebensrettungsversuch" („Intensivstation"=„Kosten-Einnahmen-intensiv"), nicht weniger als die Hälfte aller Zivilisationsbürger auf der Strecke. Macht auch wieder nichts – es werden ja fortlaufend genügend neue Fälle diesem Roulette-Spiel mit dem Tod zugeführt.

Dieser Patient hat Glück gehabt, weil er noch rechtzeitig den Zugang zu dem Wissen gefunden hat, mit welchem er sich selbst aus diesem Circulus vitiosus („Teufelskreis") befreien konnte.

Bericht von Frau P. S. (46) aus Deutschland

1) Meine Bluthochdruck-Vorgeschichte

Bevor ich damit begann, Dr. Schnitzers Empfehlungen zu folgen, litt ich an Bluthochdruck seit 15 Jahren und 6 Monaten. Mein durchschnittlicher Blutdruck war 180/120 mm/Hg, bevor ich Medikamente einnahm. An Beschwerden hatte ich Kopfschmerzen, Übelkeit, Schwindelgefühl.

Zuletzt nahm ich die folgenden mir verschriebenen Medikamente ein:

Selektol	½ Dosis pro Tag
Diovan 160	½ Dosis pro Tag
L-Thyroxin 50	1 Dosis pro Tag

Unter dieser Medikation war mein Blutdruck 110/75 mm/Hg. Meine Beschwerden unter dieser Medikation waren folgende: Kopfschmerzen, Übelkeit, Schwindelgefühl, Depressionen, Gliederschmerzen.

2) Mein Beginn mit Dr. Schnitzers Empfehlungen

Ich begann vor 4 Monaten, Dr. Schnitzers Empfehlungen zu folgen.

Ich begann folgendes zu essen:	**täglich**	**manchmal**	**nie**
Zum Frühstück Müslis aus keimfähigen, frisch vor der Zubereitung geschroteten Getreidekörnern, mit frischen Früchten und Nüssen:	**X**		
Zum Mittag- und/oder Abendessen verschiedene Blattsalate und rohe Wurzelgemüsesalate	**X**		
Angekeimte Hülsenfrüchte (Kichererbsen, Linsen, grüne Mungobohnen) als Beilage zu den Salaten		**X**	
Früchte (Äpfel, Birnen, Ananas usw.) nach Jahreszeit	**X**		
Vollkornbrot und –gebäck aus keimfähigen, frisch vor der Teigbereitung gemahlenen Getreiden (z.B. Weizen, Dinkel, Roggen)	**X**		

Das entspricht einer Befolgung der Empfehlungen zu 90 %.

Folgendes begann ich zu meiden:	**völlig**	**meistens**	**verzehre ich noch**
Fleisch, Geflügel, Ei, Fisch, Meeresfrüchte	**X**		
Milch und Milchprodukte (Käse, Yoghurt usw.)	**X**		
Industriezucker, Auszugsmehle und Produkte, welche diese enthalten	**X**		

Erhitzte (gekochte) Gemüse (unschädliche Ausnahme: Gedämpfte Kartoffeln)	X		
Gekochtes Obst und Säfte (auch frisch gepresste)	X		

Das entspricht einer Befolgung der Empfehlungen zu 100 %.

Die Empfehlungen, was zu essen und was zu meiden ist, wurden somit von mir insgesamt gewertet zu 95 % befolgt.

3) Meine Ärztin unterstützte mich wie folgt:

Ich habe mit meiner Hausärztin noch nicht darüber gesprochen. Einen anderen Arzt suchte ich mir nicht.

Die beschriebenen kleinen Aderlässe (80-100 ml, 1 x pro Woche, max. 10 mal) zur Beschleunigung der Heilung hatte ich nicht.

4) Änderungen meines Blutdrucks und meiner Gesundheit

Mein durchschnittlicher Blutdruck unter der geänderten Ernährung war:

nach 4 Wochen: 145/100 mm/Hg;
nach 8 Wochen: 145/95 mm/Hg;
nach 12 Wochen: 140/90 mm/Hg.

Die blutdrucksenkenden Medikamente setzte ich mit Beginn der geänderten Ernährung wie folgt ab:

Selektol	sofort
Diovan 160	nach 2 Wochen
L-Thyroxin 50	nach 2 Wochen

Die folgenden Veränderungen meiner Gesundheit stellte ich seither fest:

Nach dem Absetzen der Medikamente verspürte ich ca. 3 bis 4 Wochen so etwas wie Entzugserscheinungen, also innere Unruhe und Zittern. Danach Besserung des Allgemeinbefindens bis hin zum vorher nicht gekannten Wohlbefinden. Meine Leistungsfähigkeit steigerte sich deutlich.

5) Wie es mir jetzt geht

Gegenwärtig esse ich wie folgt:	täglich	manchmal	nie
Zum Frühstück Müslis aus keimfähigen, frisch vor der Zubereitung geschroteten Getreidekörnern, mit frischen Früchten und Nüssen:	X		
Zum Mittag- und/oder Abendessen verschiedene Blattsalate und rohe Wurzelgemüsesalate	X		
Angekeimte Hülsenfrüchte (Kichererbsen, Linsen, grüne Mungobohnen) als Beilage zu den Salaten		X	
Früchte (Äpfel, Birnen, Ananas usw.) nach Jahreszeit	X		
Vollkornbrot und –gebäck aus keimfähigen, frisch vor der Teigbereitung gemahlenen Getreiden (z.B. Weizen, Dinkel, Roggen)	X		

Das entspricht einer Befolgung der Empfehlungen zu 90 %.

Gegenwärtig meide ich folgendes:	völlig	meistens	verzehre ich noch
Fleisch, Geflügel, Ei, Fisch, Meeresfrüchte	X		
Milch und Milchprodukte (Käse, Yoghurt usw.)	X		
Industriezucker, Auszugsmehle und Produkte, welche diese enthalten	X		
Erhitzte (gekochte) Gemüse (unschädliche Ausnahme: Gedämpfte Kartoffeln)	X		
Gekochtes Obst und Säfte (auch frisch gepresste)	X		

Das entspricht einer Befolgung der Empfehlungen zu 100 %.

Die Empfehlungen, was zu essen und was zu meiden ist, werden von mir also insgesamt gewertet zu 95 % befolgt.

Mein gegenwärtiger durchschnittlicher Blutdruck ist 135/90 mm/Hg.

Meine Erfahrungen mit dieser Veränderung in meinem Leben:

Ich fühle mich super! Auf keinen Fall möchte ich zurück zur Medikamenteneinnahme und zu den alten falschen Ernährungsgewohnheiten.

(So weit der Bericht von Frau P. S., 46 Jahre, vom 23. Mai 2004)

Anmerkungen zu dem Bericht von Frau P. S.

von Dr. Johann Georg Schnitzer

15 Jahre und 6 Monate lang hatte diese Patientin unter Bluthochdruck gelitten, der zwar mit schulmedizinischer Dauermedikation bei scheinbar „normalen", sogar etwas zu niederen Werten gehalten wurde, jedoch um den Preis der Vermehrung der schon vorher vorhandenen Beschwerden (Kopfschmerzen, Übelkeit, Schwindelgefühl) um zwei weitere (Depressionen, Gliederschmerzen). Das Einzige, was hier „normal" wurde, war die Anzeige auf dem Blutdruckmessgerät!

Schon vorher konnte der Organismus die – durch falsche Ernährung verursachte – Verengung der Blutkapillaren und die Verdickung des Blutes nur teilweise kompensieren:

- Durch die Erhöhung des Pumpendruckes auf 180 mm/Hg (systolischer Wert), und
- durch eine „Verdünnung" des dickflüssigen Blutes mit Wasser und 0,9 % Salz, wodurch jedoch die Füllmenge des Blutkreislaufs größer wurde wie bei einem zu stark aufgepumpten Autoreifen; daher der hohe diastolische Wert von 120 mm/Hg.

Weil trotz dieser Kompensationsanstrengungen des Organismus die Versorgung der Zellen, Organe und des Gehirns mit Sauerstoff und Energie nur noch unzureichend funktionierte, traten Kopfschmerzen, Übelkeit und Schwindelgefühl auf.

Die von der Hausärztin verordnete Medikation hat diese Sachlage vollständig ignoriert und damit „verschlimmbessert". Folgerichtig kamen zu den bisherigen Beschwerden – die nicht verschwanden – noch weitere hinzu: Depressionen und Gliederschmerzen.

Hier hätte bei der behandelnden Ärztin unbedingt ein selbständiger wissenschaftlich-medizinischer Denkprozess einsetzen müssen. Aber nichts dergleichen geschah – während der immerhin 15 Jahre und 6 Monate Leidens der Patientin!

Damit war zwar für die Ärztin die Gefahr gebannt, sich außerhalb der herrschenden Lehrmeinung zu stellen und durch Nachdenken zum geschmähten Außenseiter zu werden; aber für die Patientin waren die Folgen alles andere als befriedigend.

So entschloss sich die wirklich geduldige Patientin eines Tages, das Nachdenken selber in die Hand zu nehmen, nach einem besseren Weg zu suchen und diesen zu beschreiten.

Das Ergebnis: Was die Hausärztin während 15 Jahren und 6 Monaten nicht zuwege brachte, schaffte die Patientin in nur 4 Monaten: Eine Normalisierung ihres Blutdrucks ohne Pillen und ohne Beschwerden, ja sogar mit einer Steigerung ihrer Leistungsfähigkeit und einem Allgemeinbefinden, das sie so ausdrückt: „Ich fühle mich super!"

Aufschlussreich ist die Beobachtung der Patientin über Entzugserscheinungen nach dem Absetzen der Medikamente („innere Unruhe und Zittern"). Wer also mit der Diagnose „Bluthochdruck" konfrontiert wird, sollte sich besser gar nicht erst in diese Drogenabhängigkeit hineinbegeben, sondern besser gleich sein Gefäßsystem und sein Blut durch eine artgerechte Ernährung so in Ordnung bringen, dass die Regulationssysteme seines Körpers nicht mehr mit erhöhtem Blutdruck fahren müssen, sondern den Blutdruck auf normale Werte herunterregeln können.

Das weitere Nachdenken darüber, was dieser Fall jeden noch an Bluthochdruck leidenden und noch Pillen schluckenden Menschen lehrt, überlasse ich gerne dem geneigten Leser.

Bericht von Frau S. M. (37) aus Deutschland

1) Meine Bluthochdruck-Vorgeschichte

Bevor ich damit begann, Dr. Schnitzers Empfehlungen zu folgen, litt ich an Bluthochdruck seit 2 Jahren und 6 Monaten.

Mein durchschnittlicher Blutdruck war 140/95 mm/Hg, bevor ich Medikamente einnahm. Beschwerden hatte ich folgende:

Unruhe und Nervosität, regelrechte Rastlosigkeit, Durchschlafstörungen, Ohrensausen.

Zuletzt nahm ich das folgende mir verschriebene Medikament ein:

Beloc Zok mite	1 mal täglich

Unter dieser Medikation war mein Blutdruck 135/85 mm/Hg. Meine Beschwerden unter dieser Medikation waren folgende:

Massive Konzentrationsstörungen, vor allem unter Zeitdruck, Ohrenrauschen, Schwindelattacken, Durchschlafstörungen, Schwangerschaftsgestose. Bis zum Ende des 6. Monats waren die Blutdruckwerte normal, dann plötzliche Erhöhung auf 150/110 mm/Hg und ein Ruhepuls von 150 Schlägen/Minute. Das Baby wurde 8 Wochen vor dem Termin geholt wegen pathologischem Dopplerbefund und beginnender Präeklampsie.

2) Mein Beginn mit Dr. Schnitzers Empfehlungen

Ich begann vor 1 Monat, Dr. Schnitzers Empfehlungen zu folgen.

Ich begann folgendes zu essen:	täglich	manchmal	nie
Zum Frühstück Müslis aus keimfähigen, frisch vor der Zubereitung geschroteten Getreidekörnern, mit frischen Früchten und Nüssen:		X	
Zum Mittag- und/oder Abendessen verschiedene Blattsalate und rohe Wurzelgemüsesalate	X		
Angekeimte Hülsenfrüchte (Kichererbsen, Linsen, grüne Mungobohnen) als Salatbeilagen	X		
Früchte (Äpfel, Birnen, Ananas usw.) nach Jahreszeit	X		
Vollkornbrot und –gebäck aus keimfähigen, frisch vor der Teigbereitung gemahlenen Getreiden (z.B. Weizen, Dinkel, Roggen)	X		

Das entspricht einer Befolgung der Empfehlungen zu 90 %.

Folgendes begann ich zu meiden:	völlig	meistens	verzehre ich noch
Fleisch, Geflügel, Ei, Fisch, Meeresfrüchte	X		
Milch und Milchprodukte (Käse, Yoghurt usw.)		X	
Industriezucker, Auszugsmehle und Produkte, welche diese enthalten	X		
Erhitzte (gekochte) Gemüse (unschädliche Ausnahme: Gedämpfte Kartoffeln)	X		
Gekochtes Obst und Säfte (auch frisch gepresste)	X		

Das entspricht einer Befolgung der Empfehlungen zu 90 %.

Die Empfehlungen, was zu essen und was zu meiden ist, wurden somit von mir insgesamt gewertet zu 90 % befolgt.

3) Mein Arzt unterstützte mich wie folgt:

Mein Arzt unterstützte mich nicht besonders. Er schwor auf Ausdauertraining, um durch die Stärkung des Herzmuskels eine niedrigere Pulsfrequenz und damit eine Stabilisierung des Blutdrucks zu erreichen.

Ich habe dies auch wochenlang versucht, aber nach 2 km Dauerlauf hatte ich Durchblutungsstörungen in den Beinen und musste regelmäßig mit dem Laufen aufhören, weil ich meine Beine gar nicht mehr spürte. Dies war sehr frustrierend für mich, da ich vor 5 Jahren regelmäßig joggte und keine Probleme damit hatte. Einen anderen Arzt suchte ich mir nicht.

Die beschriebenen kleinen Aderlässe (80-100 ml, 1 x pro Woche, max. 10 mal) zur Beschleunigung der Heilung hatte ich nicht.

4) Änderungen meines Blutdrucks und meiner Gesundheit

Mein durchschnittlicher Blutdruck unter der geänderten Ernährung war

nach 4 Wochen: 105/65 mm/Hg (!)

Das blutdrucksenkenden Medikamente hatte ich 3 Wochen nach Beginn der Ernährungsänderung abgesetzt.

Die folgenden Veränderungen meiner Gesundheit stellte ich seither fest: Keine großen Blutzuckerschwankungen mehr, sprich Heißhungerattacken, keine Verdauungsstörungen mehr, keine Ohrgeräusche mehr, keine innere Unruhe oder Nervosität mehr, bessere Schlafqualität, keine Erschöpfungszustände mehr mit chronischer Müdigkeit..

5) Wie es mir jetzt geht

Gegenwärtig esse ich wie folgt:	**täglich**	**manchmal**	**nie**
Zum Frühstück Müslis aus keimfähigen, frisch vor der Zubereitung geschroteten Getreidekörnern, mit frischen Früchten und Nüssen:		**X**	

Zum Mittag- und/oder Abendessen verschiedene Blattsalate und rohe Wurzelgemüsesalate	X		
Angekeimte Hülsenfrüchte (Kichererbsen, Linsen, grüne Mungobohnen) als Beilage zu den Salaten	X		
Früchte (Äpfel, Birnen, Ananas usw.) nach Jahreszeit	X		
Vollkornbrot und –gebäck aus keimfähigen, frisch vor der Teigbereitung gemahlenen Getreiden (z.B. Weizen, Dinkel, Roggen)	X		

Das entspricht einer Befolgung der Empfehlungen zu 90 %.

Gegenwärtig meide ich folgendes:	**völlig**	**meistens**	**verzehre ich noch**
Fleisch, Geflügel, Ei, Fisch, Meeresfrüchte	X		
Milch und Milchprodukte (Käse, Yoghurt usw.)		X	
Industriezucker, Auszugsmehle und Produkte, welche diese enthalten	X		
Erhitzte (gekochte) Gemüse (unschädliche Ausnahme: Gedämpfte Kartoffeln)	X		
Gekochtes Obst und Säfte (auch frisch gepresste)	X		

Das entspricht einer Befolgung der Empfehlungen zu 90 %.

Die Empfehlungen, was zu essen und was zu meiden ist, werden von mir also insgesamt gewertet zu 90 % befolgt.

Mein gegenwärtiger durchschnittlicher Blutdruck ist 105/65 mm/Hg.

Meine Erfahrungen mit dieser Veränderung in meinem Leben:

Ich war vor zwei Jahren ziemlich entsetzt, als mir von meiner Hausärztin ganz lapidar mitgeteilt wurde, diese Hypertonie (sie nannte es Hyperkinetisches Herzsyndrom) sei stressbedingt und ich müsse jetzt blutdrucksenkende Medikamente einnehmen.

Ich sagte ihr, dass ich eigentlich noch viel zu jung sei (35 Jahre), um Blutdruckmittel zu schlucken, ob es keine andere Behandlungsmöglichkeit gebe.

Mein Chef und mitbehandelnder Arzt (Nephrologe) meinte, ich solle Ausdauersport betreiben und salzarm essen, dann könnte ich die Symptomatik wieder ausheilen. Dies hat nicht funktioniert.

(So weit der Bericht von Frau S. M., 37 Jahre, vom 24. Mai 2004)

Anmerkungen zu dem Bericht von Frau S. M.

von Dr. Johann Georg Schnitzer

Die Inkompetenz gleich zweier mit dem Fall befasster Mediziner (der Hausärztin und des Nephrologen) hat dieser Patientin qualvolle Zustände beschert und ihrem Kind noch im Mutterleib Schaden zugefügt. Da diese Inkompetenz sich jedoch im Rahmen der „herrschenden Lehrmeinung“ bewegte, muss diese „Lehrmeinung“ selbst und die sie lehrende „Schulmedizin“ insgesamt als obsolet (überholt, veraltet) und als inkompetent bezeichnet werden, was die Behandlung von Fällen wie diesen betrifft. Denn kompetent für einen Fall ist immer nur, wer diesen auch heilt, oder zumindest alle Methoden kennt, die zur Heilung führen können.

Die zu Beginn auftretenden Symptome „Unruhe und Nervosität, regelrechte Rastlosigkeit, Durchschlafstörungen, Ohrensausen“ hätten einen kompetenten Arzt nicht nur nach erhöhtem Blutdruck, sondern auch nach den Ursachen für den erhöhten Blutdruck suchen lassen. So aber reichte es nur zu der vom herrschenden Medizinsystem andressierten Pawlowschen Reflexhandlung („Konditionierung“): „Erhöhter Blutdruck? Blutdrucksenkende Medikation!“.

Der dadurch iatrogen (= vom Arzt verursachte) angerichtete Schaden war phänomenal.

Nicht nur, dass die vorher vorhandenen Beschwerden nicht verschwanden. Nein, sie verschlimmerten sich noch, und neue kamen hinzu, so dass die Patientin jetzt unter folgenden Beschwerden litt: „Massive Konzentrationsstörungen, vor allem unter Zeitdruck, Ohrenrauschen, Schwindelattacken, Durchschlafstörungen, Erhöhung des Blutdrucks trotz Medikation auf 150/110 mm/Hg, und ein Ruhepuls von 150 Schlägen pro Minute.“

Da von ärztlicher Seite versäumt worden war, die Patientin in ihren Ernährungsgewohnheiten zu beraten, bestanden die Ursachen des Bluthochdrucks weiter fort, die zu einem wesentlichen Teil aus einem Überschuss an Eiweiß in der Nahrung bestehen. Dieses ärztliche Versäumnis führte jetzt noch zu einem weiteren Schaden, da die Patientin schwanger wurde: Schwangerschaftsgestose! Hierdurch wurden Mutter und Kind unnötigerweise in Lebensgefahr gebracht. Noch immer „ahnungslos“ ob der Zusammenhänge, entschloss man sich dazu, das Kind 8 Wochen vor dem Geburtstermin „zu holen“.

Wie schon im Jahre 1972 Prof. Dr. med. Lothar Wendt nachwies, gehört die Schwangerschaftsgestose zu den zahlreichen Folgen einer zu viel Eiweiß enthaltenden Ernährung. (Siehe „Krankheiten verminderter Kapillarmembranpermeabilität“, von Dr. Lothar Wendt, Professor an der Johann Wolfgang Goethe-Universität, Frankfurt am Main, und Ärztlicher Direktor am Elisabethen-Krankenhaus in Frankfurt; ca. 530 Seiten, Verlag Ernst-Erich Koch, med. Fachverlag, Frankfurt, 1. Auflage 1972, 2. Auflage 1973).

Damit war das Leiden der Patientin aber noch nicht zu Ende. Ihr Herz versuchte „verzweifelt“, trotz der blutdrucksenkenden Medikation die Versorgung der Zellen und Organe durch eine Erhöhung des Blutdrucks aufrecht zu erhalten, und da dieses noch nicht ausreichte, durch eine stark erhöhte Pulsfrequenz von 150 (normal ca. 60) Schlägen pro Minute nachzuhelfen.

Kaum zu glauben, dass der Chef der Patientin, ein Nephrologe, ihrem gequälten Organismus jetzt auch noch Dauerläufe zumutete! Logisch, dass das Herz nicht auch noch die erhöhte Versorgung der zum Laufen angestrengten Muskeln bewältigte, weshalb die Patientin immer wieder anhalten musste, da sie Durchblutungsstörungen und Parästhesien in den Beinen bekam. Es grenzt an ein Wunder und spricht für die robuste Konstitution der Patientin, dass sie diese ärztlichen „Behandlungen“ und „Ratschläge“ lebend überstanden hat.

Und dann brauchte es gerade mal 4 Wochen einer zu 90 % artgerechten, natürlichen Ernährung, um den vorherigen Bluthochdruck auszuheilen, der sich jetzt jetzt eher im unteren Bereich bewegt (105/65 mm/Hg), was bei trainierten Sportlern in Ruhe normal ist – ein trainierter Kreislauf hat einen so niedrigen Strömungswiderstand, dass dieser erst bei Beanspruchung einen Blutdruck braucht, der bei untrainierten Gesunden in Ruhe gemessen wird.

Mehr noch. Auch die ganze Kiste voller Beschwerden war nach nur 4 Wochen gesunder Ernährung verschwunden: „Keine großen Blutzuckerschwankungen mehr, sprich Heißhungerattacken, keine Verdauungsstörungen mehr, keine Ohrgeräusche mehr, keine innere Unruhe oder Nervosität mehr, bessere Schlafqualität, keine Erschöpfungszustände mehr mit chronischer Müdigkeit."

Frage: Wie lange noch müssen Millionen an Bluthochdruck leidender Menschen unter solch falscher, inkompetenter Behandlung leiden, wo es doch so einfach ist, ihnen zu helfen und ihnen ihre natürliche Gesundheit zurück zu geben?

Antwort: So lange, wie Sie, lieber Leser und sehr verehrte Leserin, nachdem Sie dieses nun gelesen haben, es nicht jeden Tag möglichst vielen Menschen weitersagen und jenen, die leiden, nicht die Informationsquelle mitteilen.

Denn von der „modernen Medizin", welche etwa die Hälfte ihrer Gesamteinnahmen aus dieser einen Krankheit bezieht, ist freiwillige Kursänderung von einträglicher Dauerbehandlung auf (die Wartezimmer leerende, das Einkommen mindernde) Heilbehandlung nicht zu erwarten.

Die allzu wenigen Ausnahmen bestätigen die Regel massiv. Das wird sich erst ändern, wenn immer mehr Patienten das makabre Spiel nicht mehr mitmachen, weil sie Zugang zu diesem von der „modernen Medizin" geheim gehaltenen Wissen erlangt haben.

Bericht von Herrn B. R. (68) aus Deutschland

1) Meine Bluthochdruck-Vorgeschichte

Bevor ich damit begann, Dr. Schnitzers Empfehlungen zu folgen, litt ich an Bluthochdruck seit 11 Jahren und 3 Monaten.

Mein durchschnittlicher Blutdruck war 165/110 mm/Hg, bevor ich Medikamente einnahm. An Beschwerden hatte ich folgende: Schnarchen mit Atemaussetzern ständig.

Zuletzt nahm ich das folgende mir verschriebene Medikament ein:

Beloc-Zok comp	1 mal täglich

Unter dieser Medikation war mein Blutdruck 145/85 mm/Hg. Meine Beschwerden unter dieser Medikation waren folgende: Schnarchen mit Atemaussetzern ständig.

2) Mein Beginn mit Dr. Schnitzers Empfehlungen

Ich begann vor 10 Monaten, Dr. Schnitzers Empfehlungen zu folgen.

Ich begann folgendes zu essen:	täglich	manchmal	nie
Zum Frühstück Müslis aus keimfähigen, frisch vor der Zubereitung geschroteten Getreidekörnern, mit frischen Früchten und Nüssen:	X		
Zum Mittag- und/oder Abendessen verschiedene Blattsalate und rohe Wurzelgemüsesalate	X		
Angekeimte Hülsenfrüchte (Kichererbsen, Linsen, grüne Mungobohnen) als Beilage zu den Salaten	X		
Früchte (Äpfel, Birnen, Ananas usw.) nach Jahreszeit	X		
Vollkornbrot und –gebäck aus keimfähigen, frisch vor der Teigbereitung gemahlenen Getreiden (z.B. Weizen, Dinkel, Roggen)	X		

Das entspricht einer Befolgung der Empfehlungen zu 100 %.

Folgendes begann ich zu meiden:	völlig	meistens	verzehre ich noch
Fleisch, Geflügel, Ei, Fisch, Meeresfrüchte		X	
Milch und Milchprodukte (Käse, Yoghurt usw.)		X	
Industriezucker, Auszugsmehle und Produkte, welche diese enthalten	X		
Erhitzte (gekochte) Gemüse (unschädliche Ausnahme: Gedämpfte Kartoffeln)		X	
Gekochtes Obst und Säfte (auch frisch gepresste)	X		

Das entspricht einer Befolgung der Empfehlungen zu 70 %.

Die Empfehlungen, was zu essen und was zu meiden ist, wurden somit von mir insgesamt gewertet zu 85 % befolgt.

3) Mein Arzt unterstützte mich wie folgt:

Mein Arzt unterstützte mich voll. Einen anderen Arzt suchte ich mir nicht. Die beschriebenen kleinen Aderlässe (80-100 ml, 1 x pro Woche, max. 10 mal) zur Beschleunigung der Heilung hatte ich nicht.

4) Änderungen meines Blutdrucks und meiner Gesundheit

Mein durchschnittlicher Blutdruck unter der geänderten Ernährung war:

nach 4 Wochen:	145/90 mm/Hg;
nach 8 Wochen:	140/85 mm/Hg;
nach 12 Wochen:	135/75 mm/Hg.

Das blutdrucksenkende Medikament setzte ich sofort bei Beginn der Ernährungsänderung ab.

Die folgenden Veränderungen meiner Gesundheit stellte ich seither fest: Nur noch gelegentliches Schnarchen ohne Atemaussetzer!

5) Wie es mir jetzt geht

Gegenwärtig esse ich wie folgt:	**täglich**	**manchmal**	**nie**
Zum Frühstück Müslis aus keimfähigen, frisch vor der Zubereitung geschroteten Getreidekörnern, mit frischen Früchten und Nüssen:	**X**		
Zum Mittag- und/oder Abendessen verschiedene Blattsalate und rohe Wurzelgemüsesalate	**X**		
Angekeimte Hülsenfrüchte (Kichererbsen, Linsen, grüne Mungobohnen) als Beilage zu den Salaten	**X**		
Früchte (Äpfel, Birnen, Ananas usw.) nach Jahreszeit	**X**		
Vollkornbrot und –gebäck aus keimfähigen, frisch vor der Teigbereitung gemahlenen Getreiden (z.B. Weizen, Dinkel, Roggen)	**X**		

Das entspricht einer Befolgung der Empfehlungen zu 100 %.

Gegenwärtig meide ich folgendes:	**völlig**	**meistens**	**verzehre ich noch**
Fleisch, Geflügel, Ei, Fisch, Meeresfrüchte		**X**	
Milch und Milchprodukte (Käse, Yoghurt usw.)		**X**	
Industriezucker, Auszugsmehle und Produkte, welche diese enthalten	**X**		

Erhitzte (gekochte) Gemüse (unschädliche Ausnahme: Gedämpfte Kartoffeln)	X		
Gekochtes Obst und Säfte (auch frisch gepresste)	X		

Das entspricht einer Befolgung der Empfehlungen zu 80 %.

Die Empfehlungen, was zu essen und was zu meiden ist, werden von mir also insgesamt gewertet zu 90 % befolgt.

Mein gegenwärtiger durchschnittlicher Blutdruck ist 135/75 mm/Hg.

(So weit der Bericht von B. R., 68 Jahre, vom 24. Mai 2004)

Anmerkungen zu dem Bericht von Herrn B. R.

von Dr. Johann Georg Schnitzer

Seit über 11 Jahren litt dieser Patient an Bluthochdruck (unbehandelt 165/100 mm/Hg), der auch mit dem verordneten blutdrucksenkenden Mittel mit 145/85 mm/Hg nicht ganz „normal“ wurde. Auch die vor Behandlungsbeginn bestehenden Beschwerden („Schnarchen mit Atemaussetzer ständig“) blieben unter dieser Medikation die gleichen: „Schnarchen mit Atemaussetzer ständig“.

Erst mit der Umstellung der Ernährung (Anwendung der Empfehlungen zu 85 %) und dem sofortigen Absetzen der Medikation trat innerhalb von nur 12 Wochen eine zügige und vollständige Gesundung ein: Der Blutdruck normalisierte sich ohne Medikamente von selbst auf 135/75 mm/Hg. Dabei blieb es auch ein halbes Jahr später, zum Zeitpunkt dieses Berichts.

Bedeutsam ist die Erfahrung, dass diese zügige Ausheilung im Alter von 68 Jahren erfolgte. Das bedeutet, dass Bluthochdruck auch in diesem Alter keine „Alterskrankheit“ oder „Alterserscheinung“ ist, sondern eine durch artfremde und denaturierte Nahrung erzeugte Zivilisationskrankheit, die bei Umstellung auf eine artgerechte, natürliche Ernährung auch in diesem Alter zügig ausheilt. Das hat Signalwirkung für alle Senioren: Verjüngung ist möglich! Denn es gilt die Erkenntnis: „Jeder Mensch ist so alt wie der Zustand seines Gefäßsystems.“

Bericht von Herrn H. S. (64) aus Australien

1) Meine Bluthochdruck-Vorgeschichte

Bevor ich damit begann, Dr. Schnitzers Empfehlungen zu folgen, litt ich an Bluthochdruck seit 10 Jahren.

Mein durchschnittlicher Blutdruck war 150/95mm/Hg, bevor ich Medikamente einnahm. Beschwerden hatte ich folgende: Ich hatte schon öfters mal Kopfschmerzen, sonst ist mir nichts Besonderes aufgefallen.

Zuletzt nahm ich die folgenden mir verschriebenen Medikamente ein:

Amprace 5 mg	1-2 mal täglich
Aprinox	(kurze Zeit nur)
Diamicron 30 mg	1 mal täglich
für Diabetic	2 mal täglich
Lipobay	6 Tage nur

Unter dieser Medikation war mein Blutdruck 135/85 mm/Hg. Ich hatte keine Beschwerden, die mir bewusst waren. Allerdings hatte ich andere Medikamente versucht mit Nebenwirkungen, und ich habe mich geweigert, diese dann weiter einzunehmen.

2) Mein Beginn mit Dr. Schnitzers Empfehlungen

Ich begann vor 3 Jahren und 10 Monaten, Dr. Schnitzers Empfehlungen zu folgen.

Ich begann folgendes zu essen:	täglich	manchmal	nie
Zum Frühstück Müslis aus keimfähigen, frisch vor der Zubereitung geschroteten Getreidekörnern, mit frischen Früchten und Nüssen:	X		
Zum Mittag- und/oder Abendessen verschiedene Blattsalate und rohe Wurzelgemüsesalate	X		
Angekeimte Hülsenfrüchte (Kichererbsen, Linsen, grüne Mungobohnen) als Beilage zu den Salaten		X	

Früchte (Äpfel, Birnen, Ananas usw.) nach Jahreszeit	X		
Vollkornbrot und –gebäck aus keimfähigen, frisch vor der Teigbereitung gemahlenen Getreiden (z.B. Weizen, Dinkel, Roggen)		X	

Das entspricht einer Befolgung der Empfehlungen zu 80 %.

Folgendes begann ich zu meiden:	**völlig**	**meistens**	**verzehre ich noch**
Fleisch, Geflügel, Ei, Fisch, Meeresfrüchte	X		
Milch und Milchprodukte (Käse, Yoghurt usw.)		X	
Industriezucker, Auszugsmehle und Produkte, welche diese enthalten	X		
Erhitzte (gekochte) Gemüse (unschädliche Ausnahme: Gedämpfte Kartoffeln)		X	
Gekochtes Obst und Säfte (auch frisch gepresste)		X	

Das entspricht einer Befolgung der Empfehlungen zu 70 %.

Die Empfehlungen, was zu essen und was zu meiden ist, wurden somit von mir insgesamt gewertet zu 75 % befolgt.

3) Mein Arzt unterstützte mich wie folgt:

Mein Arzt unterstützte mich überhaupt nicht. Ich hatte meinem Arzt nichts erzählt, bis ich Erfolg zeigen konnte. (Eier esse ich schon noch manchmal, 2 in der Woche). Einen anderen Arzt suchte ich mir nicht.

Die beschriebenen kleinen Aderlässe (80-100 ml, 1 x pro Woche, max. 10 mal) zur Beschleunigung der Heilung hatte ich nicht.

4) Änderungen meines Blutdrucks und meiner Gesundheit

Mein durchschnittlicher Blutdruck unter der geänderten Ernährung war:

nach 4 Wochen: 135/85 mm/Hg;

nach 8 Wochen: 130/80 mm/Hg;

nach 12 Wochen: 127/78 mm/Hg.

Die blutdrucksenkenden Medikamente setzte ich wie folgt ab:

Amprace 5 mg	nach 1 Woche
Diamicron NIDD	nach 6 Wochen

Die folgenden Veränderungen meiner Gesundheit stellte ich fest:

Mein Gewicht war von 84 kg bis 72 kg gefallen. Ich hatte und habe mehr Kraft und Energie. 2 Nussknacker hatte ich mit einer Hand zerbrochen, und den dritten Nussknacker habe ich verbogen, bis ich gemerkt hatte dass ich so viel Kraft habe, mit der guten Diät. Die Haut ist sehr geschmeidig geworden, kleine Wunden heilen sehr schnell.

Eines Abends hatte ich mich in den Finger geschnitten (nicht sehr tief). Nächsten Morgen war es zugeheilt, und ich konnte nicht mehr sehen wo die Wunde war, auch nicht mit dem Vergrößerungsglas.

Eines Tages vor dem Spiegel habe ich gesehen, dass meine Haare schimmern, wie ein Weihnachtsengel sein Lametta. Sofort hatte ich die Birne von der Deckenlampe ausgewechselt, weil ich der Meinung war da ist was nicht in Ordnung. Hinterher war mir aber klar geworden, dass mein Haar sich soviel verbessert hat.

5) Wie es mir jetzt geht

Gegenwärtig esse ich wie folgt:	**täglich**	**manchmal**	**nie**
Zum Frühstück Müslis aus keimfähigen, frisch vor der Zubereitung geschroteten Getreidekörnern, mit frischen Früchten und Nüssen:	**X**		
Zum Mittag- und/oder Abendessen verschiedene Blattsalate und rohe Wurzelgemüsesalate	**X**		
Angekeimte Hülsenfrüchte (Kichererbsen, Linsen, grüne Mungobohnen) als Beilage zu den Salaten		**X**	
Früchte (Äpfel, Birnen, Ananas usw.) nach Jahreszeit	**X**		
Vollkornbrot und –gebäck aus keimfähigen, frisch vor der Teigbereitung gemahlenen Getreiden (z.B. Weizen, Dinkel, Roggen)		**X**	

Das entspricht einer Befolgung der Empfehlungen zu 80 %.

Gegenwärtig meide ich folgendes:	völlig	meistens	verzehre ich noch
Fleisch, Geflügel, Ei, Fisch, Meeresfrüchte	X		
Milch und Milchprodukte (Käse, Yoghurt usw.)		X	
Industriezucker, Auszugsmehle und Produkte, welche diese enthalten	X		
Erhitzte (gekochte) Gemüse (unschädliche Ausnahme: Gedämpfte Kartoffeln)		X	
Gekochtes Obst und Säfte (auch frisch gepresste)		X	

Das entspricht einer Befolgung der Empfehlungen zu 70 %.

Die Empfehlungen, was zu essen und was zu meiden ist, werden von mir also insgesamt gewertet zu 75 % befolgt.

Mein gegenwärtiger durchschnittlicher Blutdruck ist 127/75 mm/Hg.

Meine Erfahrungen mit dieser Veränderung in meinem Leben:

Öfter muss ich mir neue Fahrradschläuche kaufen (an manchen Tagen fahre ich 70 Kilometer mit dem Fahrrad). Auch laufe ich mehr Schuhsohlen ab. Das Gedächtnis ist viel besser geworden, leider hilft es nicht zu sehr mit der Rechtschreibung, nach 35 Jahren in Australien. Das Gleichgewichtsgefühl und Harmonie ist wunderbar.

(So weit der Bericht von Herrn H. S., 64 Jahre, vom 15. Juli 2004)

Anmerkungen zu dem Bericht von Herrn H. S.

von Dr. Johann Georg Schnitzer

Der (nun ehemalige, da gesundete) Patient hatte durch seinen Bluthochdruck keine besonderen Beschwerden, außer des öfteren Kopfschmerzen. Auch als er Medikamente nahm und jene wegließ, die Nebenwirkungen machten, hatte er keine ihm bewussten Beschwerden.

Dass sein Zustand dennoch nicht die eigentliche Gesundheit war, erfuhr er erst, als er diese erlangt und am eigenen Leibe kennen gelernt hatte: „Mein Gewicht war von 84 bis 74 kg gefallen. Ich hatte und habe mehr

Kraft und Energie ... Die Haut ist sehr geschmeidig geworden, kleine Wunden heilen schnell ... Haare schimmern ... Das Gedächtnis ist viel besser geworden ... Das Gleichgewichtsgefühl und Harmonie ist wunderbar."

Diese eigentliche, von jedem Patienten gewünschte, positive Gesundheit kann die „moderne Medizin" mit noch so vielen „modernen Arzneimitteln" überhaupt nicht erreichen – denn sie hat diese dafür gar nicht konzipiert! Die Medizin zielt auf die Bekämpfung von Negativem, Unerwünschtem, von Beschwerden und Krankheiten, in der Hoffnung dass, wenn erst einmal alle Krankheiten erfolgreich bekämpft wären, als Resultat am Ende die Gesundheit übrig bliebe. Im wahren Leben bleibt aber oft nicht einmal der Patient selbst übrig, weil er die „heroischen" Maßnahmen der Medizin nicht überlebt hat.

Diese falsche strategische Grundkonzeption der „modernen Medizin", der Irrglaube, positive Resultate durch Bekämpfung von negativen Zuständen erreichen zu können, erklärt auf einfache und logische Weise, warum trotz des ständig steigenden finanziellen und personellen Aufwandes im sogenannten „Gesundheitswesen" die Menschen nicht gesünder, sondern immer kränker werden. Das gilt im übrigen nicht nur für die Medizin und die „Gesundheitspolitik", sondern für die meisten übrigen Bereiche des Lebens und der menschlichen Gesellschaften.

Beispiele dafür sind die „Bekämpfung" der Arbeitslosigkeit durch den „Kündigungsschutz" besonders für ältere Arbeitnehmer, der zu „vorbeugenden" Kündigungen kurz vor 50 geführt hat, oder die „Bekämpfung" der Staatsverschuldung durch Steuererhöhungen in der Erwartung höherer Steuereinnahmen, die zum Schwund des Steueraufkommens führten.

Gesundheitspolitisch hat Bluthochdruck eine Schlüsselfunktion. Bluthochdruck ist der größte Risikofaktor, seine Folgekrankheiten sind mit 50 % aller Sterbefälle die häufigste Todesursache der Zivilisation. Seine Ursachen sind gleichzeitig die Ursachen weiterer Zivilisationskrankheiten, z.B. von Diabetes Typ II.

Werden die Ursachen des Bluthochdrucks eliminiert und durch die natürlichen Grundlagen der Gesundheit ersetzt, entfallen die häufigsten chronischen Zivilisationskrankheiten eben so wie die von diesen verursachten enormen Kostenbelastungen.

Diese erfreulichen Aussichten können jedoch nur Wirklichkeit werden, wenn Alle, die davon Kenntnis erlangen, diese für sich selbst realisieren und die Wissensquellen außerdem in ihrem Einflussbereich weitergeben.

Bericht von Frau G. S. (49) aus Deutschland

1) Meine Bluthochdruck-Vorgeschichte

Ich weiß nicht, wie lange ich schon an Bluthochdruck litt, bevor ich damit begann, Dr. Schnitzers Empfehlungen zu folgen.

Mein durchschnittlicher Blutdruck war 150/95 mm/Hg, bevor ich Medikamente einnahm. Beschwerden hatte ich folgende:

Stark schwankender Blutdruck von 135/90 bis 220/118. Ich weiß nicht, wann der Bluthochdruck begann, da vorher nicht gemessen wurde. Beschwerden: Innere Unruhe, Druckgefühl im Kopf, Kopfkribbeln, schneller Pulsschlag. Ich fühlte mich meist aktiv und energiegeladen. Außerdem Verdauungsprobleme aufgrund einer Hepatitis C.

Zuletzt nahm ich das folgende mir verschriebene Medikament ein:

Bisoprolon	1 mal täglich

Unter dieser Medikation war mein Blutdruck 150/90 mm/Hg. Meine Beschwerden unter dieser Medikation waren folgende:

Der Blutdruck hat sich nicht gesenkt, nur die Spitzen von über 200 verschwanden. Dafür fühlte ich mich schlapp, lustlos und ohne Energie. Ich bekam Schmerzen in der Herzgegend, das Kopfkribbeln verstärkte sich, und ich fühlte mich krank.

2) Mein Beginn mit Dr. Schnitzers Empfehlungen

Ich begann vor 2 Monaten, Dr. Schnitzers Empfehlungen zu folgen.

Ich begann folgendes zu essen:	täglich	manchmal	nie
Zum Frühstück Müslis aus keimfähigen, frisch vor der Zubereitung geschroteten Getreidekörnern, mit frischen Früchten und Nüssen:	X		
Zum Mittag- und/oder Abendessen verschiedene Blattsalate und rohe Wurzelgemüsesalate	X		

Angekeimte Hülsenfrüchte (Kichererbsen, Linsen, grüne Mungobohnen) als Beilage zu den Salaten	X		
Früchte (Äpfel, Birnen, Ananas usw.) nach Jahreszeit	X		
Vollkornbrot und –gebäck aus keimfähigen, frisch vor der Teigbereitung gemahlenen Getreiden (z.B. Weizen, Dinkel, Roggen)	X		

Das entspricht einer Befolgung der Empfehlungen zu 100 %.

Folgendes begann ich zu meiden:	**völlig**	**meistens**	**verzehre ich noch**
Fleisch, Geflügel, Ei, Fisch, Meeresfrüchte	X		
Milch und Milchprodukte (Käse, Yoghurt usw.)			X
Industriezucker, Auszugsmehle und Produkte, welche diese enthalten	X		
Erhitzte (gekochte) Gemüse (unschädliche Ausnahme: Gedämpfte Kartoffeln)	X		
Gekochtes Obst und Säfte (auch frisch gepresste)		X	

Das entspricht einer Befolgung der Empfehlungen zu 70 %.

Die Empfehlungen, was zu essen und was zu meiden ist, wurden somit von mir insgesamt gewertet zu 85 % befolgt.

3) Mein Arzt unterstützte mich wie folgt:

Mein Arzt unterstützte mich nicht besonders. Nachdem der schwankende Blutdruck diagnostiziert wurde nach dem plötzlichen Herztod meines Mannes, wurde eine psychische Ursache angenommen. Ich weiß jedoch aus Messungen, die vor dem Tod meines Mannes lagen, dass ich auch da schon einen erhöhten Blutdruck hatte. Ich hatte auch da diese Symptome wie innere Unruhe usw., die ich aber den Wechseljahren zuschrieb. Heute weiß ich, es kam vom hohen Blutdruck.

Die wesentliche Verbesserung wird von meinem Arzt nun ebenfalls als psychischer Effekt bezeichnet. Ich bin jedoch ganz sicher, dass es mit meiner neuen Ernährung zusammenhängt. Der Blutdruck senkte sich schon nach wenigen Tagen, was ich erst selbst nicht glauben wollte. Ich suche keinen anderen Arzt, da er ein persönlicher Freund ist und mit vielen alternativen Methoden arbeitet, wie Akupunktur (war 2 Jahre in China), Biofeldenergie usw. Ich werde ihn auch noch von dieser Therapie überzeugen, er ließ sich von mir auch vom Nutzen des Nonisaftes überzeugen, den ich zusätzlich zur neuen Ernährung täglich einnehme.

Die beschriebenen kleinen Aderlässe (80-100 ml, 1 x pro Woche, max. 10 mal) zur Beschleunigung der Heilung hatte ich nicht.

4) Änderungen meines Blutdrucks und meiner Gesundheit

Mein durchschnittlicher Blutdruck unter der geänderten Ernährung war:

nach 4 Wochen:	135/90 mm/Hg;
nach 8 Wochen:	128/85 mm/Hg;

Das blutdrucksenkende Medikamente setzte ich 1 Woche nach Beginn der Ernährungsänderung ab.

Die folgenden Veränderungen meiner Gesundheit stellte ich fest:

Ich konnte zusätzlich zur Blutdrucksenkung wieder 7-8 Stunden durchschlafen, meine Verdauung ist regelmäßig und ohne Probleme oder Schmerzen, mein starker Haarausfall ging drastisch zurück, meine Lebensenergie ist zurückgekehrt, meine überflüssigen Pfunde sind weg und meine Gesichtsfarbe sieht wieder gesund aus.

5) Wie es mir jetzt geht

Gegenwärtig esse ich wie folgt:	**täglich**	**manchmal**	**nie**
Zum Frühstück Müslis aus keimfähigen, frisch vor der Zubereitung geschroteten Getreidekörnern, mit frischen Früchten und Nüssen:	**X**		
Zum Mittag- und/oder Abendessen verschiedene Blattsalate und rohe Wurzelgemüsesalate	**X**		
Angekeimte Hülsenfrüchte (Kichererbsen, Linsen, grüne Mungobohnen) als Beilage zu den Salaten	**X**		
Früchte (Äpfel, Birnen, Ananas usw.) nach Jahreszeit	**X**		
Vollkornbrot und –gebäck aus keimfähigen, frisch vor der Teigbereitung gemahlenen Getreiden (z.B. Weizen, Dinkel, Roggen)	**X**		

Das entspricht einer Befolgung der Empfehlungen zu 100 %.

Gegenwärtig meide ich folgendes:	völlig	meistens	verzehre ich noch
Fleisch, Geflügel, Ei, Fisch, Meeresfrüchte	X		
Milch und Milchprodukte (Käse, Yoghurt usw.)			X
Industriezucker, Auszugsmehle und Produkte, welche diese enthalten	X		
Erhitzte (gekochte) Gemüse (unschädliche Ausnahme: Gedämpfte Kartoffeln)		X	
Gekochtes Obst und Säfte (auch frisch gepresste)		X	

Das entspricht einer Befolgung der Empfehlungen zu 60 %.

Die Empfehlungen, was zu essen und was zu meiden ist, werden von mir also insgesamt gewertet zu 80 % befolgt.

Mein gegenwärtiger durchschnittlicher Blutdruck ist 128/85 mm/Hg.

Meine Erfahrungen mit dieser Veränderung in meinem Leben:

Ich fühle mich rundum besser und gesünder und kann auch meine psychischen Probleme, die durch den Tod meines Mannes auftraten, besser bewältigen.

(So weit der Bericht von Frau G. S., 49 Jahre, vom 20. August 2004)

Anmerkungen zu dem Bericht von Frau G. S.

von Dr. Johann Georg Schnitzer

Die Patientin lag richtig, als sie ihre Symptomatik den Wechseljahren zuschrieb. Die Verordnung eines blutdrucksenkenden Mittels war falsch und ein „Schuss in den Ofen“: Der Blutdruck blieb hoch, nur die Spitzen über 200 blieben aus, und die Hauptwirkungen der Verordnung waren ihre Nebenwirkungen. Die Patientin: „Dafür fühlte ich mich schlapp, lustlos und ohne Energie. Ich bekam Schmerzen in der Herzgegend, das Kopfkribbeln verstärkte sich, und ich fühlte mich krank.“

Der Arzt hätte wissen müssen, dass es mit dem Eintritt der Wechseljahre und dem Ausbleiben der monatlichen Regelblutungen (die bisher als „Überdruckventil" gedient hatten) zu einer Akkumulation (Anhäufung) von Überschüssen an Eiweiß aus der Nahrung im Bindegewebe (Übergewicht) und im Herz-Kreislauf-System kommt, und dass der Organismus den Blutdruck wegen des verengten Gefäßsystems und wegen des dickflüssigeren Blutes erhöht hat.

Als Arzt (statt „Mediziner") hätte er deshalb der Patientin anstelle der Pillen eine gesündere und weniger Eiweiß enthaltende Ernährung verordnen müssen. Spätestens die unerfreuliche Symptomatik und die bedrohlichen Schmerzen in der Herzgegend nach seiner Verordnung hätten für ihn Anlass zum Überdenken seiner „Therapie" und zu kausalem statt nur symptomatischem Vorgehen sein müssen.

Es ist eine ebenso eigenartige wie häufige Erfahrung, dass Ärzte die zentralen Fragen nach der Ernährungsweise und der Verdauung ihrer Patienten ignorieren (die meisten leiden unter mittlerer bis schwerer Stuhlverstopfung durch die artfremde und denaturierte Zivilisationskost), und statt dessen – soweit sie sich überhaupt aus dem Dunstkreis der doktrinären Schulmedizin hinauswagen – lieber z.B. 2 Jahre nach China gehen, um die Akupunktur zu erlernen, sich viele weitere alternative Methoden aneignen, und vielleicht noch die Zusatzbezeichnungen „Naturheilverfahren" und „Homöopathie" erwerben.

Dabei hatte schon Hippokrates (460-375 v.Chr.), auf dessen Eid sich die Ärzteschaft im Zusammenhang mit ihrer Berufsethik gerne beruft, seine Patienten gelehrt: „Lasst eure Nahrung eure Heilmittel sein!"

Die Patientin selbst war da wesentlich klüger und entsprechend erfolgreicher: Sie stellte ihre Ernährung zu 80 % auf eine artgerechte, natürliche Ernährung um, wie sie in meinen Büchern beschrieben wird, ließ schon 1 Woche später die wenig hilfreichen Pillen weg, und normalisierte in nur 8 Wochen nicht nur ihren Blutdruck, sondern rundum ihre ganze Gesundheit:

„Ich konnte zusätzlich zur Blutdrucksenkung wieder 7-8 Stunden durchschlafen, meine Verdauung ist regelmäßig und ohne Probleme oder Schmerzen, mein starker Haarausfall ging drastisch zurück, meine Lebensenergie ist zurückgekehrt, meine überflüssigen Pfunde sind weg und meine Gesichtsfarbe sieht wieder gesund aus. Ich fühle mich rundum besser und gesünder und kann auch meine psychischen Probleme, die durch den Tod meines Mannes auftraten, besser bewältigen."

Bericht von Frau E. W. (52) aus Deutschland

1) Meine Bluthochdruck-Vorgeschichte

Bevor ich damit begann, Dr. Schnitzers Empfehlungen zu folgen, litt ich an Bluthochdruck seit 10 Jahren und 6 Monaten.

Mein durchschnittlicher Blutdruck war 155/110 mm/Hg, bevor ich Medikamente einnahm. Beschwerden hatte ich folgende:

Etwa zweimal im Monat hatte ich einen äußerst heftigen Migräne-Anfall, den ich mit „Avamigran"-Tabletten kaum mehr in den Griff bekam. Ferner hatte ich oft Rückenschmerzen, häufig leichte bis starke Kopfschmerzen, sowie Übergewicht und verdicktes Blut.

Seit meinem 15. Lebensjahr litt ich unter chronischer Verstopfung, die ich täglich mit dem Abführmittel „Midro-Tee" bekämpfte. Während meiner Schwangerschaft im Jahr 1981 hatte ich Schwangeren-Zucker. Im Jahr 2001 stellte ein Schulmediziner Diabetes fest und empfahl mir, zunächst starke Tabletten zu nehmen, später zu spritzen.

Das rüttelte mich wach und ich suchte nach Alternativen. Im Jahr 2003 entdeckte ich Ihre großartigen Erkenntnisse über die Ernährung und befolgte sie von heute auf morgen.

Ich nahm keine Medikamente gegen Bluthochdruck ein.

2) Mein Beginn mit Dr. Schnitzers Empfehlungen

Ich begann vor 13 Monaten, Dr. Schnitzers Empfehlungen zu folgen.

Ich begann folgendes zu essen:	täglich	manchmal	nie
Zum Frühstück Müslis aus keimfähigen, frisch vor der Zubereitung geschroteten Getreidekörnern, mit frischen Früchten und Nüssen:	X		
Zum Mittag- und/oder Abendessen verschiedene Blattsalate und rohe Wurzelgemüsesalate	X		
Angekeimte Hülsenfrüchte (Kichererbsen, Linsen, grüne Mungobohnen) als Beilage zu den Salaten		X	
Früchte (Äpfel, Birnen, Ananas usw.) nach Jahreszeit	X		

Vollkornbrot und –gebäck aus keimfähigen, frisch vor der Teigbereitung gemahlenen Getreiden (z.B. Weizen, Dinkel, Roggen)		X	

Das entspricht einer Befolgung der Empfehlungen zu 80 %.

Folgendes begann ich zu meiden:	**völlig**	**meistens**	**verzehre ich noch**
Fleisch, Geflügel, Ei, Fisch, Meeresfrüchte	X		
Milch und Milchprodukte (Käse, Yoghurt usw.)		X	
Industriezucker, Auszugsmehle und Produkte, welche diese enthalten	X		
Erhitzte (gekochte) Gemüse (unschädliche Ausnahme: Gedämpfte Kartoffeln)	X		
Gekochtes Obst und Säfte (auch frisch gepresste)	X		

Das entspricht einer Befolgung der Empfehlungen zu 90 %.

Die Empfehlungen, was zu essen und was zu meiden ist, wurden somit von mir insgesamt gewertet zu 85 % befolgt.

3) Mein Arzt unterstützte mich wie folgt:

Mein Arzt unterstützte mich überhaupt nicht.

Ich suchte damals bei verschiedenen Ärzten und Heilpraktikern Rat. Als ich mir selbst durch Ihre Bücher helfen konnte, interessierte das niemanden, und alle erklärten die durch die Ernährungsumstellung erfolgte Heilung als zufällig. Jetzt benötige ich keine Hilfe mehr von Heilpraktikern o.ä.

Die beschriebenen kleinen Aderlässe (80-100 ml, 1 x pro Woche, max. 10 mal) zur Beschleunigung der Heilung hatte ich 3 mal.

4) Änderungen meines Blutdrucks und meiner Gesundheit

Mein durchschnittlicher Blutdruck unter der geänderten Ernährung war:

nach 4 Wochen: 140/100 mm/Hg;

nach 8 Wochen: 135/90 mm/Hg;

nach 12 Wochen: 130/85 mm/Hg.

Die folgenden Veränderungen meiner Gesundheit stellte ich seither fest: Ab sofort hatte ich keinen einzigen Migräne-Anfall mehr, keine Kopfschmerzen, mein Blutdruck sank stetig auf Normalwerte und vor allem pendelte sich mein Blutzuckerwert auf Normalwerte ein.

Dass mein Übergewicht ebenfalls langsam aber stetig verschwand, ist ja schon fast selbstverständlich, ebenso, dass ich keine Abführmittel oder ähnliches mehr benötige. :-)

5) Wie es mir jetzt geht

Gegenwärtig esse ich wie folgt:	täglich	manchmal	nie
Zum Frühstück Müslis aus keimfähigen, frisch vor der Zubereitung geschroteten Getreidekörnern, mit frischen Früchten und Nüssen:	X		
Zum Mittag- und/oder Abendessen verschiedene Blattsalate und rohe Wurzelgemüsesalate	X		
Angekeimte Hülsenfrüchte (Kichererbsen, Linsen, grüne Mungobohnen) als Beilage zu den Salaten		X	
Früchte (Äpfel, Birnen, Ananas usw.) nach Jahreszeit	X		
Vollkornbrot und –gebäck aus keimfähigen, frisch vor der Teigbereitung gemahlenen Getreiden (z.B. Weizen, Dinkel, Roggen)		X	

Das entspricht einer Befolgung der Empfehlungen zu 80 %.

Gegenwärtig meide ich folgendes:	völlig	meistens	verzehre ich noch
Fleisch, Geflügel, Ei, Fisch, Meeresfrüchte	X		
Milch und Milchprodukte (Käse, Yoghurt usw.)		X	
Industriezucker, Auszugsmehle und Produkte, welche diese enthalten	X		
Erhitzte (gekochte) Gemüse (unschädliche Ausnahme: Gedämpfte Kartoffeln)	X		
Gekochtes Obst und Säfte (auch frisch gepresste)	X		

Das entspricht einer Befolgung der Empfehlungen zu 90 %.

Die Empfehlungen, was zu essen und was zu meiden ist, werden von mir also insgesamt gewertet zu 85 % befolgt.

Mein gegenwärtiger durchschnittlicher Blutdruck ist 125/80 mm/Hg.

Meine Erfahrungen mit dieser Veränderung in meinem Leben:

Ich bin jeden Tag aufs Neue für die Gesundheit dankbar, die ich Dank Herrn Dr. Schnitzer erreichen konnte.

Es war damals eine ganz selbstverständliche Sache, in der Apotheke mit Namen angesprochen zu werden und bei jedem Arzttermin gleich den nächsten zu reservieren. Heute werde ich in meinem Naturkostladen mit Namen angesprochen und muss genau überlegen, wann ich zuletzt einen Heilpraktiker aufsuchen musste.

Meine ganze Lebenseinstellung hat sich sehr zum Positiven geändert und ich kann heute kaum noch verstehen, dass ich damals wie selbstverständlich und nicht-selbstbestimmt in den Mühlen der Pharma- und Zukker-Industrie landen konnte. Es lohnt sich wirklich, den gesunden Menschenverstand wieder zu aktivieren und mit sich selbst und seinem Körper wieder bewusst umzugehen.

Ich hoffe, dass noch viele, viele Menschen von den großartigen Erkenntnissen Dr. Schnitzers profitieren können und wünsche ihm für seine weitere Arbeit viel Erfolg! Von ganzem Herzen Danke!

P.S. Vor kurzem las ich den Satz: „Der Körper ist der Übersetzer der Seele in das Sichtbare." Wie wahr....

(So weit der Bericht von Frau E. W., 52 Jahre, vom 28. September 2004)

Anmerkungen zu dem Bericht von Frau E. W.

von Dr. Johann Georg Schnitzer

Die Krankheitsgeschichte dieser Patientin begann im Alter von 15 Jahren: „Seit meinem 15. Lebensjahr litt ich unter chronischer Verstopfung, die ich täglich mit dem Abführmittel „Midro-Tee" bekämpfte."

Gleich, mit welchen Beschwerden oder Krankheiten ein Patient in die Sprechstunde kommt, sollte ein guter Arzt überprüfen, ob mit der Verdauung alles in Ordnung ist. Als nächstes sollte er nach den Ernährungsgewohnheiten fragen (wozu auch die Frage nach Genussmitteln und der Art der Getränke gehört).

Im vorliegenden Fall hätte dieses zur Entdeckung der chronischen Verstopfung und einer falschen Ernährungsweise geführt. Da beides mangels ärztlicher Sorgfalt unentdeckt blieb, konnten sich über die nachfolgenden 37 Jahre hinweg die ganzen weiteren Leiden entwickeln.

Stuhlverstopfung heilt unter natürlicher, artgerechter Ernährung meist innerhalb weniger Tage aus. Eine solche ist in meinem Buch „Schnitzer-Intensivkost, Schnitzer-Normalkost“ beschrieben; sie ist auch die Ernährungsgrundlage für die Ausheilung von Bluthochdruck.

Weil diese einfachen Erhebungen (Anamnese) und die daraus resultierenden Ratschläge ärztlicherseits unterlassen wurden, entwickelte sich die ursprünglich nur an Stuhlverstopfung leidende Patientin zu einer für die „moderne Medizin“ lukrativen Konsumentin zahlreicher „medizinischer Dienstleistungen“ – sowohl in der Arztpraxis als in der Apotheke, welche sie ganz regelmäßig über viele Jahre hinweg aufsuchen musste.

Man rechne sich das einmal hoch auf die Millionen ähnlicher Fälle – dann begreift man, warum z.B. in Deutschland die Krankheitskosten so hoch sind, dass diese die Wirtschaftskraft des ganzen Landes schwächen, welches einst das „Wirtschaftswunder“ zuwege brachte und heute nahezu das Schlusslicht in Europa geworden ist (welches selbst insgesamt ebenfalls gegenüber aufstrebenden, gesünderen Völkern zurück fällt).

Die ehemalige Patientin eignete sich schließlich aus eigener Kraft das notwendige Wissen an und eroberte ihre Gesundheit in Eigenregie zurück. Beispielhaft schildert sie, wie sich das medizinische „Establishment“ selbst vor Erkenntnissen schützt, welche es zwingen könnten, von den für das System lukrativen, aus einer Krankheit die nächste fortzeugenden symptomatischen Dauerbehandlungen abzulassen, wenn am Gesundungsverlauf eines Patienten „offensichtlich zu werden droht“, dass eine für „unheilbar“ erklärte und einträglich dauerbehandelte Krankheit durchaus auch geheilt werden kann:

„Ich suchte damals bei verschiedenen Ärzten und Heilpraktikern Rat. Als ich mir selbst durch Ihre Bücher helfen konnte, interessierte das niemanden, und alle erklärten die durch die Ernährungsumstellung erfolgte Heilung als zufällig.“

Nun, die in diesem Buch dokumentierten Fälle sind ein wenig zu viele „Zufälle“ – alle diese, meist innerhalb weniger Wochen erfolgten „zufälligen“ Ausheilungen von Bluthochdruck bei Patienten, welche zuvor jahre- und oft jahrzehntelang mit der „Standardtherapie des Bluthochdrucks“ als zahlende Mitglieder des Dauerpatientenstammes von Arztpraxen an diese gekettet waren, weil sie dort *nicht* geheilt worden sind.

Bericht von Herrn O. I. (34) aus Deutschland

1) Meine Bluthochdruck-Vorgeschichte

Bevor ich damit begann, Dr. Schnitzers Empfehlungen zu folgen, litt ich an Bluthochdruck seit 17 Jahren und 1 Monat. Mein durchschnittlicher Blutdruck war 180/110 mm/Hg. Ich nahm keine Medikamente ein.

2) Mein Beginn mit Dr. Schnitzers Empfehlungen

Ich begann vor 6 Monaten, Dr. Schnitzers Empfehlungen zu folgen.

Ich begann folgendes zu essen:	täglich	manchmal	nie
Zum Frühstück Müslis aus keimfähigen, frisch vor der Zubereitung geschroteten Getreidekörnern, mit frischen Früchten und Nüssen:	X		
Zum Mittag- und/oder Abendessen verschiedene Blattsalate und rohe Wurzelgemüsesalate	X		
Angekeimte Hülsenfrüchte (Kichererbsen, Linsen, grüne Mungobohnen) als Beilage zu den Salaten		X	
Früchte (Äpfel, Birnen, Ananas usw.) nach Jahreszeit	X		
Vollkornbrot und –gebäck aus keimfähigen, frisch vor der Teigbereitung gemahlenen Getreiden (z.B. Weizen, Dinkel, Roggen)		X	

Das entspricht einer Befolgung der Empfehlungen zu 80 %.

Folgendes begann ich zu meiden:	völlig	meistens	verzehre ich noch
Fleisch, Geflügel, Ei, Fisch, Meeresfrüchte		X	

Milch und Milchprodukte (Käse, Yoghurt usw.)		X	
Industriezucker, Auszugsmehle und Produkte, welche diese enthalten		X	
Erhitzte (gekochte) Gemüse (unschädliche Ausnahme: Gedämpfte Kartoffeln)	X		
Gekochtes Obst und Säfte (auch frisch gepresste)	X		

Das entspricht einer Befolgung der Empfehlungen zu 70 %.

Die Empfehlungen, was zu essen und was zu meiden ist, wurden somit von mir insgesamt gewertet zu 75 % befolgt.

3) Mein Arzt unterstützte mich wie folgt:

(Keine Aussage hierzu). Die beschriebenen kleinen Aderlässe (80-100 ml, 1 x pro Woche, max. 10 mal) zur Beschleunigung der Heilung hatte ich nicht.

4) Änderungen meines Blutdrucks und meiner Gesundheit

Mein durchschnittlicher Blutdruck unter der geänderten Ernährung war:

nach 4 Wochen: 140/100 mm/Hg;
nach 8 Wochen: 135/90 mm/Hg;
nach 12 Wochen: 130/85 mm/Hg.

5) Wie es mir jetzt geht

Gegenwärtig esse ich wie folgt:	**täg-lich**	**manch-mal**	**nie**
Zum Frühstück Müslis aus keimfähigen, frisch vor der Zubereitung geschroteten Getreidekörnern, mit frischen Früchten und Nüssen:	X		
Zum Mittag- und/oder Abendessen verschiedene Blattsalate und rohe Wurzelgemüsesalate	X		
Angekeimte Hülsenfrüchte (Kichererbsen, Linsen, grüne Mungobohnen) als Beilage zu den Salaten		X	
Früchte (Äpfel, Birnen, Ananas usw.) nach Jahreszeit	X		

Vollkornbrot und –gebäck aus keimfähigen, frisch vor der Teigbereitung gemahlenen Getreiden (z.B. Weizen, Dinkel, Roggen)		X	

Das entspricht einer Befolgung der Empfehlungen zu 80 %.

Gegenwärtig meide ich folgendes:	**völlig**	**meistens**	**verzehre ich noch**
Fleisch, Geflügel, Ei, Fisch, Meeresfrüchte		X	
Milch und Milchprodukte (Käse, Yoghurt usw.)		X	
Industriezucker, Auszugsmehle und Produkte, welche diese enthalten		X	
Erhitzte (gekochte) Gemüse (unschädliche Ausnahme: Gedämpfte Kartoffeln)	X		
Gekochtes Obst und Säfte (auch frisch gepresste)	X		

Das entspricht einer Befolgung der Empfehlungen zu 70 %.

Die Empfehlungen, was zu essen und was zu meiden ist, werden von mir also insgesamt gewertet zu 75 % befolgt.

Mein gegenwärtiger durchschnittlicher Blutdruck ist 135/85 mm/Hg.

(So weit der Bericht von Herrn O. I., 34 Jahre, vom 23. Oktober 2004)

Anmerkungen zu dem Bericht von Herrn O. I.

von Dr. Johann Georg Schnitzer

Dieser junge Mann hatte vorher über 17 Jahre lang mit 180/110 mm/Hg Bluthochdruck gehabt. Er wandte dann die in diesem Buch empfohlenen Ernährungsmaßnahmen zu 75 % an, und normalisierte damit innerhalb von 12 Wochen seinen Blutdruck auf 130/85 mm/Hg, wo dieser auch ein weiteres Vierteljahr später mit 135/85 blieb – worauf er seinen Fallbericht zur Bluthochdruckstudie abschickte.

So einfach ist das, wenn vorher keine Bluthochdruckpillen eingenommen worden sind. Bemerkenswert ist außerdem, dass der Patient die 17 Jahre Bluthochdruck ohne Pillen so gut überlebt hat – das passt zum Ergebnis der erwähnten amerikanischen Langzeitstudie („Arztfern leben“).

Bericht von Herrn W. B. (63) aus Deutschland

1) Meine Bluthochdruck-Vorgeschichte

Bevor ich damit begann, Dr. Schnitzers Empfehlungen zu folgen, litt ich an Bluthochdruck seit 2 Jahren.

Mein durchschnittlicher Blutdruck war 190/95 mm/Hg, bevor ich Medikamente einnahm. Beschwerden hatte ich folgende:

Roter Kopf, teilweise Kopfschmerzen. Ich nahm jedoch keine Medikamente ein und wollte einfach „ohne“ auskommen.

2) Mein Beginn mit Dr. Schnitzers Empfehlungen

Ich begann vor 12 Monaten, Dr. Schnitzers Empfehlungen zu folgen.

Ich begann folgendes zu essen:	täglich	manchmal	nie
Zum Frühstück Müslis aus keimfähigen, frisch vor der Zubereitung geschroteten Getreidekörnern, mit frischen Früchten und Nüssen:	X		
Zum Mittag- und/oder Abendessen verschiedene Blattsalate und rohe Wurzelgemüsesalate	X		
Angekeimte Hülsenfrüchte (Kichererbsen, Linsen, grüne Mungobohnen) als Beilage zu den Salaten		X	
Früchte (Äpfel, Birnen, Ananas usw.) nach Jahreszeit	X		
Vollkornbrot und –gebäck aus keimfähigen, frisch vor der Teigbereitung gemahlenen Getreiden (z.B. Weizen, Dinkel, Roggen)		X	

Das entspricht einer Befolgung der Empfehlungen zu 80 %.

Folgendes begann ich zu meiden:	völlig	meistens	verzehre ich noch
Fleisch, Geflügel, Ei, Fisch, Meeresfrüchte		X	
Milch und Milchprodukte (Käse, Yoghurt usw.)		X	
Industriezucker, Auszugsmehle und Produkte, welche diese enthalten		X	

Erhitzte (gekochte) Gemüse (unschädliche Ausnahme: Gedämpfte Kartoffeln)	X		
Gekochtes Obst und Säfte (auch frisch gepresste)		X	

Das entspricht einer Befolgung der Empfehlungen zu 60 %.

Die Empfehlungen, was zu essen und was zu meiden ist, wurden somit von mir insgesamt gewertet zu 70 % befolgt.

3) Mein Arzt unterstützte mich wie folgt:

Mein Arzt unterstützte mich nicht besonders. Seine Empfehlung: Salzlose Kost.

Ich suchte mir keinen anderen Arzt. Die beschriebenen kleinen Aderlässe (80-100 ml, 1 x pro Woche, max. 10 mal) zur Beschleunigung der Heilung hatte ich nicht.

4) Änderungen meines Blutdrucks und meiner Gesundheit

Mein durchschnittlicher Blutdruck unter der geänderten Ernährung war:

nach 8 Wochen: 140/85 mm/Hg;

nach 12 Wochen: 125/75 mm/Hg.

Die folgenden Veränderungen meiner Gesundheit stellte ich seither fest: Die Veränderung meiner Ernährungsweise war ein voller Erfolg. Auch mein Diabetes ist heute kaum noch behandlungsbedürftig.

5) Wie es mir jetzt geht

Gegenwärtig esse ich wie folgt:	täglich	manchmal	nie
Zum Frühstück Müslis aus keimfähigen, frisch vor der Zubereitung geschroteten Getreidekörnern, mit frischen Früchten und Nüssen:		X	
Zum Mittag- und/oder Abendessen verschiedene Blattsalate und rohe Wurzelgemüsesalate	X		
Angekeimte Hülsenfrüchte (Kichererbsen, Linsen, grüne Mungobohnen) als Beilage zu den Salaten		X	

Früchte (Äpfel, Birnen, Ananas usw.) nach Jahreszeit	X		
Vollkornbrot und –gebäck aus keimfähigen, frisch vor der Teigbereitung gemahlenen Getreiden (z.B. Weizen, Dinkel, Roggen)		X	

Das entspricht einer Befolgung der Empfehlungen zu 70 %.

Gegenwärtig meide ich folgendes:	**völlig**	**meistens**	**verzehre ich noch**
Fleisch, Geflügel, Ei, Fisch, Meeresfrüchte		X	
Milch und Milchprodukte (Käse, Yoghurt usw.)		X	
Industriezucker, Auszugsmehle und Produkte, welche diese enthalten	X		
Erhitzte (gekochte) Gemüse (unschädliche Ausnahme: Gedämpfte Kartoffeln)		X	
Gekochtes Obst und Säfte (auch frisch gepresste)		X	

Das entspricht einer Befolgung der Empfehlungen zu 60 %.

Die Empfehlungen, was zu essen und was zu meiden ist, werden von mir also insgesamt gewertet zu 65 % befolgt.

Mein gegenwärtiger durchschnittlicher Blutdruck ist 125/75 mm/Hg.

Meine Erfahrungen mit dieser Veränderung in meinem Leben:

Ich fühle mich wohler und befreiter.

(So weit der Bericht von Herrn W. B., 63 Jahre, vom 23. Oktober 2004)

Anmerkungen zu dem Bericht von Herrn W. B.

von Dr. Johann Georg Schnitzer

Wie einfach es doch ist, Bluthochdruck auszuheilen, wenn die Angelegenheit gleich richtig angegangen wird, anstatt sie erst einmal mit den „un-heil-vollen" Pillen zu verschlimmbessern. Da macht es auch nichts aus, dass der Bluthochdruck mit 190/95 mm/Hg erheblich war und schon

2 Jahre lang bestanden hatte. Denn das Regulationssystem hatte die Sache überwiegend im Griff – auch wenn es, um die Versorgung des Gehirns mit Sauerstoff und Energie zu sichern, den Druck so erhöhen musste, dass die Blutfülle im Gesicht zu viel des Guten wurde („roter Kopf").

Wichtig war, dass dieses Regulationssystem gar nicht erst durch Pillen in die Situation „Fahren mit Vollgas (notwendige Druckerhöhung) und gleichzeitig Bremse (Herunterzwingen des erhöhten Blutdrucks)" gebracht wurde. Denn damit wäre jenes „Regulations-Chaos" erzeugt worden, welches das System zu noch größeren Anstrengungen einer Druckerhöhung veranlasst hätte (worauf die meisten Ärzte aus Unkenntnis die Zahl und Dosierungen der Bluthochdruckpillen weiter erhöhen, so lange, bis das Regulationssystem überfordert ist und es zu dessen plötzlichem, fatalem Absturz kommt: Herzinfarkt, Hirnschlag, Embolie usw.).

Auch das Alter des Patienten (63) war kein Hindernis für eine zügige Ausheilung seines Bluthochdrucks (und nebenbei auch seines Diabetes!) durch eine natürlichere Ernährung. Damit ist einmal mehr erwiesen, dass Bluthochdruck und „Altersdiabetes" keine Alterskrankheiten sind, sondern die Folgen falscher, artfremder und denaturierter Ernährung.

Diese falsche Ernährung wird nicht dadurch weniger ungesund, dass sie vom überwiegenden Teil der Bevölkerung als „normal" angesehen und praktiziert wird; ebenso wenig dadurch, dass von der Nahrungsmittel-Lobby gesponserte „Ernährungsfachleute" eine solche Kost als „ausgewogen" propagieren. Es gibt neben der Ernährung nur wenige Gebiete, auf welchen mehr „gezielte Desinformation" und Täuschung durch Weglassen eines Teils der Wahrheit betrieben wird, weil es dabei um Märkte mit jährlichen Milliardenumsätzen geht.

Bericht von Herrn T. Q. (66) aus Deutschland

1) Meine Bluthochdruck-Vorgeschichte

Bevor ich damit begann, Dr. Schnitzers Empfehlungen zu folgen, litt ich an Bluthochdruck seit 16 Jahren. Mein durchschnittlicher Blutdruck war 160/110 mm/Hg, bevor ich Medikamente einnahm.

Ich hatte keine spürbaren Beschwerden. Der Bluthochdruck wurde während eines Urlaubs in Bayern durch einen Kurarzt festgestellt, als ich zu Beginn der von meiner Krankenkasse genehmigten Kurmaßnahmen (Kurlaub) untersucht wurde. Zu diesem Zeitpunkt hatte ich keine Ahnung von meinem Bluthochdruck.

Zuletzt nahm ich die folgenden mir verschriebenen Medikamente ein:

Beloc Zoc 95 mg	1 mal täglich
Enahexal 5 mg	1 mal täglich

Unter dieser Medikation war mein Blutdruck 140/90 mm/Hg. Meine Beschwerden unter dieser Medikation waren folgende:

Nach meinem Empfinden war ich häufig sehr müde und konnte meistens nicht genug Schlaf bekommen.

2) Mein Beginn mit Dr. Schnitzers Empfehlungen

Ich begann vor 11 Monaten, Dr. Schnitzers Empfehlungen zu folgen.

Ich begann folgendes zu essen:	**täglich**	**manchmal**	**nie**
Zum Frühstück Müslis aus keimfähigen, frisch vor der Zubereitung geschroteten Getreidekörnern, mit frischen Früchten und Nüssen:	**X**		
Zum Mittag- und/oder Abendessen verschiedene Blattsalate und rohe Wurzelgemüsesalate		**X**	
Angekeimte Hülsenfrüchte (Kichererbsen, Linsen, grüne Mungobohnen) als Beilage zu den Salaten		**X**	
Früchte (Äpfel, Birnen, Ananas usw.) nach Jahreszeit	**X**		
Vollkornbrot und –gebäck aus keimfähigen, frisch vor der Teigbereitung gemahlenen Getreiden (z.B. Weizen, Dinkel, Roggen)	**X**		

Das entspricht einer Befolgung der Empfehlungen zu 80 %.

Folgendes begann ich zu meiden:	**völlig**	**meistens**	**verzehre ich noch**
Fleisch, Geflügel, Ei, Fisch, Meeresfrüchte		**X**	
Milch und Milchprodukte (Käse, Yoghurt usw.)			**X**

Industriezucker, Auszugsmehle und Produkte, welche diese enthalten	X		
Erhitzte (gekochte) Gemüse (unschädliche Ausnahme: Gedämpfte Kartoffeln)		X	
Gekochtes Obst und Säfte (auch frisch gepresste)		X	

Das entspricht einer Befolgung der Empfehlungen zu 50 %.

Die Empfehlungen, was zu essen und was zu meiden ist, wurden somit von mir insgesamt gewertet zu 65 % befolgt.

3) Mein Arzt unterstützte mich wie folgt:

Mein Hausarzt unterstützte mich überhaupt nicht. Er fand das nicht schlecht, er empfahl aber, die Medikamente weiterhin einzunehmen. Einen anderen Arzt suchte ich mir nicht.

Die beschriebenen kleinen Aderlässe (80-100 ml, 1 x pro Woche, max. 10 mal) zur Beschleunigung der Heilung hatte ich nicht.

4) Änderungen meines Blutdrucks und meiner Gesundheit

Mein durchschnittlicher Blutdruck unter der geänderten Ernährung war:

nach 4 Wochen: 135/80 mm/Hg;
nach 8 Wochen: 135/80 mm/Hg;
nach 12 Wochen: 135/80 mm/Hg.

Die beiden blutdrucksenkenden Medikamente setzte ich sofort bei Beginn der Ernährungsänderung ab.

Folgenden Veränderungen meiner Gesundheit stellte ich seither fest: Keine wesentlichen Veränderungen, jedoch ein besseres Lebensgefühl.

5) Wie es mir jetzt geht

Gegenwärtig esse ich wie folgt:	täg-lich	manch-mal	nie
Zum Frühstück Müslis aus keimfähigen, frisch vor der Zubereitung geschroteten Getreidekörnern, mit frischen Früchten und Nüssen:	X		
Zum Mittag- und/oder Abendessen verschiedene Blattsalate und rohe Wurzelgemüsesalate	X		

Angekeimte Hülsenfrüchte (Kichererbsen, Linsen, grüne Mungobohnen) als Beilage zu den Salaten		X	
Früchte (Äpfel, Birnen, Ananas usw.) nach Jahreszeit	X		
Vollkornbrot und –gebäck aus keimfähigen, frisch vor der Teigbereitung gemahlenen Getreiden (z.B. Weizen, Dinkel, Roggen)	X		

Das entspricht einer Befolgung der Empfehlungen zu 90 %.

Gegenwärtig meide ich folgendes:	**völlig**	**meistens**	**verzehre ich noch**
Fleisch, Geflügel, Ei, Fisch, Meeresfrüchte		X	
Milch und Milchprodukte (Käse, Yoghurt usw.)			X
Industriezucker, Auszugsmehle und Produkte, welche diese enthalten	X		
Erhitzte (gekochte) Gemüse (unschädliche Ausnahme: Gedämpfte Kartoffeln)		X	
Gekochtes Obst und Säfte (auch frisch gepresste)		X	

Das entspricht einer Befolgung der Empfehlungen zu 50 %.

Die Empfehlungen, was zu essen und was zu meiden ist, werden von mir also insgesamt gewertet zu 70 % befolgt.

Mein gegenwärtiger durchschnittlicher Blutdruck ist 135/80 mm/Hg.

Meine Erfahrungen mit dieser Veränderung in meinem Leben:

Durch die für meine Begriffe ziemlich radikale Veränderung habe ich eine wesentlich andere und kritischere Einstellung zu allen Gesundheitsfragen und Lebensgewohnheiten bekommen. Ich habe mein Einkaufsverhalten und die Essgewohnheiten überwiegend auf die Therapieanleitung umgestellt. Mit einigen Sachen habe ich noch so meine Probleme: Eier und Käse esse ich immer noch, wenn auch wesentlich weniger. Meine selbstgemachten Gelees möchte ich nicht wegwerfen. Jetzt suche ich nach Möglichkeiten, sie zuckerfrei herzustellen, jedoch sind die bisher ausfindig gemachten Alternativen nicht besonders zufriedenstellend.

(So weit der Bericht von Herrn T. Q., 66 Jahre, vom 23. Oktober 2004)

Anmerkungen zu dem Bericht von Herrn T. Q.

von Dr. Johann Georg Schnitzer

Seit 16 Jahren wusste der Patient von seinem Bluthochdruck – aber nur, weil dieser zufällig bei einer Routineuntersuchung festgestellt wurde. Beschwerden hatte er keine – sein Regulationssystem hatte das verengte Gefäßsystem und das dickflüssigere Blut vollkommen mit der Erhöhung des Blutdrucks kompensiert.

Erst als – von einem Arzt! – statt einer kausalen (an den Ursachen, den Ernährungs-Ursachen ansetzenden) Therapie die symptomatische, auf falschen Vorstellungen beruhende „Standardtherapie des Bluthochdrucks" mit Pillen verordnet wurde, kam es zu Problemen: Die Sauerstoff- und Energieversorgung des Organismus, besonders des Gehirns, wurde unzureichend: Der Patient fühlte sich „ ...häufig sehr müde und konnte meistens nicht genug Schlaf bekommen."

Als der Patient sich selber sachkundig machte und daraufhin seine Ernährung änderte, unterstützte ihn sein Arzt überhaupt nicht und empfahl vor allem, die Medikamente weiterhin einzunehmen.

Was nicht nur in diesem Fall befremdet, ist das bei vielen Ärzten zu beobachtende völlige Ausblenden eigenständigen Denkens und jeglicher wissenschaftlichen Neugier darauf, ob es nicht vielleicht doch noch etwas Besseres bei Bluthochdruck gibt als diese lebenslängliche Pillenbehandlung. Gleichsam wie „konditioniert" von einem anonymen „großen Bruder", wird hier streng nach der von einer „herrschenden Lehrmeinung" vorgegebenen Matrix verordnet und „dauertherapiert". Vorbei sind offenbar die Zeiten, als der „Doktortitel" noch für den Nachweis der Fähigkeit verliehen wurde, selbständig wissenschaftlich zu arbeiten.

Der Patient, nicht nur mit einem ohne Pillen normalen Blutdruck beschenkt, sondern auch mit einem „besseren Lebensgefühl", empfand die Ernährungsumstellung subjektiv als „ziemlich radikale Veränderung". Das ist objektiv jedoch eher ein Hinweis darauf, wie gravierend die Ernährungsfehler in seiner vorher gewohnten Kost gewesen waren; denn er hat die gegebenen Ernährungsempfehlungen anfangs nur zu 65 %, später auch nur zu 70 % befolgt. Trotzdem hat das schon ausgereicht, den Blutdruck zu normalisieren und das Lebensgefühl zu bessern. Was für einen hohen, vorher nie gekannten Gesundheitsgrad würde er erst erreichen können, wenn er diese Empfehlungen vollständig befolgen würde! Dieses

Ausforschen des eigenen Höchstgrades natürlicher Gesundheit sollte man sich nicht entgehen lassen, lebt man doch in diesem Leben nur einmal und kann seinen Körper nicht wechseln wie ein Auto, wenn es in die Jahre kommt.

Die volle Normalisierung des Blutdrucks schon bei einer nur teilweisen Wiederherstellung der natürlichen Gesundheitsgrundlagen ist einer jener vielen Hinweise darauf, dass Gesundheit mehr sein muss als nur das Freisein von Krankheiten und Beschwerden. Dass dort, wo diese aufhören, die Gesundheit erst anfängt, praktisch erst der „Nullpunkt“ zwischen dem Krankheitsbereich und dem Gesundheitsbereich überschritten wird, darauf habe ich schon 1982 in der ersten Auflage meines Buches „Der alternative Weg zur Gesundheit“ hingewiesen. Auch in der jetzigen Auflage des Buches sind diese Zusammenhänge aufgezeigt:

„Der alternative Weg zur Gesundheit“
<http://www.dr-schnitzer.de/awg001.htm>

Bericht von Mr. D. M. (60) aus den USA

(übersetzt aus dem Englischen)

1) Meine Bluthochdruck-Vorgeschichte

Bevor ich damit begann, Dr. Schnitzers Empfehlungen zu folgen, litt ich an Bluthochdruck seit 6 Jahren. Mein durchschnittlicher Blutdruck war 161/81 mm/Hg.

Ich hatte keine spezifischen Beschwerden, wurde jedoch seit 1995 wegen Herzrhythmusschwankungen behandelt. Beim Arbeiten war Anstrengung jeweils nur für begrenzte Zeit möglich. Nach nur 30 Minuten war jeweils eine Ruheperiode von einer Stunde notwendig, um eine nächste Arbeitsphase von 30 Minuten zu beginnen. Das Limit von einer ganzen Stunde Arbeit pro Tag was das absolute Limit (1995-1998).

Medikamente nahm ich keine.

2) Mein Beginn mit Dr. Schnitzers Empfehlungen

Ich begann vor 6 Jahren, Dr. Schnitzers Empfehlungen zu folgen.

Ich begann folgendes zu essen:	täglich	manchmal	nie
Zum Frühstück Müslis aus keimfähigen, frisch vor der Zubereitung geschroteten Getreidekörnern, mit frischen Früchten und Nüssen:		X	
Zum Mittag- und/oder Abendessen verschiedene Blattsalate und rohe Wurzelgemüsesalate		X	
Angekeimte Hülsenfrüchte (Kichererbsen, Linsen, grüne Mungobohnen) als Beilage zu den Salaten		X	
Früchte (Äpfel, Birnen, Ananas usw.) nach Jahreszeit		X	
Vollkornbrot und –gebäck aus keimfähigen, frisch vor der Teigbereitung gemahlenen Getreiden (z.B. Weizen, Dinkel, Roggen)	X		

Das entspricht einer Befolgung der Empfehlungen zu 60%.

Folgendes begann ich zu meiden:	völlig	meistens	verzehre ich noch
Fleisch, Geflügel, Ei, Fisch, Meeresfrüchte	X		
Milch und Milchprodukte (Käse, Yoghurt usw.)		X	
Industriezucker, Auszugsmehle und Produkte, welche diese enthalten		X	
Erhitzte (gekochte) Gemüse (unschädliche Ausnahme: Gedämpfte Kartoffeln)		X	
Gekochtes Obst und Säfte (auch frisch gepresste)			X

Das entspricht einer Befolgung der Empfehlungen zu 50 %.

Die Empfehlungen, was zu essen und was zu meiden ist, wurden somit von mir insgesamt gewertet zu 55 % befolgt.

3) Mein Arzt unterstützte mich wie folgt:

Mein Arzt unterstützte mich nicht besonders. Anfänglich habe ich meinem Arzt nichts von der Änderung der Ernährung erzählt, weil er mir bereits eine „do and don't"(was tun, was nicht tun)-Liste zum Befolgen gegeben hatte. Schnitzer-Kost unterscheidet sich von dieser Liste, deshalb wollte ich keine Schwierigkeiten mit ihm erzeugen. Einen anderen Arzt suchte ich nicht. Die beschriebenen kleinen Aderlässe (80-100 ml, 1 x pro Woche, max. 10 mal) zur Beschleunigung der Heilung hatte ich nicht.

4) Änderungen meines Blutdrucks und meiner Gesundheit

Mein durchschnittlicher Blutdruck unter der geänderten Ernährung war:

nach 4 Wochen:	135/70 mm/Hg;
nach 8 Wochen:	137/72 mm/Hg;
nach 12 Wochen:	140/72 mm/Hg.

Nach ein paar Wochen dieser neuen „Schnitzer-Kost“ wurde es offensichtlich, dass einige Veränderungen stattfanden: Mein Körpergewicht nahm ab, meine Energie nahm zu, und meine Pulsfrequenz machte keine Sprünge mehr während körperlicher Anstrengungen. Der Besuch beim Kardiologen war gut. Es erwischte den Doktor ungeschützt, als er mich fragte, was ich gemacht hätte, um eine so dramatische Veränderung meines Gewichts und meines Herzens (Blutdruck) zu erreichen. Ich erzählte ihm, dass ich Schnitzer-Kost anwende, und er sagte, das sei die gleiche Kost die in seinem Land (Indien) gegessen wird. Er war überrascht von der Wirkung, und musste dann meine Diagnose ändern von Herzrhythmusstörungen auf „Kurzatmigkeit“.

5) Wie es mir jetzt geht

Gegenwärtig esse ich wie folgt:	**täg-lich**	**manch-mal**	**nie**
Zum Frühstück Müslis aus keimfähigen, frisch vor der Zubereitung geschroteten Getreidekörnern, mit frischen Früchten und Nüssen:		**X**	
Zum Mittag- und/oder Abendessen verschiedene Blattsalate und rohe Wurzelgemüsesalate		**X**	
Angekeimte Hülsenfrüchte (Kichererbsen, Linsen, grüne Mungobohnen) als Beilage zu den Salaten			**X**
Früchte (Äpfel, Birnen, Ananas usw.) nach Jahreszeit		**X**	
Vollkornbrot und –gebäck aus keimfähigen, frisch vor der Teigbereitung gemahlenen Getreiden (z.B. Weizen, Dinkel, Roggen)		**X**	

Das entspricht einer Befolgung der Empfehlungen zu 40 %.

Gegenwärtig meide ich folgendes:	völlig	meistens	verzehre ich noch
Fleisch, Geflügel, Ei, Fisch, Meeresfrüchte		X	
Milch und Milchprodukte (Käse, Yoghurt usw.)		X	
Industriezucker, Auszugsmehle und Produkte, welche diese enthalten		X	
Erhitzte (gekochte) Gemüse (unschädliche Ausnahme: Gedämpfte Kartoffeln)	X		
Gekochtes Obst und Säfte (auch frisch gepresste)		X	

Das entspricht einer Befolgung der Empfehlungen zu 60 %.

Die Empfehlungen, was zu essen und was zu meiden ist, werden von mir also insgesamt gewertet zu 50 % befolgt. Mein gegenwärtiger durchschnittlicher Blutdruck ist 137/75 mm/Hg.

Meine Erfahrungen mit dieser Veränderung in meinem Leben:

Am Anfang (1998) nahm ich ab, und der Blutdruck näherte sich normalen Werten. In den letzten zwei Jahren (2002-2004) mehr Abweichungen von der Schnitzer-Kost scheinen einen Rückgang des ursprünglich erzielten Fortschritts zu erlauben. Das Anfangsgewicht fiel von 118 kg auf 93 kg und war leicht zu halten, aber jetzt ist das Gewicht wieder bei 115 kg. Die erste Gewichtsabnahme brauchte 1 Jahr (1998-1999), und die Zunahme auf das jetzige Gewicht brauchte nur zwei Jahre (2002-2004).

(So weit der Bericht von Mr. D. M., 60 Jahre, vom 24. Oktober 2004)

Anmerkungen zu dem Bericht von Mr. D. M.

von Dr. Johann Georg Schnitzer

Trotz der relativ geringen Befolgung der Ernährungsempfehlungen von 55 %, später nur noch 50 % hat der Patient, der nur noch insgesamt 1 Stunde pro Tag arbeiten konnte, seine normale Leistungsfähigkeit wieder erlangt und seine Herzrhythmusstörungen ebenso wie seinen Bluthochdruck ausheilen können.

Mehr Befolgung der Ratschläge wäre sicher hilfreich gewesen. Man muss dem Patienten jedoch zugute halten, dass solches in den USA schwieriger ist als in Europa. Wenn man dort nach einem „Health Food Store“ sucht, findet man ein Geschäft mit Regalen, die voll von Präparaten in Büchsen, Schachteln und Fläschchen sind – sogenannte „Food Supplements“ (Nahrungsergänzungspräparate), um die ungesunde Amerikanische Kost aufzubessern. „Health Food“ selbst sucht man vergebens.

Erst seit wenigen Jahren gibt es z.B. im „fortschrittlicheren“ Kalifornien eine Supermarktkette „WholeFoods“, wo man Frisches, Gesundes und Biologisches findet, auch verschiedene keimfähige Getreide – wobei echtes Vollkornbrote und –Gebäcke immer noch Mangelware sind. In Palo Alto gibt es ein Restaurant „FreshChoice“ mit frischen Salaten und gesunden Ergänzungen wie angekeimten Samen, vor welchem trotz effektiver Selbstbedienung sich mittags Schlangen bis vor den Eingang und auf die Straße hinaus bilden.

Die Südwestecke Kalifornien übt da eine ähnliche Vorreiterrolle für die USA aus, wie sie schon wesentlich früher die Südwestecke Freiburg und Umgebung für Deutschland gespielt hat.

Der aus Indien stammende Arzt erkannte die Ähnlichkeit der „Schnitzer-Kost“ mit der in seiner Heimat üblichen Nahrung. Das ist kein Zufall. Denn auch in Indien wurde ursprünglich eine sehr gesunde, artgerechte, auf Nahrungspflanzen basierende Kost praktiziert. 1966 veröffentlichten die Englischen Forscher T. L. Cleave und G. D. Campbell eine Vergleichsuntersuchung Indischer Einwanderer in Südafrika mit ihren in Indien verbliebenen Familien. Dabei entdeckten sie die „Regel der 20 Jahre“ – so lange braucht es, bis unter der westlich orientierten Kost Südafrikas die westlichen Zivilisationskrankheiten ausbrechen. Titel: „Diabetes, Coronary Thrombosis, and the Saccharine Disease” (John Wright & Sons Ltd., Bristol, 1966).

Bericht von Frau U. H.(58) aus Deutschland

1) Meine Bluthochdruck-Vorgeschichte

Bevor ich damit begann, Dr. Schnitzers Empfehlungen zu folgen, litt ich an Bluthochdruck seit 13 Jahren.

Mein durchschnittlicher Blutdruck war 160/100 mm/Hg. Diese Blutdruckwerte traten nur gelegentlich auf, meistens bei psychischem Stress. Mittel habe ich nur ganz wenig und zeitweise genommen, habe sie immer wieder abgesetzt.

2) Mein Beginn mit Dr. Schnitzers Empfehlungen

Ich begann vor 18 Monaten, Dr. Schnitzers Empfehlungen zu folgen.

Ich begann folgendes zu essen:	täglich	manchmal	nie
Zum Frühstück Müslis aus keimfähigen, frisch vor der Zubereitung geschroteten Getreidekörnern, mit frischen Früchten und Nüssen:	X		
Zum Mittag- und/oder Abendessen verschiedene Blattsalate und rohe Wurzelgemüsesalate	X		
Angekeimte Hülsenfrüchte (Kichererbsen, Linsen, grüne Mungobohnen) als Beilage zu den Salaten			X
Früchte (Äpfel, Birnen, Ananas usw.) nach Jahreszeit	X		
Vollkornbrot und –gebäck aus keimfähigen, frisch vor der Teigbereitung gemahlenen Getreiden (z.B. Weizen, Dinkel, Roggen)	X		

Das entspricht einer Befolgung der Empfehlungen zu 80 %.

Folgendes begann ich zu meiden:	völlig	meistens	verzehre ich noch
Fleisch, Geflügel, Ei, Fisch, Meeresfrüchte			X
Milch und Milchprodukte (Käse, Yoghurt usw.)		X	
Industriezucker, Auszugsmehle und Produkte, welche diese enthalten		X	
Erhitzte (gekochte) Gemüse (unschädliche Ausnahme: Gedämpfte Kartoffeln)		X	
Gekochtes Obst und Säfte (auch frisch gepresste)	X		

Das entspricht einer Befolgung der Empfehlungen zu 50 %.

Die Empfehlungen, was zu essen und was zu meiden ist, wurden somit von mir insgesamt gewertet zu 65 % befolgt.

3) Mein Arzt unterstützte mich wie folgt:

Mein Arzt unterstützte mich überhaupt nicht. Habe meinen Arzt darüber nicht informiert.

Ich suchte mir einen anderen Arzt. Dieser unterstützte mich voll. Er ist auch der Meinung, dass ich keine Medikamente brauche; die Methode als solche ist ihm allerdings nicht bekannt.

Die beschriebenen kleinen Aderlässe (80-100 ml, 1 x pro Woche, max. 10 mal) zur Beschleunigung der Heilung hatte ich nicht.

4) Änderungen meines Blutdrucks und meiner Gesundheit

Mein durchschnittlicher Blutdruck unter der geänderten Ernährung war:

nach 4 Wochen:	145/90 mm/Hg;
nach 8 Wochen:	135/83 mm/Hg;
nach 12 Wochen:	125/77 mm/Hg.

Die folgenden Veränderungen meiner Gesundheit stellte ich seither fest: Der Blutdruck steigt noch immer gelegentlich an bei seelischer Erregung, aber nicht höher als 150/90 mm/Hg, sinkt sofort wieder nach Beruhigung, abends sogar auf 116/67 mm/Hg.

5) Wie es mir jetzt geht

Gegenwärtig esse ich wie folgt:	täg-lich	manch-mal	nie
Zum Frühstück Müslis aus keimfähigen, frisch vor der Zubereitung geschroteten Getreidekörnern, mit frischen Früchten und Nüssen:	X		
Zum Mittag- und/oder Abendessen verschiedene Blattsalate und rohe Wurzelgemüsesalate	X		
Angekeimte Hülsenfrüchte (Kichererbsen, Linsen, grüne Mungobohnen) als Beilage zu den Salaten			X
Früchte (Äpfel, Birnen, Ananas usw.) nach Jahreszeit	X		

Vollkornbrot und –gebäck aus keimfähigen, frisch vor der Teigbereitung gemahlenen Getreiden (z.B. Weizen, Dinkel, Roggen)	X		

Das entspricht einer Befolgung der Empfehlungen zu 80 %.

Gegenwärtig meide ich folgendes:	**völlig**	**meistens**	**verzehre ich noch**
Fleisch, Geflügel, Ei, Fisch, Meeresfrüchte		X	
Milch und Milchprodukte (Käse, Yoghurt usw.)		X	
Industriezucker, Auszugsmehle und Produkte, welche diese enthalten		X	
Erhitzte (gekochte) Gemüse (unschädliche Ausnahme: Gedämpfte Kartoffeln)		X	
Gekochtes Obst und Säfte (auch frisch gepresste)	X		

Das entspricht einer Befolgung der Empfehlungen zu 60 %.

Die Empfehlungen, was zu essen und was zu meiden ist, werden von mir also insgesamt gewertet zu 70 % befolgt.

Mein gegenwärtiger durchschnittlicher Blutdruck ist 125/75 mm/Hg.

Meine Erfahrungen mit dieser Veränderung in meinem Leben:

Ich bin fest davon überzeugt, dass diese Ernährungsweise, verbunden mit 2-3 mal wöchentlich Ausdauersport, diese Veränderung bewirkt hat. Bei Bedarf werde ich mich noch genauer an die Empfehlungen halten.

(So weit der Bericht von Frau U. H., 58 Jahre, vom 24. Oktober 2004)

Anmerkungen zu dem Bericht von Frau U. H.

von Dr. Johann Georg Schnitzer

Die Psyche hat durchaus Einfluss – falsche Ernährung jedoch vorausgesetzt. Bei überwiegend natürlicher, artgerechter Ernährung befindet sich der Organismus so weit im Gesundheitsbereich, dass allein dadurch schon eine höhere Stresstoleranz besteht, und außerdem Stress noch nicht ausreicht, länger als ein paar Minuten höheren Blutdruck zu erzeugen.

Der zweite Arzt dieser Patientin war zwar „vernünftig", kannte die Methode aber nicht und war offenbar auch nicht an dieser interessiert.

„2-3 mal wöchentlich Ausdauersport" ist eine sehr wirksame zusätzliche Maßnahme, wenn die Ernährung selbst artgerecht und natürlich ist.

„Bei Bedarf werde ich mich noch genauer an die Empfehlungen halten" bedeutet, dass die Patientin schon zufrieden ist, die Null-Linie zwischen Krankheit und Gesundheit zur Gesundheit hin überschritten zu haben, und nur noch mehr für ihre Gesundheit tun will, wenn „Bedarf" auftritt (wenn der Blutdruck wieder steigen sollte).

Ich empfehle allerdings, schon gleich die Grundlagen konstitutioneller Gesundheit vollständiger zu gestalten, um weit im Gesundheitsbereich zu leben. Dann wird man nicht gleich von geringfügigen Einflüssen unter die Null-Linie in den Krankheitsbereich abgedrängt.

Bericht von Herrn W. K. (42) aus Deutschland

1) Meine Bluthochdruck-Vorgeschichte

Bevor ich damit begann, Dr. Schnitzers Empfehlungen zu folgen, litt ich an Bluthochdruck seit 4 Jahren.

Mein durchschnittlicher Blutdruck war 140/110 mm/Hg, bevor ich Medikamente einnahm.

Zuletzt nahm ich das folgende mir verschriebene Medikament ein:

Bisoxal	1 mal täglich

Unter dieser Medikation war mein Blutdruck 130/100 mm/Hg.

2) Mein Beginn mit Dr. Schnitzers Empfehlungen

Ich begann vor 2 Monaten, Dr. Schnitzers Empfehlungen zu folgen.

Ich begann folgendes zu essen:	täglich	manchmal	nie
Zum Frühstück Müslis aus keimfähigen, frisch vor der Zubereitung geschroteten Getreidekörnern, mit frischen Früchten und Nüssen:		X	

Zum Mittag- und/oder Abendessen verschiedene Blattsalate und rohe Wurzelgemüsesalate	X		
Angekeimte Hülsenfrüchte (Kichererbsen, Linsen, grüne Mungobohnen) als Beilage zu den Salaten		X	
Früchte (Äpfel, Birnen, Ananas usw.) nach Jahreszeit	X		
Vollkornbrot und –gebäck aus keimfähigen, frisch vor der Teigbereitung gemahlenen Getreiden (z.B. Weizen, Dinkel, Roggen)			X

Das entspricht einer Befolgung der Empfehlungen zu 60 %.

Folgendes begann ich zu meiden:	**völlig**	**meistens**	**verzehre ich noch**
Fleisch, Geflügel, Ei, Fisch, Meeresfrüchte		X	
Milch und Milchprodukte (Käse, Yoghurt usw.)		X	
Industriezucker, Auszugsmehle und Produkte, welche diese enthalten			X
Erhitzte (gekochte) Gemüse (unschädliche Ausnahme: Gedämpfte Kartoffeln)			X
Gekochtes Obst und Säfte (auch frisch gepresste)			X

Das entspricht einer Befolgung der Empfehlungen zu 20 %.

Die Empfehlungen, was zu essen und was zu meiden ist, wurden somit von mir insgesamt gewertet zu 40 % befolgt.

3) Mein Arzt unterstützte mich wie folgt:

Mein Arzt unterstützte mich voll.

Die beschriebenen kleinen Aderlässe (80-100 ml, 1 x pro Woche, max. 10 mal) zur Beschleunigung der Heilung hatte ich nicht.

4) Änderungen meines Blutdrucks und meiner Gesundheit

Mein durchschnittlicher Blutdruck unter der geänderten Ernährung war:

nach 4 Wochen: 120/80 mm/Hg;
nach 8 Wochen: 120/80mm/Hg;

Das blutdrucksenkende Medikament setzte ich sofort bei Beginn der Ernährungsänderung ab.

5) Wie es mir jetzt geht

Gegenwärtig esse ich wie folgt:	täg-lich	manch-mal	nie
Zum Frühstück Müslis aus keimfähigen, frisch vor der Zubereitung geschroteten Getreidekörnern, mit frischen Früchten und Nüssen:		X	
Zum Mittag- und/oder Abendessen verschiedene Blattsalate und rohe Wurzelgemüsesalate	X		
Angekeimte Hülsenfrüchte (Kichererbsen, Linsen, grüne Mungobohnen) als Beilage zu den Salaten		X	
Früchte (Äpfel, Birnen, Ananas usw.) nach Jahreszeit	X		
Vollkornbrot und –gebäck aus keimfähigen, frisch vor der Teigbereitung gemahlenen Getreiden (z.B. Weizen, Dinkel, Roggen)			X

Das entspricht einer Befolgung der Empfehlungen zu 60 %.

Gegenwärtig meide ich folgendes:	völlig	meistens	verzehre ich noch
Fleisch, Geflügel, Ei, Fisch, Meeresfrüchte		X	
Milch und Milchprodukte (Käse, Yoghurt usw.)		X	
Industriezucker, Auszugsmehle und Produkte, welche diese enthalten		X	
Erhitzte (gekochte) Gemüse (unschädliche Ausnahme: Gedämpfte Kartoffeln)			X
Gekochtes Obst und Säfte (auch frisch gepresste)			X

Das entspricht einer Befolgung der Empfehlungen zu 30 %.

Die Empfehlungen, was zu essen und was zu meiden ist, werden von mir also insgesamt gewertet zu 45 % befolgt. Mein gegenwärtiger durchschnittlicher Blutdruck ist 120/80 mm/Hg.

Meine Erfahrungen mit dieser Veränderung in meinem Leben:

Ich fühle mich wirklich besser dank Ihrer Diät.

(So weit der Bericht von Herrn W. K., 42 Jahre, vom 25. Oktober 2004)

Anmerkungen zu dem Bericht von Herrn W.K.

von Dr. Johann Georg Schnitzer

Offensichtlich genügt es in manchen Fällen schon, wenn die krankheitserzeugende, denaturierte und artfremde Zivilisationskost mit gesunden, natürlichen Lebensmitteln „verunreinigt" (kontaminiert) wird, um einen Bluthochdruck auszuheilen, der vorher mit blutdrucksenkender Medikation nicht ausgeheilt werden konnte, und um das „Wie fühlen Sie sich?" ein „wirklich viel besser" werden zu lassen.

Das erinnert an etliche der grundlegenden Versuche von Prof. Dr. med. Werner Kollath (Hygieniker) während seiner Erforschung der Ursachen chronisch-degenerativer Erkrankungen. Eine seiner Fragestellungen war: Welches einzelne Lebensmittel kann deren Auftreten verhüten? Diese Eigenschaft fand er in Experimenten nur in keimfähigen Getreiden und Samen, und in frisch daraus zubereiteter Nahrung.

Getreide finden sich auch als „Verunreinigung" (manchmal zum Frühstück ein Müsli aus frisch gemahlenem Getreide) in der insgesamt noch ziemlich falschen Kost dieses Patienten, welche dadurch bereits zur „Diät" aufgepeppt wurde. Obwohl wissenschaftlich interessant, dass solches schon wirkt, empfiehlt sich doch im längerfristigen Gesundheitsinteresse eine konsequentere Anwendung der Ernährungserkenntnisse.

Bericht von Frau K. Z. (40) aus Deutschland

1) Meine Bluthochdruck-Vorgeschichte

Bevor ich damit begann, Dr. Schnitzers Empfehlungen zu folgen, litt ich an Bluthochdruck seit 7 Monaten.

Mein durchschnittlicher Blutdruck war 200/100 mm/Hg, bevor ich Medikamente einnahm. Beschwerden hatte ich folgende:

Zittern der Hände, starke Hyperventilation, Angst, im Ohr Puls-Pochen, starkes Schwitzen.

Zuletzt nahm ich das folgende mir verschriebene Medikament ein:

Beloc zok mite	1 mal 2 Tabletten täglich

Unter dieser Medikation war mein Blutdruck 128/70 mm/Hg. Meine Beschwerden unter dieser Medikation waren folgende:

Haarausfall, extrem schuppige Kopfhaut, Herzrasen.

2) Mein Beginn mit Dr. Schnitzers Empfehlungen

Ich begann vor 5 Monaten, Dr. Schnitzers Empfehlungen zu folgen.

Ich begann folgendes zu essen:	**täglich**	**manchmal**	**nie**
Zum Frühstück Müslis aus keimfähigen, frisch vor der Zubereitung geschroteten Getreidekörnern, mit frischen Früchten und Nüssen:	X		
Zum Mittag- und/oder Abendessen verschiedene Blattsalate und rohe Wurzelgemüsesalate	X		
Angekeimte Hülsenfrüchte (Kichererbsen, Linsen, grüne Mungobohnen) als Beilage zu den Salaten	X		
Früchte (Äpfel, Birnen, Ananas usw.) nach Jahreszeit	X		
Vollkornbrot und –gebäck aus keimfähigen, frisch vor der Teigbereitung gemahlenen Getreiden (z.B. Weizen, Dinkel, Roggen)		X	

Das entspricht einer Befolgung der Empfehlungen zu 90 %.

Folgendes begann ich zu meiden:	**völlig**	**meistens**	**verzehre ich noch**
Fleisch, Geflügel, Ei, Fisch, Meeresfrüchte		X	
Milch und Milchprodukte (Käse, Yoghurt usw.)		X	
Industriezucker, Auszugsmehle und Produkte, welche diese enthalten	X		
Erhitzte (gekochte) Gemüse (unschädliche Ausnahme: Gedämpfte Kartoffeln)			X
Gekochtes Obst und Säfte (auch frisch gepresste)	X		

Das entspricht einer Befolgung der Empfehlungen zu 60 %.

Die Empfehlungen, was zu essen und was zu meiden ist, wurden somit von mir insgesamt gewertet zu 75 % befolgt.

3) Mein Arzt unterstützte mich wie folgt:

Mein Arzt unterstützte mich überhaupt nicht. Er äußerte sich dazu wie folgt: „Sie müssen die Betablocker nehmen!!“. Ich suchte mir einen anderen Arzt. Er unterstützte mich voll. Ich werde jetzt zudem homöopathisch betreut. Die beschriebenen kleinen Aderlässe (80-100 ml, 1 x pro Woche, max. 10 mal) zur Beschleunigung der Heilung hatte ich nicht.

4) Änderungen meines Blutdrucks und meiner Gesundheit

Mein durchschnittlicher Blutdruck unter der geänderten Ernährung war:

nach 8 Wochen: 130/76 mm/Hg.

Das blutdrucksenkende Medikament setzte ich 4 Wochen nach Beginn der Ernährungsänderung ab.

Die folgenden Veränderungen meiner Gesundheit stellte ich fest:

Zusätzlich habe ich ca. 12 kg abgenommen und jogge ca. 5 bis 6 mal die Woche mindestens 30 Minuten. Das zusammen mit der Ernährungsumstellung hat meinen Blutdruck normalisiert!

5) Wie es mir jetzt geht

Gegenwärtig esse ich wie folgt:	**täglich**	**manchmal**	**nie**
Zum Frühstück Müslis aus keimfähigen, frisch vor der Zubereitung geschroteten Getreidekörnern, mit frischen Früchten und Nüssen:		**X**	
Zum Mittag- und/oder Abendessen verschiedene Blattsalate und rohe Wurzelgemüsesalate	**X**		
Angekeimte Hülsenfrüchte (Kichererbsen, Linsen, grüne Mungobohnen) als Beilage zu den Salaten	**X**		
Früchte (Äpfel, Birnen, Ananas usw.) nach Jahreszeit	**X**		
Vollkornbrot und –gebäck aus keimfähigen, frisch vor der Teigbereitung gemahlenen Getreiden (z.B. Weizen, Dinkel, Roggen)	**X**		

Das entspricht einer Befolgung der Empfehlungen zu 90 %.

Gegenwärtig meide ich folgendes:	völlig	meistens	verzehre ich noch
Fleisch, Geflügel, Ei, Fisch, Meeresfrüchte			X
Milch und Milchprodukte (Käse, Yoghurt usw.)		X	
Industriezucker, Auszugsmehle und Produkte, welche diese enthalten	X		
Erhitzte (gekochte) Gemüse (unschädliche Ausnahme: Gedämpfte Kartoffeln)		X	
Gekochtes Obst und Säfte (auch frisch gepresste)	X		

Das entspricht einer Befolgung der Empfehlungen zu 60 %.

Die Empfehlungen, was zu essen und was zu meiden ist, werden von mir also insgesamt gewertet zu 75 % befolgt.

Mein gegenwärtiger durchschnittlicher Blutdruck ist 130/76 mm/Hg.

Meine Erfahrungen mit dieser Veränderung in meinem Leben:

Ich bin froh, dass ich die Verantwortung für meinen zu hohen Blutdruck übernommen habe und nicht hirnlos GIFTIGE Tabletten in mich reinfuttere, die mich nur krank machen. Ich bin überzeugt, dass die Ernährung, Gewichtsreduktion und Sport von Bluthochdruck befreien und man keine Medikamente dafür braucht!!

(So weit der Bericht von Frau K. Z., 40 Jahre, vom28. Oktober 2004)

Anmerkungen zu dem Bericht von Frau K. Z.

von Dr. Johann Georg Schnitzer

Das Herzrasen, welches nach medikamentöser Unterdrückung des sehr hohen Blutdrucks auftrat, hat einen ganz logischen Grund:

Nachdem die körpereigene Kompensation verengter Blutkapillaren und dickeren Blutes mittels Blutdruckerhöhung durch den medikamentösen Eingriff des Arztes vereitelt wurde, wich das solchermaßen malträtierte Steuerungssystem des Organismus auf eine starke Erhöhung der Pumpfrequenz aus, um wenigstens schneller nach dem diastolischen Druckabfall wieder den höheren systolischen Druck zur Verfügung zu stellen.

Mit dem Bestehen auf weiterer Einnahme der Betablocker und Unterlassung jeglicher kausalen (diätetischen) Maßnahme hat dieser Arzt die Patientin in eine lebensbedrohlich kritische Situation gebracht.

Es war das Glück der Patientin, dass sie die Sache umgehend selbst in die Hand genommen, ihre Ernährung optimiert, Ausdauersport begonnen und sich einen anderen Arzt gesucht hat. Das hat ihr mit großer Wahrscheinlichkeit das Leben gerettet.

Jetzt erfreut sie sich einer normalen Gesundheit und ist auch noch ihr vorheriges erhebliches Übergewicht losgeworden.

Bericht von Frau G. S. (61) aus Deutschland

1) Meine Bluthochdruck-Vorgeschichte

Bevor ich damit begann, Dr. Schnitzers Empfehlungen zu folgen, litt ich an Bluthochdruck seit 4 Jahren.

Mein durchschnittlicher Blutdruck war 170/90 mm/Hg. Ich hatte keine Beschwerden. Im vergangenen Jahr stellte mein neuer Hausarzt die angegebenen Werte fest und teilte mir mit, dass es gute blutdrucksenkende Mittel gibt. Im Januar 2004 begann ich mit der Ernährungsumstellung. Ich habe bisher keine Medikamente eingenommen.

2) Mein Beginn mit Dr. Schnitzers Empfehlungen

Ich begann vor 10 Monaten, Dr. Schnitzers Empfehlungen zu folgen.

Ich begann folgendes zu essen:	täglich	manchmal	nie
Zum Frühstück Müslis aus keimfähigen, frisch vor der Zubereitung geschroteten Getreidekörnern, mit frischen Früchten und Nüssen:	X		
Zum Mittag- und/oder Abendessen verschiedene Blattsalate und rohe Wurzelgemüsesalate	X		
Angekeimte Hülsenfrüchte (Kichererbsen, Linsen, grüne Mungobohnen) als Beilage zu den Salaten		X	

Früchte (Äpfel, Birnen, Ananas usw.) nach Jahreszeit	X		
Vollkornbrot und –gebäck aus keimfähigen, frisch vor der Teigbereitung gemahlenen Getreiden (z.B. Weizen, Dinkel, Roggen)	X		

Das entspricht einer Befolgung der Empfehlungen zu 90 %.

Folgendes begann ich zu meiden:	**völlig**	**meistens**	**verzehre ich noch**
Fleisch, Geflügel, Ei, Fisch, Meeresfrüchte		X	
Milch und Milchprodukte (Käse, Yoghurt usw.)		X	
Industriezucker, Auszugsmehle und Produkte, welche diese enthalten		X	
Erhitzte (gekochte) Gemüse (unschädliche Ausnahme: Gedämpfte Kartoffeln)		X	
Gekochtes Obst und Säfte (auch frisch gepresste)		X	

Das entspricht einer Befolgung der Empfehlungen zu 50 %.

Die Empfehlungen, was zu essen und was zu meiden ist, wurden somit von mir insgesamt gewertet zu 70 % befolgt.

3) Mein Arzt unterstützte mich wie folgt:

Ich habe seither keinen Arzt mehr aufgesucht.

Die beschriebenen kleinen Aderlässe (80-100 ml, 1 x pro Woche, max. 10 mal) zur Beschleunigung der Heilung hatte ich nicht.

4) Änderungen meines Blutdrucks und meiner Gesundheit

Mein durchschnittlicher Blutdruck unter der geänderten Ernährung war:

nach 4 Wochen: 135/80 mm/Hg;

nach 12 Wochen: 135/80 mm/Hg.

Die folgenden Veränderungen meiner Gesundheit stellte ich seither fest:

Verbesserung des Allgemeinbefindens. Gewichtsreduzierung von 72 kg auf 63 kg.

5) Wie es mir jetzt geht

Gegenwärtig esse ich wie folgt:	täg-lich	manch-mal	nie
Zum Frühstück Müslis aus keimfähigen, frisch vor der Zubereitung geschroteten Getreidekörnern, mit frischen Früchten und Nüssen:		X	
Zum Mittag- und/oder Abendessen verschiedene Blattsalate und rohe Wurzelgemüsesalate	X		
Angekeimte Hülsenfrüchte (Kichererbsen, Linsen, grüne Mungobohnen) als Beilage zu den Salaten		X	
Früchte (Äpfel, Birnen, Ananas usw.) nach Jahreszeit	X		
Vollkornbrot und –gebäck aus keimfähigen, frisch vor der Teigbereitung gemahlenen Getreiden (z.B. Weizen, Dinkel, Roggen)	X		

Das entspricht einer Befolgung der Empfehlungen zu 80 %.

Gegenwärtig meide ich folgendes:	völlig	meistens	verzehre ich noch
Fleisch, Geflügel, Ei, Fisch, Meeresfrüchte		X	
Milch und Milchprodukte (Käse, Yoghurt usw.)		X	
Industriezucker, Auszugsmehle und Produkte, welche diese enthalten		X	
Erhitzte (gekochte) Gemüse (unschädliche Ausnahme: Gedämpfte Kartoffeln)		X	
Gekochtes Obst und Säfte (auch frisch gepresste)		X	

Das entspricht einer Befolgung der Empfehlungen zu 50 %.

Die Empfehlungen, was zu essen und was zu meiden ist, werden von mir also insgesamt gewertet zu 65 % befolgt.

Mein gegenwärtiger durchschnittlicher Blutdruck ist 135/80 mm/Hg.

Meine Erfahrungen mit dieser Veränderung in meinem Leben:

Leider ist es nicht immer möglich, alles konsequent einzuhalten. Das macht sich am Blutdruck bemerkbar (150/90).

(So weit der Bericht von Frau G. S., 61 Jahre, vom 30. Oktober 2004)

Anmerkungen zu dem Bericht von Frau G. S.

von Dr. Johann Georg Schnitzer

Diese Patientin balanciert immer noch, 10 Monate nach Beginn der Ernährungsänderung, auf der schmalen Grenze zwischen Krankheit und Gesundheit entlang. Das liegt an ihrer zu geringen Konsequenz in der Umsetzung der gegebenen Ernährungsempfehlungen.

Vor allem kommen noch sämtliche Ursachen des Bluthochdrucks (die gemieden werden sollten) in der Ernährung der Patientin vor, wenn diese auch „meistens" gemieden werden. Nicht ohne Grund bewerte ich solches mit „50 % Einhaltung der Ernährungsempfehlungen" pro Position (mittlere Spalte der Tabelle).

Wenn dann noch kleine zusätzliche Fehler hinzukommen, zeigt sich das bereits in einem erneuten Anstieg des Blutdrucks. Unterbleiben diese, bleibt selbst bei dieser nur unvollständigen Anwendung der gebotenen Möglichkeiten der Blutdruck dieser Patientin mit 137/80 mm/Hg im normalen Bereich, ohne dass irgend welche Pillen erforderlich sind.

Gerne möchte ich aber doch für einen solchen Fall, wo man die Grenze zur Krankheit fast ständig „riechen kann", ein größeres Sicherheitspolster anraten. Dann ist man besser gegen unvorhergesehene zusätzliche Belastungen der Gesundheit gewappnet. Es braucht ja nur etwa 4 Wochen Umgewöhnung, bis die gesunde, frische Kost besser schmeckt als die bisher gewohnten ungesunden, artfremden und denaturierten Sachen.

Außerdem ist es auch eine Sache der inneren Einstellung, Ästhetik und Verantwortung für andere Lebewesen „und alles, in dem eine lebende Seele ist", wie es in der Schöpfungsgeschichte der Bibel (Genesis) heißt. Ein Besuch im Schlachthof am Schlachttag ist da sehr hilfreich bei der rechten Entscheidungsfindung.

Bericht von Herrn H. L. (64) aus Deutschland

1) Meine Bluthochdruck-Vorgeschichte

Bevor ich damit begann, Dr. Schnitzers Empfehlungen zu folgen, litt ich an Bluthochdruck seit 10 Monaten.

Mein durchschnittlicher Blutdruck war 180/100 mm/Hg, bevor ich Medikamente einnahm. Ich hatte keine für mich spürbaren Beschwerden.

Zuletzt nahm ich die folgenden mir verschriebenen Medikamente ein:

Novasc 5 mg	1 x täglich

Unter dieser Medikation war mein Blutdruck 135/75 mm/Hg. Meine Beschwerden unter dieser Medikation waren folgende:

Verstimmung im Kopf, Abhängigkeit von der Medizin.

2) Mein Beginn mit Dr. Schnitzers Empfehlungen

Ich begann vor 5 Monaten, Dr. Schnitzers Empfehlungen zu folgen.

Ich begann folgendes zu essen:	täglich	manchmal	nie
Zum Frühstück Müslis aus keimfähigen, frisch vor der Zubereitung geschroteten Getreidekörnern, mit frischen Früchten und Nüssen:	X		
Zum Mittag- und/oder Abendessen verschiedene Blattsalate und rohe Wurzelgemüsesalate	X		
Angekeimte Hülsenfrüchte (Kichererbsen, Linsen, grüne Mungobohnen) als Beilage zu den Salaten	X		
Früchte (Äpfel, Birnen, Ananas usw.) nach Jahreszeit	X		
Vollkornbrot und –gebäck aus keimfähigen, frisch vor der Teigbereitung gemahlenen Getreiden (z.B. Weizen, Dinkel, Roggen)	X		

Das entspricht einer Befolgung der Empfehlungen zu 100 %.

Folgendes begann ich zu meiden:	völlig	meistens	verzehre ich noch
Fleisch, Geflügel, Ei, Fisch, Meeresfrüchte	X		
Milch und Milchprodukte (Käse, Yoghurt usw.)	X		
Industriezucker, Auszugsmehle und Produkte, welche diese enthalten	X		
Erhitzte (gekochte) Gemüse (unschädliche Ausnahme: Gedämpfte Kartoffeln)	X		
Gekochtes Obst und Säfte (auch frisch gepresste)	X		

Das entspricht einer Befolgung der Empfehlungen zu 100 %.

Die Empfehlungen, was zu essen und was zu meiden ist, wurden somit von mir insgesamt gewertet zu 100 % befolgt.

3) Mein Arzt unterstützte mich wie folgt:

Mein Arzt unterstützte mich überhaupt nicht. Er äußerte sich dazu wie folgt: „Es gibt keine Alternative zu einem Einstieg in eine dauerhafte Medikamenteneinnahme."

Ich suchte mir einen anderen Arzt. Dieser unterstützte mich voll. Mein neuer Arzt heißt Dr. Schnitzer! *) Er unterstützte mich mit seinem Buch „Risikofaktor Bluthochdruck" (Anm.: Titel einer früheren Ausgabe).

Die beschriebenen kleinen Aderlässe (80-100 ml, 1 x pro Woche, max. 10 mal) zur Beschleunigung der Heilung hatte ich nicht.

4) Änderungen meines Blutdrucks und meiner Gesundheit

Mein durchschnittlicher Blutdruck unter der geänderten Ernährung war:

nach 4 Wochen: 135/75 mm/Hg;
nach 8 Wochen: 135/75 mm/Hg;
nach 12 Wochen: 135/75 mm/Hg.

---

*) Anmerkung von Dr. Schnitzer: Ich bin Zahnarzt von Beruf, und als solcher auf der Suche nach den Voraussetzungen gesunder Zähne auf allgemeine Grundlagen der Gesundheit gestoßen. Dies geht auch aus meiner im Internet zugänglichen Biografie hervor:

http://www.dr-schnitzer.de/autorcv3.htm (in Englisch)
http://www.dr-schnitzer.de/autorcv4.htm (in Deutsch)

Das blutdrucksenkende Medikament setzte ich sofort bei Beginn der Ernährungsänderung ab.

Die folgenden Veränderungen meiner Gesundheit stellte ich seither fest: Körperliches Wohlbefinden, keine Schlafstörungen, keine Verdauungsprobleme.

5) Wie es mir jetzt geht

Gegenwärtig esse ich wie folgt:	täg-lich	manch-mal	nie
Zum Frühstück Müslis aus keimfähigen, frisch vor der Zubereitung geschroteten Getreidekörnern, mit frischen Früchten und Nüssen:	X		
Zum Mittag- und/oder Abendessen verschiedene Blattsalate und rohe Wurzelgemüsesalate	X		
Angekeimte Hülsenfrüchte (Kichererbsen, Linsen, grüne Mungobohnen) als Beilage zu den Salaten	X		
Früchte (Äpfel, Birnen, Ananas usw.) nach Jahreszeit	X		
Vollkornbrot und –gebäck aus keimfähigen, frisch vor der Teigbereitung gemahlenen Getreiden (z.B. Weizen, Dinkel, Roggen)	X		

Das entspricht einer Befolgung der Empfehlungen zu 100 %.

Gegenwärtig meide ich folgendes:	völlig	meistens	verzehre ich noch
Fleisch, Geflügel, Ei, Fisch, Meeresfrüchte	X		
Milch und Milchprodukte (Käse, Yoghurt usw.)	X		
Industriezucker, Auszugsmehle und Produkte, welche diese enthalten	X		
Erhitzte (gekochte) Gemüse (unschädliche Ausnahme: Gedämpfte Kartoffeln)	X		
Gekochtes Obst und Säfte (auch frisch gepresste)	X		

Das entspricht einer Befolgung der Empfehlungen zu 100 %.

Die Empfehlungen, was zu essen und was zu meiden ist, werden von mir also insgesamt gewertet zu 100 % befolgt.

Mein gegenwärtiger durchschnittlicher Blutdruck ist 130/70 mm/Hg.

Meine Erfahrungen mit dieser Veränderung in meinem Leben:

Keine Medikamentenabhängigkeit, verbesserte körperliche Leistungsfähigkeit.

(So weit der Bericht von Herrn H. L., 64 Jahre, vom 4. November 2004)

Anmerkungen zu dem Bericht von Herrn H. L.

von Dr. Johann Georg Schnitzer

Mit schöner Konsequenz hat dieser Patient seine Gesundheit in Eigenregie übernommen, nachdem er feststellen musste, dass die Verordnung der „modernen Medizin“ zu Verstimmung im Kopf und zu Abhängigkeit von dieser führt. Er wendete umgehend die Ernährungsempfehlungen aus einer früheren Auflage dieses Buches zu 100 % an.

Das führte zu einer Normalisierung des Blutdrucks auf 135/75 mm/Hg innerhalb von 4 Wochen, und dabei blieb es auch weiterhin: Nach 5 Monaten lag der Blutdruck bei 130/70 mm/Hg.

Dabei unterstützte ihn sein Arzt überhaupt nicht, sondern versuchte, dem Patienten die Bluthochdruck-Doktrin der „modernen Medizin“ klar zu machen: „Es gibt keine Alternative zu einem Einstieg in eine dauerhafte Medikamenteneinnahme.“

Der Arzt hatte Pech. Nicht nur, dass er falsch lag. Er bekam das nicht einmal mit, weil der Patient ihn nicht mehr aufsuchte.

Sein „neuer Arzt“ (damit meint der Patient mich mit meinem Buch „Risikofaktor Bluthochdruck, lebensbedrohend, aber heilbar!“) war dann ein Zahnarzt, der dem Bluthochdruck schon 1987 (auf der Medizinischen Woche Baden-Baden) „die Zähne gezogen“ hatte, indem er seit damals einfach die – bei Forschungen über den Gebissverfall gefundenen – Grundlagen der allgemeinen Gesundheit auch als kausale Therapie des Bluthochdrucks empfiehlt: Heilung von Krankheiten durch Gesundheit.

Warum brauchte es einen Zahnarzt, um diese zur Ausheilung des Bluthochdrucks führende Therapie zu entdecken? Warum wurde sie nicht schon lange vorher von den eigentlich „zuständigen“ medizinischen Koryphäen auf diesem Gebiet entdeckt – Medizinprofessoren, Institutschefs, Kardiologen usw.?

Schon Henry Ford wusste, dass „Insider“ häufig „betriebsblind“ sind, und fragte, wenn wirkliche Innovation notwendig war, Außenstehende, Betriebsfremde, Berufsfremde, womit er sehr erfolgreich war. Ähnliches gilt wohl auch für den „Medizinbetrieb“.

Bericht von Frau K. F. (34) aus Deutschland

1) Meine Bluthochdruck-Vorgeschichte

Bevor ich damit begann, Dr. Schnitzers Empfehlungen zu folgen, litt ich an Bluthochdruck seit einem Jahr und vier Monaten.

Mein durchschnittlicher Blutdruck war 184/95 mm/Hg, bevor ich Medikamente einnahm. Beschwerden hatte ich folgende: Schwindelgefühle, Herzklopfen, allgemeines Unwohlsein, Depressionen.

Zuletzt nahm ich das folgende mir verschriebene Medikament ein:

Biohexal	2-3 mal täglich

Unter dieser Medikation war mein Blutdruck 160/85 mm/Hg. Meine Beschwerden unter dieser Medikation waren folgende: Benommenheit, Apathie, Schwindel, Panikattacken.

2) Mein Beginn mit Dr. Schnitzers Empfehlungen

Ich begann vor 12 Monaten, Dr. Schnitzers Empfehlungen zu folgen.

Ich begann folgendes zu essen:	täglich	manchmal	nie
Zum Frühstück Müslis aus keimfähigen, frisch vor der Zubereitung geschroteten Getreidekörnern, mit frischen Früchten und Nüssen:		X	

Zum Mittag- und/oder Abendessen verschiedene Blattsalate und rohe Wurzelgemüsesalate	X		
Angekeimte Hülsenfrüchte (Kichererbsen, Linsen, grüne Mungobohnen) als Beilage zu den Salaten		X	
Früchte (Äpfel, Birnen, Ananas usw.) nach Jahreszeit	X		
Vollkornbrot und –gebäck aus keimfähigen, frisch vor der Teigbereitung gemahlenen Getreiden (z.B. Weizen, Dinkel, Roggen)	X		

Das entspricht einer Befolgung der Empfehlungen zu 80 %.

Folgendes begann ich zu meiden:	**völlig**	**meistens**	**verzehre ich noch**
Fleisch, Geflügel, Ei, Fisch, Meeresfrüchte		X	
Milch und Milchprodukte (Käse, Yoghurt usw.)		X	
Industriezucker, Auszugsmehle und Produkte, welche diese enthalten	X		
Erhitzte (gekochte) Gemüse (unschädliche Ausnahme: Gedämpfte Kartoffeln)	X		
Gekochtes Obst und Säfte (auch frisch gepresste)			X

Das entspricht einer Befolgung der Empfehlungen zu 60 %.

Die Empfehlungen, was zu essen und was zu meiden ist, wurden somit von mir insgesamt gewertet zu 70 % befolgt.

3) Mein Arzt unterstützte mich wie folgt:

Mein Arzt unterstützte mich nicht besonders. Er vertraut nur auf die medikamentöse Behandlung. Einen anderen Arzt suchte ich mir nicht.

Die beschriebenen kleinen Aderlässe (80-100 ml, 1 x pro Woche, max. 10 mal) zur Beschleunigung der Heilung hatte ich nicht.

4) Änderungen meines Blutdrucks und meiner Gesundheit

Mein durchschnittlicher Blutdruck unter der geänderten Ernährung war:

nach 4 Wochen: 165/85 mm/Hg;
nach 8 Wochen: 140/72 mm/Hg;
nach 12 Wochen: 120/65 mm/Hg.

Das blutdrucksenkende Medikament setzte ich sofort bei Beginn der Ernährungsänderung ab.

Die folgenden Veränderungen meiner Gesundheit stellte ich seither fest: Das Schwindelgefühl verschwand, meine Haut wurde besser, der Blutdruck ging runter.

5) Wie es mir jetzt geht

Gegenwärtig esse ich wie folgt:	**täg-lich**	**manch-mal**	**nie**
Zum Frühstück Müslis aus keimfähigen, frisch vor der Zubereitung geschroteten Getreidekörnern, mit frischen Früchten und Nüssen:		X	
Zum Mittag- und/oder Abendessen verschiedene Blattsalate und rohe Wurzelgemüsesalate	X		
Angekeimte Hülsenfrüchte (Kichererbsen, Linsen, grüne Mungobohnen) als Beilage zu den Salaten		X	
Früchte (Äpfel, Birnen, Ananas usw.) nach Jahreszeit	X		
Vollkornbrot und –gebäck aus keimfähigen, frisch vor der Teigbereitung gemahlenen Getreiden (z.B. Weizen, Dinkel, Roggen)	X		

Das entspricht einer Befolgung der Empfehlungen zu 80 %.

Gegenwärtig meide ich folgendes:	**völlig**	**meistens**	**verzehre ich noch**
Fleisch, Geflügel, Ei, Fisch, Meeresfrüchte		X	
Milch und Milchprodukte (Käse, Yoghurt usw.)		X	
Industriezucker, Auszugsmehle und Produkte, welche diese enthalten	X		
Erhitzte (gekochte) Gemüse (unschädliche Ausnahme: Gedämpfte Kartoffeln)	X		
Gekochtes Obst und Säfte (auch frisch gepresste)			X

Das entspricht einer Befolgung der Empfehlungen zu 60 %.

Die Empfehlungen, was zu essen und was zu meiden ist, werden von mir also insgesamt gewertet zu 70 % befolgt.

Mein gegenwärtiger durchschnittlicher Blutdruck ist 137/72 mm/Hg.

Meine Erfahrungen mit dieser Veränderung in meinem Leben:

Ich bin Dr. Schnitzer sehr dankbar, dass ich meinen Bluthochdruck in den Griff bekommen habe. Mein Leben macht mir wieder Spaß und Freude.

(So weit der Bericht von Frau K. F., 34 Jahre, vom 9. November 2004)

Anmerkungen zu dem Bericht von Frau K. F.

von Dr. Johann Georg Schnitzer

Benommenheit, Apathie, Schwindel, Panikattacken. Man muss davon ausgehen, dass Hunderttausende arbeitender Menschen in Deutschland, im „besten Alter“ zwischen 30 und 40, unter ähnlichen Beeinträchtigungen zur Arbeit fahren, ihrer täglichen Arbeit nachgehen, und nach der Arbeit nach hause fahren. Das wirft Fragen auf:

- Wie fahrtüchtig sind sie im Straßenverkehr?
- Wie konzentriert und leistungsfähig sind sie bei der Arbeit?
- Wie viele Verkehrs- und Betriebsunfälle werden so verursacht?
- Wie stark leidet die Leistungsfähigkeit bei der Arbeit?
- Wie stark leidet die Qualität des Arbeitsergebnisses?

Da es sich um sehr viele Menschen handelt, die unter solcher Medikation und ähnlicher Beeinträchtigung arbeiten müssen, weil die „moderne Medizin“ ihnen die Heilbarkeit ihres Leidens mittels einfacher Ernährungsmaßnahmen in aller Regel verschweigt, müssen gravierende Folgen für die gesamte Volkswirtschaft angenommen werden.

Auch dieser Arzt dieser Patientin „vertraut nur auf die medikamentöse Behandlung“. Wie kann man als Arzt ausschließlich einer Behandlung vertrauen, die beim Patienten Benommenheit, Apathie, Schwindel und Panikattacken erzeugt, das Leiden selbst aber nicht heilt? Sind da etwa Logik und Verstand abgeschaltet? Ist es nur noch ein „roboterhaftes“ Befolgen einer vorgegebenen Matrix? Vorgegeben von wem? Von der „herrschenden Lehrmeinung“? Wer macht diese Meinung? Wer herrscht mittels dieser über die Medizin? Sind es Lehrstuhlinhaber an den Universitäten, die ihren Etat durch Forschungsaufträge aus der Pharmaindustrie aufbessern? Oder Chefärzte von Kliniken, die für das Promoten bestimmter Arzneimittel von deren Hersteller gesponsert werden? Oder „gesponserte“ Referenten der „ärztlichen Fortbildung“, welche den Ärzten solche Mittel schmackhaft machen? Oder medizinische Gutachter, die in Prozessen jeden Arzt ins Messer laufen lassen, der nicht die ganze Palette solcher Mittel verordnet hat?

Diese Patientin wenigstens konnte der „Matrix“ entfliehen, weil sie das hierzu notwendige Wissen gesucht, gefunden und angewendet hat.

Bericht von Herrn B. D. (56) aus Frankreich

1) Meine Bluthochdruck-Vorgeschichte

Bevor ich damit begann, Dr. Schnitzers Empfehlungen zu folgen, litt ich an Bluthochdruck seit 4 Jahren.

Mein durchschnittlicher Blutdruck war 160/95 mm/Hg, bevor ich Medikamente einnahm.

Zuletzt nahm ich die folgenden mir verschriebenen Medikamente ein:

Atenolol	1 mal täglich
Cozaar	1 mal täglich
Topalgic	1 mal täglich
Benalapril	(nicht angegeben)

Unter dieser Medikation war mein Blutdruck 140/85 mm/Hg. Meine Beschwerden unter dieser Medikation waren folgende: Sodbrennen, Darmentzündung, Durchfall.

2) Mein Beginn mit Dr. Schnitzers Empfehlungen

Ich begann vor 2 Monaten, Dr. Schnitzers Empfehlungen zu folgen.

Ich begann folgendes zu essen:	täglich	manchmal	nie
Zum Frühstück Müslis aus keimfähigen, frisch vor der Zubereitung geschroteten Getreidekörnern, mit frischen Früchten und Nüssen:	X		
Zum Mittag- und/oder Abendessen verschiedene Blattsalate und rohe Wurzelgemüsesalate		X	
Angekeimte Hülsenfrüchte (Kichererbsen, Linsen, grüne Mungobohnen) als Beilage zu den Salaten			X
Früchte (Äpfel, Birnen, Ananas usw.) nach Jahreszeit	X		
Vollkornbrot und –gebäck aus keimfähigen, frisch vor der Teigbereitung gemahlenen Getreiden (z.B. Weizen, Dinkel, Roggen)	X		

Das entspricht einer Befolgung der Empfehlungen zu 70 %.

Folgendes begann ich zu meiden:	völlig	meistens	verzehre ich noch
Fleisch, Geflügel, Ei, Fisch, Meeresfrüchte			X
Milch und Milchprodukte (Käse, Yoghurt usw.)			X
Industriezucker, Auszugsmehle und Produkte, welche diese enthalten	X		
Erhitzte (gekochte) Gemüse (unschädliche Ausnahme: Gedämpfte Kartoffeln)			X
Gekochtes Obst und Säfte (auch frisch gepresste)			X

Das entspricht einer Befolgung der Empfehlungen zu 20 %.

Die Empfehlungen, was zu essen und was zu meiden ist, wurden somit von mir insgesamt gewertet zu 45 % befolgt.

3) Mein Arzt unterstützte mich wie folgt:

Mein Arzt unterstützte mich voll. Docteur L. ist von Vollwert überzeugt.

Die beschriebenen kleinen Aderlässe (80-100 ml, 1 x pro Woche, max. 10 mal) zur Beschleunigung der Heilung hatte ich nicht.

4) Änderungen meines Blutdrucks und meiner Gesundheit

Mein durchschnittlicher Blutdruck unter der geänderten Ernährung war:

nach 4 Wochen: 140/88 mm/Hg;
nach 8 Wochen: 135/85 mm/Hg;
nach 12 Wochen: 130/78 mm/Hg.

Die blutdrucksenkenden Medikamente setzte ich alle sofort bei Beginn der Ernährungsänderung ab.

Die folgenden Veränderungen meiner Gesundheit stellte ich seither fest: Kein Bluthochdruck mehr, und mein Darm ist gesund.

5) Wie es mir jetzt geht

Gegenwärtig esse ich wie folgt:	**täg-lich**	**manch-mal**	**nie**
Zum Frühstück Müslis aus keimfähigen, frisch vor der Zubereitung geschroteten Getreidekörnern, mit frischen Früchten und Nüssen:	X		
Zum Mittag- und/oder Abendessen verschiedene Blattsalate und rohe Wurzelgemüsesalate		X	
Angekeimte Hülsenfrüchte (Kichererbsen, Linsen, grüne Mungobohnen) als Beilage zu den Salaten			X
Früchte (Äpfel, Birnen, Ananas usw.) nach Jahreszeit	X		
Vollkornbrot und –gebäck aus keimfähigen, frisch vor der Teigbereitung gemahlenen Getreiden (z.B. Weizen, Dinkel, Roggen)	X		

Das entspricht einer Befolgung der Empfehlungen zu 70 %.

Gegenwärtig meide ich folgendes:	**völlig**	**meistens**	**verzehre ich noch**
Fleisch, Geflügel, Ei, Fisch, Meeresfrüchte			X
Milch und Milchprodukte (Käse, Yoghurt usw.)			X
Industriezucker, Auszugsmehle und Produkte, welche diese enthalten	X		
Erhitzte (gekochte) Gemüse (unschädliche Ausnahme: Gedämpfte Kartoffeln)			X
Gekochtes Obst und Säfte (auch frisch gepresste)			X

Das entspricht einer Befolgung der Empfehlungen zu 20 %.

Die Empfehlungen, was zu essen und was zu meiden ist, werden von mir also insgesamt gewertet zu 45 % befolgt.

Mein gegenwärtiger durchschnittlicher Blutdruck ist 130/78 mm/Hg.

Meine Erfahrungen mit dieser Veränderung in meinem Leben:

Fühle mich sehr wohl.

(So weit der Bericht von Herrn B. D., 56 Jahre, vom 10. November 2004)

Anmerkungen zu dem Bericht von Herrn B. D.

von Dr. Johann Georg Schnitzer

Gesundes zu 70 % befolgt, Ungesundes nur zu 20 % gemieden (also zu 80 % weiterhin konsumiert); das ist zwar „nicht zur Nachahmung empfohlen", hat aber in diesem Fall schon ausgereicht, den Bluthochdruck zu normalisieren und die Nebenwirkungen der Medikation durch deren Absetzen auszuheilen, so dass der Patient als Ergebnis feststellen kann: „Fühle mich sehr wohl.".

Dieser Fall ist ein weiterer Hinweis auf die Fragwürdigkeit der „Standardtherapie des Bluthochdrucks", welche mit Sodbrennen, Darmentzündung und Durchfall schwerwiegende Nebenwirkungen erzeugte. Die nur teilweise (weniger als halbe) Ernährungskorrektur hat sich diesen 4 Medikamenten gegenüber als wirksamer in der Absenkung des Blutdrucks erwiesen, und das ohne solche „Nebenwirkungen" zu erzeugen!

Dabei wurde immerhin das gesundheitlich wichtigste Gericht, das Müsli aus keimfähigem, frisch vor der Zubereitung gemahlenen Getreiden, regelmäßig täglich genossen, und hat wahrscheinlich den Ausschlag für diesen beachtlichen Erfolg mit so bescheidenem Einsatz gegeben.

Auch in diesem Fall hat offensichtlich schon die „Kontaminierung" einer ziemlich falschen Ernährung mit wenigen Elementen einer gesunden natürlichen Kost ausgereicht, um den Patienten aus dem Krankheitsbereich über die Null-Linie in den Gesundheitsbereich zu befördern.

Bericht von Herrn G. C. (65) aus Deutschland

1) Meine Bluthochdruck-Vorgeschichte

Bevor ich damit begann, Dr. Schnitzers Empfehlungen zu folgen, litt ich an Bluthochdruck seit 2 Jahren.

Mein durchschnittlicher Blutdruck war 160/105 mm/Hg, bevor ich Medikamente einnahm. Beschwerden hatte ich eigentlich nicht. Nur bei Belastung ging der Blutdruck noch höher.

Zuletzt nahm ich das folgende mir verschriebene Medikament ein:

Diovan	3 mal täglich

Unter dieser Medikation war mein Blutdruck 130/90 mm/Hg. Beschwerden hatte ich eigentlich nie.

2) Mein Beginn mit Dr. Schnitzers Empfehlungen

Ich begann vor 2 Jahren, Dr. Schnitzers Empfehlungen zu folgen.

Ich begann folgendes zu essen:	täglich	manchmal	nie
Zum Frühstück Müslis aus keimfähigen, frisch vor der Zubereitung geschroteten Getreidekörnern, mit frischen Früchten und Nüssen:	X		
Zum Mittag- und/oder Abendessen verschiedene Blattsalate und rohe Wurzelgemüsesalate	X		
Angekeimte Hülsenfrüchte (Kichererbsen, Linsen, grüne Mungobohnen) als Beilage zu den Salaten		X	
Früchte (Äpfel, Birnen, Ananas usw.) nach Jahreszeit	X		
Vollkornbrot und –gebäck aus keimfähigen, frisch vor der Teigbereitung gemahlenen Getreiden (z.B. Weizen, Dinkel, Roggen)	X		

Das entspricht einer Befolgung der Empfehlungen zu 90 %.

Folgendes begann ich zu meiden:	völlig	meistens	verzehre ich noch
Fleisch, Geflügel, Ei, Fisch, Meeresfrüchte		X	
Milch und Milchprodukte (Käse, Yoghurt usw.)		X	
Industriezucker, Auszugsmehle und Produkte, welche diese enthalten		X	
Erhitzte (gekochte) Gemüse (unschädliche Ausnahme: Gedämpfte Kartoffeln)			X
Gekochtes Obst und Säfte (auch frisch gepresste)			X

Das entspricht einer Befolgung der Empfehlungen zu 30 %.

Die Empfehlungen, was zu essen und was zu meiden ist, wurden somit von mir insgesamt gewertet zu 60 % befolgt.

3) Mein Arzt unterstützte mich wie folgt:

Mein Arzt unterstützte mich überhaupt nicht. Ich besuche keinen Arzt mehr. Die beschriebenen kleinen Aderlässe (80-100 ml, 1 x pro Woche, max. 10 mal) zur Beschleunigung der Heilung hatte ich nicht.

4) Änderungen meines Blutdrucks und meiner Gesundheit

Mein durchschnittlicher Blutdruck unter der geänderten Ernährung war:

nach 4 Wochen: 150/95 mm/Hg;
nach 8 Wochen: 145/90 mm/Hg;
nach 12 Wochen: 140/90 mm/Hg.

Die blutdrucksenkende Medikation setzte ich sofort bei Beginn der Ernährungsänderung ab.

Die folgenden Veränderungen meiner Gesundheit stellte ich seither fest: Ich bin ruhiger geworden. Mein Schlaf ist auch ruhiger und regelmäßig geworden, das heißt, ich schlafe fast jede Nacht 7 ½ bis 8 Stunden.

5) Wie es mir jetzt geht

Gegenwärtig esse ich wie folgt:	täglich	manchmal	nie
Zum Frühstück Müslis aus keimfähigen, frisch vor der Zubereitung geschroteten Getreidekörnern, mit frischen Früchten und Nüssen:	X		

Zum Mittag- und/oder Abendessen verschiedene Blattsalate und rohe Wurzelgemüsesalate		**X**	
Angekeimte Hülsenfrüchte (Kichererbsen, Linsen, grüne Mungobohnen) als Beilage zu den Salaten		**X**	
Früchte (Äpfel, Birnen, Ananas usw.) nach Jahreszeit	**X**		
Vollkornbrot und –gebäck aus keimfähigen, frisch vor der Teigbereitung gemahlenen Getreiden (z.B. Weizen, Dinkel, Roggen)	**X**		

Das entspricht einer Befolgung der Empfehlungen zu 80 %.

Gegenwärtig meide ich folgendes:	**völlig**	**meistens**	**verzehre ich noch**
Fleisch, Geflügel, Ei, Fisch, Meeresfrüchte		**X**	
Milch und Milchprodukte (Käse, Yoghurt usw.)		**X**	
Industriezucker, Auszugsmehle und Produkte, welche diese enthalten		**X**	
Erhitzte (gekochte) Gemüse (unschädliche Ausnahme: Gedämpfte Kartoffeln)		**X**	
Gekochtes Obst und Säfte (auch frisch gepresste)			**X**

Das entspricht einer Befolgung der Empfehlungen zu 40 %.

Die Empfehlungen, was zu essen und was zu meiden ist, werden von mir also insgesamt gewertet zu 60 % befolgt.

Mein gegenwärtiger durchschnittlicher Blutdruck ist 130/80 mm/Hg.

Meine Erfahrungen mit dieser Veränderung in meinem Leben:

Ich lebe sehr ausgeglichen und ruhig. Obwohl im Rentenalter, arbeite ich noch täglich als Selbständiger ohne besondere Belastung für meinen Körper. Meine Zähne sind noch zu 100 % vollständig. Mir wurde noch nie ein Zahn gezogen.

(So weit der Bericht von Herrn G. C., 65 Jahre, vom 18. November 2004)

Anmerkungen zu dem Bericht von Herrn G. C.

von Dr. Johann Georg Schnitzer

Bei sofortigem Absetzen der „blutdrucksenkenden“ Medikation und mit nur 60 % Anwendung der Ernährungsempfehlungen hatte dieser Patient nach 12 Wochen die gleichen Blutdruckwerte erreicht wie vorher mit den Pillen: Gerade mal die Obergrenze normaler Werte. Als er dann noch die gekochten Gemüse reduzierte, war auch 2 Jahre später noch der Blutdruck mit 130/80 mm/Hg ebenso normal geworden wie die Gesundheit.

Bericht von Herrn E. W. (48) aus Österreich

1) Meine Bluthochdruck-Vorgeschichte

Bevor ich damit begann, Dr. Schnitzers Empfehlungen zu folgen, litt ich an Bluthochdruck seit 4 Jahren.

Mein durchschnittlicher Blutdruck war 190/110 mm/Hg, bevor ich Medikamente einnahm. Beschwerden hatte ich eigentlich keine. Ich war nur stetig „unter Strom“ und relativ kurzatmig. Wurde nach stetigem und unterbrechungslosem Nasenbluten mit einem Blutdruck von 240/190 ins Spital eingeliefert und dort medikamentös 3 Tage lang versorgt (Nitro usw.), die Blutung gestoppt und dann zum Hausarzt entlassen.

Zuletzt nahm ich das folgende mir verschriebene Medikament ein:

Co-acetan	1 mal täglich

Unter dieser Medikation war mein Blutdruck 165/96 mm/Hg. Meine Beschwerden unter dieser Medikation waren folgende: Schwindelgefühle, ED, Unausgeglichenheit, Antriebslosigkeit, stetig müde, teilweise Kopfschmerzen, zeitweiliger Schärfeverlust beim Sehen, meine Zehen am Vorderfuß waren kalt bzw. gefühlsfern, KRANK.

2) Mein Beginn mit Dr. Schnitzers Empfehlungen

Ich begann vor 3 Monaten, Dr. Schnitzers Empfehlungen zu folgen.

Ich begann folgendes zu essen:	täglich	manchmal	nie
Zum Frühstück Müslis aus keimfähigen, frisch vor der Zubereitung geschroteten Getreidekörnern, mit frischen Früchten und Nüssen:	X		
Zum Mittag- und/oder Abendessen verschiedene Blattsalate und rohe Wurzelgemüsesalate		X	
Angekeimte Hülsenfrüchte (Kichererbsen, Linsen, grüne Mungobohnen) als Beilage zu den Salaten		X	
Früchte (Äpfel, Birnen, Ananas usw.) nach Jahreszeit	X		
Vollkornbrot und –gebäck aus keimfähigen, frisch vor der Teigbereitung gemahlenen Getreiden (z.B. Weizen, Dinkel, Roggen)		X	

Das entspricht einer Befolgung der Empfehlungen zu 70 %.

Folgendes begann ich zu meiden:	völlig	meistens	verzehre ich noch
Fleisch, Geflügel, Ei, Fisch, Meeresfrüchte	X		
Milch und Milchprodukte (Käse, Yoghurt usw.)		X	
Industriezucker, Auszugsmehle und Produkte, welche diese enthalten	X		
Erhitzte (gekochte) Gemüse (unschädliche Ausnahme: Gedämpfte Kartoffeln)		X	
Gekochtes Obst und Säfte (auch frisch gepresste)			X

Das entspricht einer Befolgung der Empfehlungen zu 60 %.

Die Empfehlungen, was zu essen und was zu meiden ist, wurden somit von mir insgesamt gewertet zu 65 % befolgt.

3) Mein Arzt unterstützte mich wie folgt:

Mein Arzt unterstützte mich überhaupt nicht. Er äußerte sich auch nicht, da ich seit Monaten meine Tabletten bei der Assistentin abholte und sich keiner um die Verifikation meines Blutdrucks scherte. Es wurde praktisch stetig medikamentiert ohne Verifikation, dies passte exakt in Ihr Arztbild.

Ich suchte mir einen anderen Arzt. Diese Ärztin unterstützt mich voll. Sie wird Ihr Therapiebuch bestellen, macht auch Aderlässe, ist Homöopathin. Ärztin wurde nach Lektüre Ihres Buches ausgewählt.

Die beschriebenen kleinen Aderlässe (80-100 ml, 1 x pro Woche, max. 10 mal) zur Beschleunigung der Heilung hatte ich nicht.

4) Änderungen meines Blutdrucks und meiner Gesundheit

Mein durchschnittlicher Blutdruck unter der geänderten Ernährung war:

nach 4 Wochen: 152/92 mm/Hg;
nach 8 Wochen: 133/86 mm/Hg;
nach 12 Wochen: 132/84 mm/Hg.

Das blutdrucksenkende Medikament setzte ich 3 Wochen nach Beginn der Ernährungsänderung ab.

Die folgenden Veränderungen meiner Gesundheit stellte ich seither fest: Ich fühle mich GESUND, dynamisch, habe allerdings noch immer ED Probleme (ED = Erektile Dysfunktion), habe etwas abgenommen, bin fitter oder fühle mich wenigstens so, kaum Müdigkeit, keine Sehprobleme mehr.

5) Wie es mir jetzt geht

Gegenwärtig esse ich wie folgt:	**täg-lich**	**manch-mal**	**nie**
Zum Frühstück Müslis aus keimfähigen, frisch vor der Zubereitung geschroteten Getreidekörnern, mit frischen Früchten und Nüssen:	**X**		
Zum Mittag- und/oder Abendessen verschiedene Blattsalate und rohe Wurzelgemüsesalate		**X**	
Angekeimte Hülsenfrüchte (Kichererbsen, Linsen, grüne Mungobohnen) als Beilage zu den Salaten		**X**	
Früchte (Äpfel, Birnen, Ananas usw.) nach Jahreszeit	**X**		
Vollkornbrot und –gebäck aus keimfähigen, frisch vor der Teigbereitung gemahlenen Getreiden (z.B. Weizen, Dinkel, Roggen)	**X**		

Das entspricht einer Befolgung der Empfehlungen zu 80 %.

Gegenwärtig meide ich folgendes:	völlig	meistens	verzehre ich noch
Fleisch, Geflügel, Ei, Fisch, Meeresfrüchte		X	
Milch und Milchprodukte (Käse, Yoghurt usw.)	X		
Industriezucker, Auszugsmehle und Produkte, welche diese enthalten	X		
Erhitzte (gekochte) Gemüse (unschädliche Ausnahme: Gedämpfte Kartoffeln)		X	
Gekochtes Obst und Säfte (auch frisch gepresste)	X		

Das entspricht einer Befolgung der Empfehlungen zu 80 %.

Die Empfehlungen, was zu essen und was zu meiden ist, werden von mir also insgesamt gewertet zu 80 % befolgt.

Mein gegenwärtiger durchschnittlicher Blutdruck ist 132/84 mm/Hg.

Meine Erfahrungen mit dieser Veränderung in meinem Leben:

Ich bin restlos begeistert und überzeugt von meinen „Selbstheilungskräften“ und von der Tatsache, dass es wohl hauptsächlich um richtige Ernährung geht. Bin eigentlich maßlos enttäuscht von der klassischen Medizin und der „coolen Abhandlung“ von offensichtlich extrem gefährlichen Krankheiten „... na ja, 50 % der Leute haben hohen Blutdruck, machen Sie sich nix draus, meiner ist auch erhöht....“?????? Kann man sich noch in ärztliche Behandlung begeben??

Besonders beeindruckt hat mich die Geschwindigkeit des „Effekts“, schon nach wenigen Tagen ging’s mir bedeutend besser. Möglich, dass hier auch ein wenig Psychologie im Spiel ist, aber was soll’s, Hauptsache es funktioniert. Leider ist es immer noch relativ schwierig, dementsprechende Kost in Restaurants zu bekommen. Die üblichen „Gemüselaibchen“ strotzen dermaßen vor Fett, dass sie meist nahezu ungenießbar sind. Salate sind soweit zu bekommen, aber Warmes geht meist beim Chinesen oder Japaner besser als in der „österreichischen Hausmannskost“. Ich habe allerdings noch immer ein wenig Probleme mit meinen „eingeschlafenen“ Zehen. Es wird langsam besser, aber nicht in dem Maße in dem mein Blutdruck sich verbessert hat.

(So weit der Bericht von Herrn E. W., 48 Jahre, vom 25. Nov. 2004)

Anmerkungen zu dem Bericht von Herrn E. W.

von Dr. Johann Georg Schnitzer

Zum letzten Punkt vorweg: Geschädigte Nervenfasern brauchen für die Regeneration ein wenig länger; man weiß, dass diese nur etwa 1 mm pro Tag nachwachsen können.

Treffend beschreibt der Patient die übliche Praxisroutine der Bluthochdruckbehandlung. Da man ohnehin von Unheilbarkeit und lebenslanger Behandlung ausgeht, wird einfach die Pillenbehandlung fortgesetzt. Aber nachmessen, wo der Patient mit seinem Bluthochdruck steht, wenn er schon in die Praxis kommt, hätte man schon noch können.

Wie erfreulich, dass sich dann eine kooperative Ärztin hat finden lassen, welche auch die Homöopathie beherrscht.

Vorher 4 Jahre lang ein Bluthochdruck von 190/110 mm/Hg, der bis auf 240/190 anstieg – worauf der Organismus zu einer Notmaßnahme griff und selbst mit einem „Aderlass" (Nasenbluten) den bis zum Platzen mit Blut überfüllten Kreislauf entlastete.

Bei Männern nutzt der Organismus teils auch Hämorrhoiden („Krampfadern" um den Darmausgang herum) für solch einen natürlichen Aderlass. Frauen haben es da – allerdings nur vor der Menopause – einfacher: Bei ihnen wird eine zu große Blutfülle einfach durch eine stärkere Regelblutung abgelassen. Nach Eintritt der Menopause fällt dieses Überdruckventil weg, und von da an finden sich Frauen im gleichen Risikobereich wieder, in welchem Männer bei falscher Kost immer sind.

Dieses Nasenbluten wurde natürlich von den Medizinern im Spital nicht als zweckmäßig erkannt, sondern schleunigst zum Stillstand gebracht. Das Ergebnis der „blutdrucksenkenden" Medikation war dann mit immer noch 165/96 mm/Hg eher dürftig.

Nachher, nach Umstellung der Ernährung, wobei die gegebenen Empfehlungen anfänglich zu 65 %, später zu 80 % befolgt wurden, und Absetzen der Medikation erfolgte dann innerhalb von 12 Wochen eine vollständige natürliche Normalisierung des Blutdrucks auf 132/84 mm/Hg, und eine grundlegende Besserung der Gesundheit und Leistungsfähigkeit.

Ist es nicht endlich Zeit, dass die „Mediziner" (= Pillenverordner) ihre Praxisroutine der lebenslänglichen Pillenbehandlung durch diese hochwirksame, kausale, natürliche Heilbehandlung ersetzen?

Bericht von Herrn D. R. (61) aus Deutschland

1) Meine Bluthochdruck-Vorgeschichte

Bevor ich damit begann, Dr. Schnitzers Empfehlungen zu folgen, litt ich an Bluthochdruck seit 2 Jahren.

Mein durchschnittlicher Blutdruck war 150/90 mm/Hg, bevor ich Medikamente einnahm. Beschwerden hatte ich folgende: Stress, Schlaflosigkeit, instabiler Blutdruck, Ruhelosigkeit. Ich nehme jedoch keine Medikamente ein.

2) Mein Beginn mit Dr. Schnitzers Empfehlungen

Ich begann vor 6 Monaten, Dr. Schnitzers Empfehlungen zu folgen.

Ich begann folgendes zu essen:	täglich	manchmal	nie
Zum Frühstück Müslis aus keimfähigen, frisch vor der Zubereitung geschroteten Getreidekörnern, mit frischen Früchten und Nüssen:	X		
Zum Mittag- und/oder Abendessen verschiedene Blattsalate und rohe Wurzelgemüsesalate	X		
Angekeimte Hülsenfrüchte (Kichererbsen, Linsen, grüne Mungobohnen) als Beilage zu den Salaten		X	
Früchte (Äpfel, Birnen, Ananas usw.) nach Jahreszeit	X		
Vollkornbrot und –gebäck aus keimfähigen, frisch vor der Teigbereitung gemahlenen Getreiden (z.B. Weizen, Dinkel, Roggen)	X		

Das entspricht einer Befolgung der Empfehlungen zu 90 %.

Folgendes begann ich zu meiden:	völlig	meistens	verzehre ich noch
Fleisch, Geflügel, Ei, Fisch, Meeresfrüchte	X		
Milch und Milchprodukte (Käse, Yoghurt usw.)		X	
Industriezucker, Auszugsmehle und Produkte, welche diese enthalten	X		

Erhitzte (gekochte) Gemüse (unschädliche Ausnahme: Gedämpfte Kartoffeln)	X		
Gekochtes Obst und Säfte (auch frisch gepresste)	X		

Das entspricht einer Befolgung der Empfehlungen zu 90 %.

Die Empfehlungen, was zu essen und was zu meiden ist, wurden somit von mir insgesamt gewertet zu 90 % befolgt.

3) Mein Arzt unterstützte mich wie folgt:

Mein Arzt unterstützte mich überhaupt nicht. Er äußerte sich dazu wie folgt: „Sie müssen Blutdrucktabletten und Cholesterin-Senker nehmen für den Rest Ihres Lebens“ (mein Cholesterinspiegel war bei 230), „andernfalls haben Sie ein schönes, aber kurzes Leben!“

Ich suchte mir einen anderen Arzt. Nachdem mein Hausarzt mir nur Tabletten verschreiben wollte, wechselte ich zu Frau Dr. R., die mir Ihr Buch „Risikofaktor Bluthochdruck ...“ zu lesen gab. Tabletten nehme ich keine.

Die beschriebenen kleinen Aderlässe (80-100 ml, 1 x pro Woche, max. 10 mal) zur Beschleunigung der Heilung hatte ich nicht.

4) Änderungen meines Blutdrucks und meiner Gesundheit

Mein durchschnittlicher Blutdruck unter der geänderten Ernährung war:

nach 4 Wochen: 140/80 mm/Hg;
nach 8 Wochen: 130/80 mm/Hg;
nach 12 Wochen: 115/70 mm/Hg.

Die folgenden Veränderungen meiner Gesundheit stellte ich seither fest: Ich bin belastungsfähiger und ausgeglichener geworden. Mein Gesamt-Cholesterinspiegel ist ohne Medikamente unter 200, auch die anderen Werte sind mittlerweile absolut normal..

5) Wie es mir jetzt geht

Gegenwärtig esse ich wie folgt:	**täglich**	**manchmal**	**nie**
Zum Frühstück Müslis aus keimfähigen, frisch vor der Zubereitung geschroteten Getreidekörnern, mit frischen Früchten und Nüssen:	X		

Zum Mittag- und/oder Abendessen verschiedene Blattsalate und rohe Wurzelgemüsesalate	X		
Angekeimte Hülsenfrüchte (Kichererbsen, Linsen, grüne Mungobohnen) als Beilage zu den Salaten		X	
Früchte (Äpfel, Birnen, Ananas usw.) nach Jahreszeit	X		
Vollkornbrot und –gebäck aus keimfähigen, frisch vor der Teigbereitung gemahlenen Getreiden (z.B. Weizen, Dinkel, Roggen)	X		

Das entspricht einer Befolgung der Empfehlungen zu 90 %.

Gegenwärtig meide ich folgendes:	**völlig**	**meistens**	**verzehre ich noch**
Fleisch, Geflügel, Ei, Fisch, Meeresfrüchte	X		
Milch und Milchprodukte (Käse, Yoghurt usw.)		X	
Industriezucker, Auszugsmehle und Produkte, welche diese enthalten	X		
Erhitzte (gekochte) Gemüse (unschädliche Ausnahme: Gedämpfte Kartoffeln)	X		
Gekochtes Obst und Säfte (auch frisch gepresste)	X		

Das entspricht einer Befolgung der Empfehlungen zu 90 %.

Die Empfehlungen, was zu essen und was zu meiden ist, werden von mir also insgesamt gewertet zu 90 % befolgt.

Mein gegenwärtiger durchschnittlicher Blutdruck ist 115/70 mm/Hg.

Meine Erfahrungen mit dieser Veränderung in meinem Leben:

Meine persönlichen Erfahrungen sind absolut positiv. Mir geht es gesundheitlich viel besser. Es ist aber erschütternd, wenn man sieht, wie die meisten Ärzte mit ihren Patienten umgehen und ihnen nur Medikamente verschreiben, die teuer und unsinnig sind.

(So weit der Bericht von Herrn D. R., 61 Jahre, vom 16. Dezember 2004)

Anmerkungen zu dem Bericht von Herrn D. R.

von Dr. Johann Georg Schnitzer

Mit diesen vier Schlusszeilen bringt es der von Bluthochdruck befreite ehemalige Patient auf den Punkt. Wie aber lassen sich die Missstände ändern? Lassen sie sich denn ändern? Wer will sie überhaupt ändern?

Die Interessenlage

Betrachten wir doch einmal die Interessenlage. Wer könnte ein Interesse daran haben, dass Bluthochdruck durch einfache Ernährungsmaßnahmen ausgeheilt, statt wie bisher lebenslang teuer und nebenwirkungsreich mit Pillen behandelt wird?

Wer ist an Ausheilung interessiert?

Die von Bluthochdruck Betroffenen. Sie werden vom Zwang lebenslanger Pilleneinnahme ebenso befreit wie von den zahlreichen erheblichen Nebenwirkungen. Ihre Lebensqualität wird auf ein weit höheres Niveau angehoben. Lebensfreude und Leistungsfähigkeit kehren zurück.

Die Wirtschaft. Fraglos kann die Ausheilung der Millionen von Bluthochdruckpatienten zu einer gewaltigen Entlastung von Lohnnebenkosten führen. Zur Zeit haben 50 % aller Menschen, die Arztpraxen aufsuchen, Bluthochdruck als Grund der Behandlungsbedürftigkeit. Ihre Ausheilung statt Dauerbehandlung kann die Ausgaben der Sozialen Krankenversicherung – und damit auch die wie eine Steuer erhobenen Krankenkassenbeiträge der Arbeitnehmer und Unternehmen – auf etwa die Hälfte verringern. Mehr noch: Die gesund gewordenen Arbeitnehmer werden erheblich leistungsfähiger und haben wieder Freude am Leben und am Beruf. Insgesamt wird die Wettbewerbsfähigkeit auf den internationalen Märkten besser, der Standortvorteil wird größer, mehr Arbeitsplätze entstehen.

Die Politik. Für die Politik bedeutet die Ausheilung von Millionen Bluthochdruckkranken deshalb den eigentlichen Wendepunkt in Richtung eines dauerhaften Aufschwunges. Weniger Kranke und weniger Arbeitslose bedeuten weniger Ausgaben und mehr Einnahmen für den Staat, solches rückt Steuersenkungen in den Bereich des Machbaren, und Steuersenkungen geben der Wirtschaft mehr Auftrieb, was erneut mehr Arbeitsplätze, mehr Staatseinnahmen und weitere Steuersenkungen mit sich bringt. Gleichzeitig entschärft sich das Problem des steigenden Durchschnittsalters der Bevölkerung. Wenn die Alten fit statt krank sind, kostet das weniger, und wenn sie deshalb auch in höherem Alter noch konstruktive Beiträge leisten können, statt nur ihre Rente zu konsumieren – was für ein geistiger und materieller Gewinn für die Gesellschaft!

Wer ist eher an Dauerbehandlung interessiert?

Ärzte. Es lässt sich nicht leugnen, vor allem nicht nach den mit der Bluthochdruckstudie gemachten Erfahrungen, dass Ärzte mehr an einer Dauerbehandlung des Bluthochdrucks und weniger an dessen natürlicher Ausheilung interessiert sind. Das erklärt sich nicht zuletzt damit, dass die Bluthochdruckpatienten schätzungsweise um die 50 % zu den Gesamteinnahmen der durchschnittlichen Arztpraxen beisteuern, vor allem, wenn man noch die Folgekrankheiten nicht ausgeheilten Bluthochdrucks mit hinzurechnet: Durchblutungsstörungen, Herzinfarkt, Hirnschlag, Embolie, Nierenversagen usw.

Klinische Einrichtungen. Sie leben vor allem von den Folgen unzulänglicher ambulanter Therapie. Wenn Krankheiten wie Bluthochdruck nicht ausgeheilt, sondern nur symptomatisch dauerbehandelt werden, gehen sie irgendwann, und teils plötzlich, in schwerere Stadien über, welche dann klinisch behandelt, oft auch operiert werden müssen. Wenn solche Krankheiten aber bereits ambulant ausgeheilt würden, bliebe für klinische Einrichtungen nicht mehr viel zu tun übrig. Das gilt nicht nur für den Rückgang erforderlicher Operationen (z.B. Einsetzen von Herzschrittmachern, Bypass-Operationen), sondern auch für den Rückgang von Nierenversagen, welches derzeit wegen starker Zunahme für florierende Dialyse-Einrichtungen sorgt.

Pharma-Industrie und -Handel. Hier geht es um gewaltige Umsätze. So kann man den Umsatz mit Bluthochdruckpillen in Deutschland auf ca. 75 Millionen € schätzen – nicht pro Jahr, sondern pro Tag, Sonn- und Feiertage mitgerechnet, denn auch an diesen werden die Pillen geschluckt. Da eine der Nebenwirkungen der Pillenbehandlung Impotenz ist, eröffnet diese einen weiteren neuen Markt für die sehr teuer verkauften Potenzpillen. Pharma-Aktien gehören an den internationalen Börsen zu den interessantesten, ihre Werte rechnen sich in Milliarden, und innerhalb dieser Branche gehören Hersteller von Dialyse-Reagenzien zu den Spitzenreitern. Am lukrativsten für die Branche sind Krankheiten, die chronisch und weit verbreitet sind – und die dann mit der täglichen Anwendung möglichst einer Kombination von mehreren Medikamenten über Jahre und Jahrzehnte hinweg behandelt werden können. Bluthochdruck ist insofern der Idealfall, gefolgt von Diabetes.

Wer soll, kann und will etwas ändern?

Die von Bluthochdruck Betroffenen können es am ehesten. Wenn das jeder Betroffene auch tut, wird das die wirksamste gesundheitspolitische Maßnahme sein, die es jemals nach dem 2. Weltkrieg gegeben hat.

Die an gesunden, Mitarbeitern interessierte Wirtschaft könnte es auch (Beispiel: Gesündere Kantinen-Menüs). Regen Sie das doch in Ihrem Betrieb an, oder wenn Sie der Boss sind, tun Sie's einfach.

Die eigentlich politisch wie fachlich „Zuständigen“ sollten, jedoch können oder wollen es nicht. Warum eigentlich nicht? Man frage doch einmal seine Parlaments- oder Bundestagsabgeordneten – z.B. danach, wieso sie es dulden, dass von Firmen und Verbänden bezahlte Lobbyisten in Ministerien sitzen und dort die Gesetze und „Reformen“ ausarbeiten!!!

Bericht von Frau A. K. (65) aus Deutschland

1) Meine Bluthochdruck-Vorgeschichte

Bevor ich damit begann, Dr. Schnitzers Empfehlungen zu folgen, litt ich an Bluthochdruck seit 15 Jahren.

Mein durchschnittlicher Blutdruck war 150/80 mm/Hg, bevor ich Medikamente einnahm. Beschwerden hatte ich selten. Bei extrem hohen Werten Druck im Kopf, Schlaflosigkeit.

Zuletzt nahm ich das folgende mir verschriebene Medikament ein:

Novasc 5 mg	1 mal täglich

Unter dieser Medikation war mein Blutdruck 144/67 mm/Hg. Beschwerden hatte ich keine.

2) Mein Beginn mit Dr. Schnitzers Empfehlungen

Ich begann vor 3 Monaten, Dr. Schnitzers Empfehlungen zu folgen.

Ich begann folgendes zu essen:	täglich	manchmal	nie
Zum Frühstück Müslis aus keimfähigen, frisch vor der Zubereitung geschroteten Getreidekörnern, mit frischen Früchten und Nüssen:	X		
Zum Mittag- und/oder Abendessen verschiedene Blattsalate und rohe Wurzelgemüsesalate		X	
Angekeimte Hülsenfrüchte (Kichererbsen, Linsen, grüne Mungobohnen) als Beilage zu den Salaten	X		
Früchte (Äpfel, Birnen, Ananas usw.) nach Jahreszeit	X		
Vollkornbrot und –gebäck aus keimfähigen, frisch vor der Teigbereitung gemahlenen Getreiden (z.B. Weizen, Dinkel, Roggen)	X		

Das entspricht einer Befolgung der Empfehlungen zu 90 %.

Folgendes begann ich zu meiden:	völlig	meistens	verzehre ich noch
Fleisch, Geflügel, Ei, Fisch, Meeresfrüchte	X		
Milch und Milchprodukte (Käse, Yoghurt usw.)	X		
Industriezucker, Auszugsmehle und Produkte, welche diese enthalten		X	
Erhitzte (gekochte) Gemüse (unschädliche Ausnahme: Gedämpfte Kartoffeln)			X
Gekochtes Obst und Säfte (auch frisch gepresste)			X

Das entspricht einer Befolgung der Empfehlungen zu 50 %.

Die Empfehlungen, was zu essen und was zu meiden ist, wurden somit von mir insgesamt gewertet zu 70 % befolgt.

3) Mein Arzt unterstützte mich wie folgt:

Mein Arzt unterstützte mich überhaupt nicht. Er äußerte sich dazu so: Ich müsse mit Tabletten leben, ja sogar sollte ich noch Ramipril nehmen.

Ich suchte mir einen anderen Arzt. Dieser unterstützte mich voll. Er hätte die Diät nicht initiiert, ist jedoch aufgeschlossen und unterstützt mein Bestreben.

Die beschriebenen kleinen Aderlässe (80-100 ml, 1 x pro Woche, max. 10 mal) zur Beschleunigung der Heilung hatte ich nicht.

4) Änderungen meines Blutdrucks und meiner Gesundheit

Mein durchschnittlicher Blutdruck unter der geänderten Ernährung war:

nach 4 Wochen: 133/67 mm/Hg;

nach 8 Wochen: 139/68 mm/Hg;

nach 12 Wochen: 134/62 mm/Hg.

Das blutdrucksenkende Medikament setzte ich 4 Wochen nach Beginn der Ernährungsänderung ab.

Die folgenden Veränderungen meiner Gesundheit stellte ich seither fest: Anfangs hohe Wasserausscheidung, dann verbesserte Verdauung. Besserer Allgemeinzustand, Schulterschmerzen (langjährig behandelt ohne Erfolg) sind zu 90 % verschwunden.

5) Wie es mir jetzt geht

Gegenwärtig esse ich wie folgt:	**täglich**	**manchmal**	**nie**
Zum Frühstück Müslis aus keimfähigen, frisch vor der Zubereitung geschroteten Getreidekörnern, mit frischen Früchten und Nüssen:	**X**		
Zum Mittag- und/oder Abendessen verschiedene Blattsalate und rohe Wurzelgemüsesalate		**X**	
Angekeimte Hülsenfrüchte (Kichererbsen, Linsen, grüne Mungobohnen) als Beilage zu den Salaten	**X**		

Früchte (Äpfel, Birnen, Ananas usw.) nach Jahreszeit	X		
Vollkornbrot und –gebäck aus keimfähigen, frisch vor der Teigbereitung gemahlenen Getreiden (z.B. Weizen, Dinkel, Roggen)	X		

Das entspricht einer Befolgung der Empfehlungen zu 90 %.

Gegenwärtig meide ich folgendes:	**völlig**	**meistens**	**verzehre ich noch**
Fleisch, Geflügel, Ei, Fisch, Meeresfrüchte		X	
Milch und Milchprodukte (Käse, Yoghurt usw.)		X	
Industriezucker, Auszugsmehle und Produkte, welche diese enthalten		X	
Erhitzte (gekochte) Gemüse (unschädliche Ausnahme: Gedämpfte Kartoffeln)			X
Gekochtes Obst und Säfte (auch frisch gepresste)			X

Das entspricht einer Befolgung der Empfehlungen zu 30 %.

Die Empfehlungen, was zu essen und was zu meiden ist, werden von mir also insgesamt gewertet zu 60 % befolgt.

Mein gegenwärtiger durchschnittlicher Blutdruck ist 134/62 mm/Hg.

Meine Erfahrungen mit dieser Veränderung in meinem Leben:

Ich hatte mein Hauptaugenmerk auf tierisches Eiweiß gelegt, musste jedoch erkennen, dass Industriezucker und Weißmehl großen negativen Einfluss haben. Ich werde weiterhin diese Kost einhalten, denn ich fühle mich gut dabei, die Werte sind akzeptabel und das alles ohne Medikamente.

Auch mein begleitender Hausarzt war mit diesen Ergebnissen zufrieden und glaubt, dass ich bei dieser Lebensweise auf Medikamente verzichten kann.

(So weit der Bericht von Frau A. K., 65 Jahre, vom 28. Januar 2005)

Anmerkungen zu dem Bericht von Frau A. K.

von Dr. Johann Georg Schnitzer

Warum nur ein weiteres Mal diese ablehnende Haltung eines Arztes, wenn die Patientin nach 15 Jahren täglichem geduldigem Pillenkonsum genug hat und endlich ihre Gesundheit zurückbekommen möchte? Wo bleibt da die ärztliche Hilfsbereitschaft? Wieso ist die natürliche Neugier verloren gegangen, ob es hilft, was die Patientin vor hat? Warum nur dieses arrogant-überhebliche Beharren auf lebenslanger Einnahme von Pillen, die doch nicht heilten, ja nicht einmal das angeblich mit diesen bekämpfte kardiovaskuläre Risiko mindern? Da rette sich, wer kann!

Diese Patientin konnte es – weil sie Zugang zu dem hierfür notwendigen Wissen fand: Ein schöner Erfolg, die Befreiung von Pillen, die Ausheilung des Bluthochdrucks in wenigen Wochen und gutes Wohlbefinden mit 65 Jahren, nachdem vorher 15 Jahre lang Dauerbehandlung mit Pillen als unumgänglich erachtet und durchgeführt worden war. Dazu ein anderer Arzt, der diese Ernährungstherapie zwar nicht initiiert hätte, aber deren Ergebnisse zufrieden zur Kenntnis nahm.

Dieses wurde erreicht mit zunächst 70 %, dann noch 60 % Anwendung der empfohlenen Ernährungsmaßnahmen.

Bericht von Herrn R. M. (43) aus Österreich

1) Meine Bluthochdruck-Vorgeschichte

Bevor ich damit begann, Dr. Schnitzers Empfehlungen zu folgen, litt ich an Bluthochdruck, habe jedoch nichts bemerkt; erst bei einer Untersuchung bei meinem Hausarzt wegen Schwindelgefühl und Einschlafen der Hände hat er zu hohen Blutdruck festgestellt.

Mein durchschnittlicher Blutdruck war 200/110 mm/Hg, bevor ich Medikamente einnahm.

Zuletzt nahm ich die folgenden mir verschriebenen Medikamente ein:

Bisoprolol 10 mg	2 pro Tag
Ramipril 10 mg	½ pro Tag

Unter dieser Medikation war mein Blutdruck 140/93 mm/Hg. Meine Beschwerden unter dieser Medikation waren folgende: Unwohl und Magenschmerzen.

2) Mein Beginn mit Dr. Schnitzers Empfehlungen

Ich begann vor 6 Wochen, Dr. Schnitzers Empfehlungen zu folgen.

Ich begann folgendes zu essen:	täglich	manchmal	nie
Zum Frühstück Müslis aus keimfähigen, frisch vor der Zubereitung geschroteten Getreidekörnern, mit frischen Früchten und Nüssen:	X		
Zum Mittag- und/oder Abendessen verschiedene Blattsalate und rohe Wurzelgemüsesalate	X		
Angekeimte Hülsenfrüchte (Kichererbsen, Linsen, grüne Mungobohnen) als Beilage zu den Salaten	X		
Früchte (Äpfel, Birnen, Ananas usw.) nach Jahreszeit	X		
Vollkornbrot und –gebäck aus keimfähigen, frisch vor der Teigbereitung gemahlenen Getreiden (z.B. Weizen, Dinkel, Roggen)			X

Das entspricht einer Befolgung der Empfehlungen zu 80 %.

Folgendes begann ich zu meiden:	völlig	meistens	verzehre ich noch
Fleisch, Geflügel, Ei, Fisch, Meeresfrüchte	X		
Milch und Milchprodukte (Käse, Yoghurt usw.)	X		
Industriezucker, Auszugsmehle und Produkte, welche diese enthalten	X		
Erhitzte (gekochte) Gemüse (unschädliche Ausnahme: Gedämpfte Kartoffeln)	X		
Gekochtes Obst und Säfte (auch frisch gepresste)			X

Das entspricht einer Befolgung der Empfehlungen zu 80 %.

Die Empfehlungen, was zu essen und was zu meiden ist, wurden somit von mir insgesamt gewertet zu 80% befolgt.

3) Mein Arzt unterstützte mich wie folgt:

Mein Arzt unterstützte mich überhaupt nicht – er weiß nichts davon. Nach einem anderen Arzt bin ich noch auf der Suche, aber ich glaube, ich brauche keinen mehr.

Die beschriebenen kleinen Aderlässe (80-100 ml, 1 x pro Woche, max. 10 mal) zur Beschleunigung der Heilung hatte ich nicht.

4) Änderungen meines Blutdrucks und meiner Gesundheit

Mein durchschnittlicher Blutdruck unter der geänderten Ernährung war:

nach 4 Wochen: 130/92 mm/Hg;
nach (6) Wochen: 119/80 mm/Hg.

Die blutdrucksenkenden Medikamente setzte ich wie folgt ab:

Bisoprolol 10 mg	nach 1 Woche
Ramipril 10 mg	nach 4 Wochen

Die folgenden Veränderungen meiner Gesundheit stellte ich seither fest: Ich kann mich wieder bücken und meine Zehenspitzen mit ausgestreckten Füßen erreichen. Nicht mehr so müde, und Mittagsschlaf brauche ich nicht mehr. Habe von 124 kg am 01.01.2005 auf 109 kg am 14.02.2005 abgenommen ohne Hunger, und seit langem werde ich beim Essen richtig satt.

5) Wie es mir jetzt geht

Gegenwärtig esse ich wie folgt:	**täglich**	**manchmal**	**nie**
Zum Frühstück Müslis aus keimfähigen, frisch vor der Zubereitung geschroteten Getreidekörnern, mit frischen Früchten und Nüssen:	**X**		
Zum Mittag- und/oder Abendessen verschiedene Blattsalate und rohe Wurzelgemüsesalate	**X**		
Angekeimte Hülsenfrüchte (Kichererbsen, Linsen, grüne Mungobohnen) als Beilage zu den Salaten	**X**		

Früchte (Äpfel, Birnen, Ananas usw.) nach Jahreszeit	X		
Vollkornbrot und –gebäck aus keimfähigen, frisch vor der Teigbereitung gemahlenen Getreiden (z.B. Weizen, Dinkel, Roggen)			X

Das entspricht einer Befolgung der Empfehlungen zu 80 %.

Gegenwärtig meide ich folgendes:	**völlig**	**meistens**	**verzehre ich noch**
Fleisch, Geflügel, Ei, Fisch, Meeresfrüchte	X		
Milch und Milchprodukte (Käse, Yoghurt usw.)	X		
Industriezucker, Auszugsmehle und Produkte, welche diese enthalten	X		
Erhitzte (gekochte) Gemüse (unschädliche Ausnahme: Gedämpfte Kartoffeln)			X
Gekochtes Obst und Säfte (auch frisch gepresste)	X		

Das entspricht einer Befolgung der Empfehlungen zu 80 %.

Die Empfehlungen, was zu essen und was zu meiden ist, werden von mir also insgesamt gewertet zu 80 % befolgt.

Mein gegenwärtiger durchschnittlicher Blutdruck ist 123/85 mm/Hg.

Meine Erfahrungen mit dieser Veränderung in meinem Leben:

War eigentlich sehr einfach, die Umstellung mit einer richtigen Ernährung; und dass ich keine Blutdruckmedikamente mehr brauche.

(So weit der Bericht von Herrn R. M., 43 Jahre, vom 14. Februar 2005)

Anmerkungen zu dem Bericht von Herrn R. M.

von Dr. Johann Georg Schnitzer

Mit 43 Jahren war der Patient mit starkem Übergewicht und hohem Blutdruck an einem kritischen Punkt und Scheideweg angekommen. Dauermedikation ohne Ernährungsänderung hätte direkt in ein sehr hohes Risiko plötzlicher fataler Herz-Kreislauf-Ereignisse hineingeführt. Er entschied sich mit der Umstellung auf die empfohlene natürliche, artgerechte Ernährung und dem Absetzen der Medikation für den besseren Weg.

Der sehr zügige Verlauf der Normalisierung des Blutdrucks und der beträchtliche Abbau des Übergewichts in nur 6 Wochen sind beides Hinweise auf die grundsätzliche Wirkungsweise: Es erfolgt eine Normalisierung entgleister Stoffwechselabläufe, „so bald der Stoffwechsel wieder die richtigen Stoffe zum Wechseln bekommt".

Die „richtigen" Stoffe sind jene, auf welche der Mensch genetisch programmiert ist – und das ist offensichtlich immer noch seine ursprüngliche, frugivore Urnahrung, die aus Samen, Wurzelknollen und zarten Blattschösslingen bestand. Später hat der Mensch dann aus den wilden Nahrungspflanzen seine heutigen Kulturpflanzen gezüchtet. Aus letzteren ist die von mir empfohlene „zivilisierte Urnahrung" zusammengesetzt.

Diese Zusammenhänge erweisen sich durch zwei unterschiedliche Erfahrungen als die reale Wirklichkeit:

1. Wenn die Menschen von dieser natürlichen, artgerechten Ernährung wesentlich abweichen, werden sie – gleich, aus welchem Erdteil sie stammen und welcher Hautfarbe sie sind – mit einem durchschnittlichen Verzögerungsfaktor von 20 Jahren krank.
2. Wenn Menschen durch eine artfremde und denaturierte Zivilisationskost chronisch krank geworden sind und dann auf eine „zivilisierte Urnahrung" umstellen, werden sie in viel kürzerer Zeit, als sie zum Krankwerden gebraucht haben, wieder gesund.

Ich bin sicher, dass es nur eine Frage der Zeit ist, bis diese einfachen Zusammenhänge von den meisten Menschen verstanden und zur Erhaltung ihrer Gesundheit und Sicherung gesunden Nachwuchses genutzt werden.

Damit kann die Zivilisation ihre nächste Stufe erreichen:
Eine Synthese aus Hochzivilisation und Gesundheit.

Das wird positive globale Auswirkungen mit sich bringen, u.a.:

- Die eingesparten Ausgaben für Krankheiten werden die Einkommen der Menschen und die Gewinne der Unternehmen mehren;
- Bei artgerechter (pflanzlich basierter) Ernährung kann die Erde nach FAO (Welternährungskommission) bis zu 50(!) Milliarden Menschen natürlich, gesund und ohne „Gentech"(!) ernähren;
- Methan aus 15-20 Milliarden Tiermägen – das mehr Erderwärmung bewirkt als der gesamte Verkehr – wird drastisch reduziert.

Bericht von Herrn Dr. med. WL (59) aus Deutschland

1) Meine Bluthochdruck-Vorgeschichte

Bevor ich damit begann, Dr. Schnitzers Empfehlungen zu folgen, litt ich an Bluthochdruck seit 10-15 Jahren.

Mein durchschnittlicher Blutdruck vor Beginn der Medikation ist nicht mehr bekannt. Bei einem Versuch vor 7 Jahren, die Medikation abzusetzen, war er (unter 1 Tabl. Lorsaar) 180/120 mm/Hg. An Beschwerden hatte ich Unruhe, leichte Erregbarkeit.

Zuletzt nahm ich die folgenden mir verschriebenen Medikamente ein:

Delix protect	1 mal täglich
Dytide H	1 mal täglich
Norvasc	1 mal täglich
Metoprolol 50 mg	1 mal täglich

Unter dieser Medikation war mein Blutdruck 125/85 mm/Hg. Meine Beschwerden unter dieser Medikation waren keine besonderen, aber reduzierte körperliche Leistungsfähigkeit.

2) Mein Beginn mit Dr. Schnitzers Empfehlungen

Ich begann vor 3 Monaten, Dr. Schnitzers Empfehlungen zu folgen.

Ich begann folgendes zu essen:	täglich	manchmal	nie
Zum Frühstück Müslis aus keimfähigen, frisch vor der Zubereitung geschroteten Getreidekörnern, mit frischen Früchten und Nüssen:	X		
Zum Mittag- und/oder Abendessen verschiedene Blattsalate und rohe Wurzelgemüsesalate	X		
Angekeimte Hülsenfrüchte (Kichererbsen, Linsen, grüne Mungobohnen) als Beilage zu den Salaten	X		
Früchte (Äpfel, Birnen, Ananas usw.) nach Jahreszeit	X		

Vollkornbrot und –gebäck aus keimfähigen, frisch vor der Teigbereitung gemahlenen Getreiden (z.B. Weizen, Dinkel, Roggen)			X

Das entspricht einer Befolgung der Intensivkost zu 100 %.

Folgendes begann ich zu meiden:	**völlig**	**meistens**	**verzehre ich noch**
Fleisch, Geflügel, Ei, Fisch, Meeresfrüchte	**X**		
Milch und Milchprodukte (Käse, Yoghurt usw.)	**X**		
Industriezucker, Auszugsmehle und Produkte, welche diese enthalten	**X**		
Erhitzte (gekochte) Gemüse (unschädliche Ausnahme: Gedämpfte Kartoffeln)	**X**		
Gekochtes Obst und Säfte (auch frisch gepresste)	**X**		

Das entspricht einer Befolgung der Intensivkost zu 100 %.

Die Empfehlungen, was zu essen und was zu meiden ist, wurden somit von mir insgesamt gewertet zu 100 % befolgt.

3) Mein Arzt unterstützte mich wie folgt:

Ich habe meinen behandelnden Cardiologen nicht einbezogen.

Die beschriebenen kleinen Aderlässe (80-100 ml, 1 x pro Woche, max. 10 mal) zur Beschleunigung der Heilung hatte ich zwei mal, vor 3 und vor 10 Tagen.

4) Änderungen meines Blutdrucks und meiner Gesundheit

Mein durchschnittlicher Blutdruck unter der geänderten Ernährung war:

nach 4 Wochen: 135/95 mm/Hg;
nach 8 Wochen: 132/92 mm/Hg;
nach 12 Wochen: 125/88 mm/Hg.

Die blutdrucksenkenden Medikamente setzte ich sämtliche sofort bei Beginn der Ernährungsänderung ab.

Die folgenden Veränderungen meiner Gesundheit stellte ich seither fest: Deutliche Steigerung der Leistungsfähigkeit und Lebensfreude, Befreiung von allen Symptomen (schon nach 4 Wochen)..

5) Wie es mir jetzt geht

Gegenwärtig esse ich wie folgt:	täg-lich	manch-mal	nie
Zum Frühstück Müslis aus keimfähigen, frisch vor der Zubereitung geschroteten Getreidekörnern, mit frischen Früchten und Nüssen:	X		
Zum Mittag- und/oder Abendessen verschiedene Blattsalate und rohe Wurzelgemüsesalate	X		
Angekeimte Hülsenfrüchte (Kichererbsen, Linsen, grüne Mungobohnen) als Beilage zu den Salaten	X		
Früchte (Äpfel, Birnen, Ananas usw.) nach Jahreszeit	X		
Vollkornbrot und –gebäck aus keimfähigen, frisch vor der Teigbereitung gemahlenen Getreiden (z.B. Weizen, Dinkel, Roggen)	**(z.Zt. noch Intensivkost ohne Brot)**		

Das entspricht einer Befolgung der Intensivkost zu 100 %.

Gegenwärtig meide ich folgendes:	völlig	meistens	verzehre ich noch
Fleisch, Geflügel, Ei, Fisch, Meeresfrüchte	X		
Milch und Milchprodukte (Käse, Yoghurt usw.)	X		
Industriezucker, Auszugsmehle und Produkte, welche diese enthalten	X		
Erhitzte (gekochte) Gemüse (unschädliche Ausnahme: Gedämpfte Kartoffeln)	X		
Gekochtes Obst und Säfte (auch frisch gepresste)	X		

Das entspricht einer Befolgung der Intensivkost zu 100 %.

Die Empfehlungen, was bei der (vollständig rohen) Intensivkost zu essen und was zu meiden ist, werden von mir also insgesamt gewertet zu 100 % befolgt.

Mein gegenwärtiger durchschnittlicher Blutdruck ist 125/88 mm/Hg.

Meine Erfahrungen mit dieser Veränderung in meinem Leben:

Das, was ich seit ca. 50 Jahren suche, ist mir geschenkt worden: Das Empfinden, völlig gesund zu sein.

Dr. med. W. L., Kreismedizinaldirektor (59), 30.12.2007.

Sehr geehrter Herr Dr. Schnitzer,

nach der Erprobung Ihrer „zivilisierten Urnahrung“ über 1/4 Jahr stelle ich fest, dass meine Bluthochkrankheit verschwunden ist und auch die Messwerte fast normal sind (120-130 systol. sowie 86-91 diastolisch); ich bin einigermaßen sicher, dass mit Fortführung Ihrer Kost und noch einiger Aderlässe, die ich soeben begonnen habe, auch der diastol. Wert sich zwischen 80 und 85 einpendeln wird. Dieses alles ohne irgend ein Medikament seit 1/4 Jahr; vorher hatte ich 5 Medikamente benötigt bei reduzierter Leistungsfähigkeit (körperlich + seelisch). Heute fühle ich mich 20 Jahre jünger und bin in jeder Hinsicht stärker – vielleicht als je zuvor. Meine Ergometerwerte und sonstigen kardiologischen Parameter plane ich im Frühjahr bei meinem bisherigen Internisten letztmalig testen zu lassen.

Dies Vorstehende beschreibt nur äußerlich die Erfahrung des letzten Vierteljahres, die innerlich für mich wirklich eine existenzielle war! Für dieses Geschenk der Gesundheit und Befreiung – nach ca. 4 Wochen entstand so etwas wie ein Jubelruf „Entronnen! Entronnen!“ in mir – möchte ich dem Himmel auf den Knieen danken (und habe es schon getan!) und gleich danach Ihnen danken, der diese Wahrheiten über die Gesundheit des Menschen schon so lange verteidigt und zuvor auch zu einer Synthese gebracht hat. Ich bin mir sicher, dass die ersten Symptome des Bluthochdrucks bei mir schon im Alter von 8 bis 10 Jahren auftraten und dass diese stählerne Fessel des Materialismus mich seitdem über rund 50 Jahre meines Lebens drangsaliert hat, wenngleich eine medikamentöse Behandlung unter der einschlägigen Diagnose erst vor rund 10 bis 12 Jahren eingesetzt hat.

Die Zahl der „Diagnosen“ (+Selbstdiagnosen) ist groß und geht von „Vasolabilität“ und „vegetativer Dystonie“ über „Neurasthenie“ und „Psychoneurose“ bis zur „Sozial- und „Erythrophobie“, weswegen ich in den 80-iger Jahren sogar eine Jung'sche Traumanalyse vorgenommen habe.

Die Zahl der Heilversuche ist unübersehbar, z.B. Tonsillektomie, autogenes Training, Zazen, Hypnose und Selbsthypnose, endlos viele Selbst- und Lebenshilfemethoden: Die Einschränkung und Belastung einer normalgesunden Lebensführung mag daraus hervorgehen, wie auch der ungeheure, völlig sinnlose Zeit- und Energieaufwand (damit verbundene Kosten nicht zu vergessen). –

Es liegt jetzt hinter mir; Ihnen ist es vornehmlich zu danken. „Vergelt´s Gott“ – wie man ja wohl bei Ihnen in Süddeutschland sagt, – möchte auch ich Ihnen sagen.

Mein medizinisches Weltbild ist damit zu großen Teilen zusammengebrochen. Eine solche Odyssee durch die Diagnosenlandschaft, die auch ganz woandershin hätte führen können! Gottseidank bleiben die operativen Fächer und die Anästhesiologie – meine berufliche Heimat und Tätigkeit an der Uniklinik M., wo ich den Facharzt für Anästhesie gemacht habe und noch einige Zeit oberärztlich tätig war, ehe ich in den öffentlichen Gesundheitsdienst gewechselt bin.

Aber diese Jahre im öffentlichen Gesundheitsdienst (zuerst Bezirksregierung M., dann Kreis S.) sind mit Ausnahme einiger besonderer Aktivitäten nutzloses und fruchtloses Palaver über Prävention und Volksgesundheit, die zu verbessern das allererste Anliegen des öffentlichen Gesundheitsdienstes sein sollte!

Wie kann der öffentliche Gesundheitsdienst und wie kann die medizinische Wissenschaft geöffnet werden für diesen „Stein der Weisen“, diesen Schlüssel zu unseren Zivilisationskrankheiten, deren Heilung und Verhütung allererste Priorität haben müssten?

Die vielfältigen Interessen, die dem entgegenstehen, haben Sie selbst über Jahrzehnte erfahren müssen und ausführlich beschrieben.

Ich glaube darüber hinaus, dass es sich nicht nur um systembedingte Macht- und Interessenstrukturen handelt, sondern auch um Strukturen des Bösen an sich, wir daher auch gegen die „Mächte und Gewalten, Geister des Bösen im Reich der Himmel“ (Eph 6,12) zu kämpfen haben.

Dies glaube ich auch deshalb, weil mit der Umstellung auf die in Genesis 1,29 vorgegebene Ernährung eine spürbare Reinigung des „Herzens“ einhergeht: Die theologische „Reinheit des Herzens“ hat eben auch eine körperliche Seite (die nicht mit der sexuellen identisch ist)! Die Fessel der Krankheit in den Individuen ist dem Bösen nicht gleichgültig, sondern für ihn von höchstem Interesse! Aus dieser religiösen Sicht erklärt sich m. E. auch die besondere Schwierigkeit der Akzeptanz dieser (Gesundheits-)Wahrheiten, die man leben muss.

Für mich ergibt sich aus dieser Sicht aber auch eine besondere Zuversicht, dass allen Widerständen zum Trotz ein Durchbruch möglich wird, wenn der „Segen von oben" gegeben wird. Was ich selbst zunächst tun könnte, ist Folgendes: ...

Dr. med. W. L., Ltd. Kreismedizinaldirektor (59), 02.01.2008.

P.S. (07.02.2008): Der Verlauf des Körpergewichts sah folgendermaßen aus: In den ersten 12 Wochen insgesamt 14 kg Abnahme (von 86,4 auf 72,4 kg). Davon in den ersten 3 Wochen 5 kg, die nächsten 14 Tage 3 kg, die nächsten 14 Tage 2,5 kg, in weiteren 14 Tagen 1,5 kg, in den letzten 3 Wochen 2 kg. Auch jetzt geht die Abnahme noch langsam voran, ich wiege derzeit 71,5 kg. Mein jüngerer Bruder wiegt bei gleicher Körpergröße (179 cm) 67 kg; das könnte auch mein definitives Gewicht sein.

P.P.S. (15.04.2008): Mein Heuschnupfen (Birkenpollen) scheint in diesem Jahr seit knapp 50 Jahren erstmals völlig auszufallen. Das Nasonex steht unbenutzt in der Ecke! Die Pollenwarnungen für diese Region melden schon seit 14 Tagen schwache, seit 1 Woche mäßige und jetzt seit 2 Tagen starke Birkenpollenkonzentrationen, ohne dass auch nur der geringste Niesanfall oder sonstige Symptome bei mir aufgetreten sind. In den letzten 50 Jahren hatte ich regelmäßig zusätzlich unter erheblichen Beeinträchtigungen des Allgemeinbefindens zu leiden, Fiebrigkeit, Kopfschmerzen, Benommenheit, Schwäche und Müdigkeit. Das Nasonex, das ich in den letzten 6-7 Jahren genommen habe, hat dann auch sehr gut geholfen, aber immer erst mit der bekannten Verzögerung etwa nach 1 Tag und natürlich ohne kurativen Effekt. Auch für diesen Heilerfolg herzlichen Dank! Dr. med. W. L.

P.P.P.S.(25.08.2008): Heute morgen 110/75 mm/Hg. Dr. W. L.

(So weit der Bericht von Dr. W. L., 59 Jahre.)

Anmerkungen zu dem Bericht von Dr. W. L.

von Dr. Johann Georg Schnitzer

Dieser Bericht von Dr. med. W. L. als Teilnehmer (Proband) unserer Bluthochdruckstudie hat besonderes Gewicht: Es ist der Bericht eines sachkundigen Arztes und Hygienikers über die Erfahrungen und Beobachtungen an sich selbst, im Bewusstsein der Bedeutung für die Medizin als verantwortungsvoller Wissenschaft und für die Gesundheit der Bevölkerung insgesamt.

Dr. med. W. L. ist Leitender Kreismedizinaldirektor (Amtsarzt in leitender Funktion) und damit nicht nur für ansteckende (epidemische) wie nicht ansteckende (endemische) Krankheiten, sondern vor allem auch für den Schutz der Bevölkerung vor diesen, also für die Gesundheit der Bevölkerung zuständig, verantwortlich und kompetent.

Ein erster Kontakt war am 22. August 2007 entstanden, als Dr. med. W. L. mir schrieb: „Sehr geehrter Herr Kollege Schnitzer, als Hochdruckpatient und Mediziner habe ich die Auswertungen der Studie über die Effektivität der Ernährungsmaßnahmen zur Normalisierung des Blutdrucks mit Interesse gelesen. In der Gesamtwertung der Studie fehlen aus meiner Sicht Daten über die 13 Probanden, die nicht ausgewertet werden konnten, weil sie noch Medikamente nahmen; dies sind immerhin 16,5% der Gesamtzahl von 79 Probanden. Diese 13 Personen haben ihre Medikamente ja möglicherweise (noch) nicht abgesetzt, weil ihr Blutdruck unter der veränderten Ernährung noch zu hoch war?! Sind Informationen hierzu vorhanden?“

Diese Frage haben Dr. Kurt Gruber und ich dann bei den weiteren Auswertungen der auf 117 Probanden angewachsenen Teilnehmer der Bluthochdruckstudie im November 2007 gründlich untersucht und in einem eigenen Kapitel beantwortet, das dort nachgelesen werden kann im Kapitel „Wie viel Sinn macht es, trotz Ernährungsänderung weiter Medikamente zu nehmen?“

http://www.dr-schnitzer.de/bluthochdruckstudie02-auswertungen.html#Sinn

Die gesamten aktuellen Auswertungen sind hier zugänglich:

http://www.dr-schnitzer.de/bluthochdruckstudie02-auswertungen.html
http://www.dr-schnitzer.de/auswer02.pdf

Auf meine erklärende Antwort schrieb mir Dr. med. W. L. am 24. August 2007: „Vielen Dank für Ihre umgehende Antwort auf meine Anfrage! Eine erste Konsequenz für mich wird sein, jetzt doch die beiden Bücher zum Thema zu bestellen und zu lesen. Die zweite wird vermutlich schwieriger sein, nämlich die praktische Durchführung dieser Ernährungsweise bzw. die Umgewöhnung, das Weglassen bisheriger Nahrungsmittel und Energiemengen. Wenn ich zu dem – offenbar nicht seltenen – Ergebnis komme, dass eine solche Ernährung akzeptabel – auch für die Allgemeinheit – ist und die angestrebten gesundheitlichen Effekte auch bei mir selbst erzielt, dann bedeutet dieses die größte beruflich-ethische Herausforderung für mich, die mir bisher im öffentlichen Gesundheitsdienst begegnet ist – mit z.Zt. noch nicht absehbaren Konsequenzen. Sie können davon ausgehen, dass ich mich in diesem Fall erneut bei Ihnen melden würde!"

Seinen Start mit dieser Bluthochdrucktherapie setzte Dr. med. W. L. auf die zweite Oktoberwoche 2007 fest.

Am 3. Dezember 2007 schrieb er mir: „Nach nunmehr 8 Wochen ohne Blutdruckmedikamente bin ich vorsichtig optimistisch, dass es „funktioniert", da lediglich die diastolischen Blutdruckwerte noch erhöht sind (zwischen 90 und97 mm Hg). Für die abschließende Beurteilung habe ich mir den von Ihnen vorgeschlagenen 12-Wochenzeitraum gesetzt, nach dem ich mich wieder melden werde."

Am 30. Dezember 2007 schrieb mir Dr. med. W. L. dann: „Das, was ich seit ca. 50 Jahren suche, ist mir geschenkt worden: Das Empfinden, völlig gesund zu sein." – und am 2. Januar 2008 weiter: „Nach der Erprobung Ihrer „zivilisierten Urnahrung" über 1/4 Jahr stelle ich fest, dass meine Bluthochkrankheit verschwunden ist ..." (Die weiteren Mitteilungen siehe oben).

Damit gibt Dr. med. W. L. mit seiner vorangegangenen langjährigen Odyssee als Patient und seiner nunmehr zügigen Heilung ein lehrreiches und kompetentes Beispiel sowohl für jeden Arzt als auch für jeden Bluthochdruckpatienten.

Alle Ärzte – besonders jene 60 %, die nach der bisherigen statistischen Erfahrung trotz aller Bluthochdruckmedikation an Herz-Kreislauf-Krankheiten versterben werden, wenn sie weiter glauben, die Medikation schütze sie davor – können die Wirksamkeit dieser Ernährungstherapie zur Ausheilung des Bluthochdrucks eben so einfach an sich selbst überprüfen, wie Dr. med. W. L. es ihnen vorexerziert hat.

Alle Bluthochdruckpatienten können sich nun wirklich mit großer Zuversicht und begründeter Hoffnung auf Heilung ihres Bluthochdrucks und auf Befreiung von der Medikamentenabhängigkeit daran machen, von der nur symptomatisch wirkenden, nebenwirkungsreichen Medikation loszukommen und ihren Bluthochdruck ebenfalls innerhalb eines Vierteljahres auszuheilen – nachdem es ihnen sogar ein amtierender Amtsarzt und Kreismedizinaldirektor vorgemacht hat.

Verba docent, exempla trahunt! (Alter lateinischer Spruch: Worte lehren, Beispiele ziehen!). Oder auch: „Wenn es gar nicht anders geht – probieren Sie es einmal so, wie der Chef es angeordnet hat!!!" Diese Worte stehen auf einem Schild, das in einer ungenannten deutschen Firma an der Wand hängt. Sie gelten auch für das, was unser „höchster Chef" für die Ernährungsweise des Menschen angeordnet hat. Wer es genau wissen will, kann es in der Schöpfungsgeschichte der Bibel nachlesen. Es steht dort gleich auf den ersten Seiten (1. Mose 1, 29):

„Und Gott sprach: Siehe, ich habe euch alles Samen tragende Kraut gegeben, das auf der Fläche der ganzen Erde ist, und jeden Baum, an dem Samen tragende Baumfrucht ist: Es soll euch zur Nahrung dienen."

Es sind die Samen tragenden Gräser, die auf der Fläche der ganzen Erde sind, und es sind die Samen tragenden Getreide, die der Mensch aus den Gräsern weiter gezüchtet hat, die der Menschheit als Nahrung dienen und bei sachgerechter Verwendung nicht nur ihren Hunger stillen, sondern ihre Gesundheit und die Gesundheit ihrer Nachkommen sichern.

Die Getreide als Nahrungs- und Gesundheitsgrundlage der Menschheit sind der springende Punkt, an dem die von Dr. med. W. L. zitierten „Mächte, Gewalten und Geister des Bösen" derzeit in einer Weise, in einem Umfang und mit Kapitaleinsatz in Größenordnungen eingreifen, wie es sich ein geistig normal gebliebener Mensch bisher nicht vorstellen konnte. Es ist das eingetreten, was mir der Forscher, Hygieniker und Bakteriologe Prof. Dr. med. Werner Kollath Ende der 1960-er Jahre (er verstarb 1970) bei einem meiner letzten Besuche in seinem Haus (Casa rusticanella, Porza bei Lugano) persönlich sagte: „Sie werden es noch erleben, dass die Mesotrophie nicht vor dem Gehirn Halt macht."

„Mesotrophie" definierte Kollath als „halbwertiges Dasein im Zustand chronischer Krankheiten" aufgrund unvollkommener, falscher und denaturierter Nahrung.

Wenn die Mesotrophie des Gehirns bei Menschen eintritt, die Einfluss, Macht, Kapital und Regierungsgewalt – oder Einfluss auf diese – besitzen, werden alle lokalen wie globalen Katastrophen möglich. Einen Vorgeschmack davon erfahren wir fast täglich in den Nachrichten. Viel schlimmer und bedrohlicher noch sind Vorbereitungen und Vorgänge globalen Ausmaßes, die im Verborgenen laufen und von den „Mainstream-Medien" verschwiegen werden. So existieren Pläne einer heimlichen „Global Governance", die Weltbevölkerung von derzeit bald 7 Milliarden Menschen auf eine halbe Milliarde zu reduzieren. Wer es nicht glauben kann, der gebe in die Suchmaschine Google das Suchwort „Bevölkerungsreduktionsprogramm“ ein.

An den Getreiden als Nahrungs- und Gesundheitsgrundlage der Menschheit machen sich derzeit international agierende und kooperierende Mächte mittels genetischer Manipulation zu schaffen, um die Göttliche Schöpfung des „Samentragens“ abzuschaffen. Sie haben ein „Selbstmord-Gen“ in die Erbsubstanz ihrer patentierten Getreidesorten eingebaut, das bewirkt, dass die Ernte zur erneuten Aussaat untauglich wird. Wer als Bauer sich einmal mehr oder weniger unfreiwillig auf solches Saatgut eingelassen hat (im Irak-Krieg z.B. wurden lt. Berichten die über Jahrtausende bewährten traditionellen Weizensorten vernichtet, so dass das bisherige Samen tragende Saatgut fehlt), muss fortan jedes Jahr erneut sein Saatgut von diesen „Multis“ kaufen – und dazu deren Chemiedünger und Pestizide, weil sonst kein Ertrag erzielt wird. Über entsprechende Verschuldung verlieren dieBauern Haus, Hof und Land. So gelangt die Nahrungsversorgung zunehmend in die Hände weniger Mächtiger. „Wer die Nahrung kontrolliert, kontrolliert die Völker“.

Dass solche Nahrung krank macht, ist für diese Mächte durchaus von Interesse – denn diese halten auch wesentliche Teile des Pharma-Sektors in ihrem Besitz. Deshalb trifft die Anmerkung von Dr. med. W. L. nicht nur aus religiöser, sondern auch aus weltlicher Sicht ins Schwarze: „Die Fessel der Krankheit in den Individuen ist dem Bösen nicht gleichgültig, sondern für ihn von höchstem Interesse!“

Außerdem laufen bereits Entwicklungen, Nahrungspflanzen genetisch so zu manipulieren, dass in genetisch definierten Bevölkerungsgruppen durch Verzehr solcher Nahrungsprodukte bei den Frauen Antikörper gegen männliche Samenzellen (Spermien) gebildet werden, so dass sie nicht mehr schwanger werden können, wodurch die definierte Bevölkerungsgruppe mangels Nachwuchs ausstirbt („Selektives Bevölkerungsreduktionsprogramm“)..

Man informiere sich und andere genauer über diese Vorgänge und Zusammenhänge. Je mehr Menschen davon wissen und in ihrem Bereich entsprechend handeln können, um so schwieriger wird es für diese bösen Bestrebungen, weil sie nicht mehr im Verborgenen (das ihr wichtigster Schutz ist) betrieben werden können. Ein weiterführendes Suchwort ist „Ponerologie“ (Ponerology) – und man lese von Naomi Klein das Buch

„Die Schock-Strategie“

<http://www.fischerverlage.de/microsite/autor/www.naomiklein.de/home>

Egebnisse aus der Bluthochdruckstudie

Ergebnisse aus der Bluthochdruckstudie

Die gesamten aktuellen Auswertungen der im Internet laufenden Bluthochdruckstudie können dort gelesen und außerdem ausgedruckt werden:

Auswertungen im Internet, Stand Dezember 2010, in HTML:
http://www.dr-schnitzer.de/bluthochdruckstudie02-auswertungen.html

Auswertungen im Internet in PDF (zum Ausdrucken, z.Zt. 60 Seiten):
http://www.dr-schnitzer.de/auswer02.pdf

Die Studie geht nach den Prinzipien der neuen „evidence-based medicine“ vor, einer Methode, die Erkenntnisse und Schlussfolgerungen aus dem Offensichtlichen (= evidence) gewinnt, im Gegensatz zur bisher üblichen, immer noch weite Bereiche der Medizin beherrschenden „opinion-based medicine“, welche in der Übernahme von Autoritätsmeinungen (= Lehrmeinungen der Schulmedizin) besteht.

Um die Qualität einzelner Aussagen und deren tatsächlichen Erkenntnisgrad leicht erkennbar und objektivierbar darzustellen, hat die American Heart Association eine Klassifizierung der „evidence-based medicine“ vorgenommen, die 8 Klassen wissenschaftlicher Studien umfasst.

Unsere Studie entspricht der Klasse 5: „ Verlaufsstudie an Patienten (Studien, in die Patienten entweder prospektiv oder retrospektiv in aufeinander folgender Reihenfolge eingeschlossen und die Effekte einer Intervention beobachtet werden; keine Kontrollgruppe).“

Die biometrischen Analysen der Studie wurden von Dr. Kurt Gruber (Schweiz) durchgeführt, wofür ich ihm herzlich danke.

Die Frage, wie weit die Teilnehmer der Studie medizinisch repräsentativ für die Gesamtheit aller Bluthochdruckpatienten sind, wurde mit dem Fisher-Test überprüft mit dem Ergebnis, dass trotz unserer im Vergleich geringen Probandenzahl wahrscheinlich die Probanden unserer Studie in medizinischer Hinsicht weitgehend die Gesamtheit der Bluthochdruckpatienten repräsentieren.

Hier sollen einige wichtige Ergebnisse der Studie dargestellt werden. Diese entsprechen dem Stand der Auswertungen vom November 2007. Im Internet werden diese anhand weiter hinzukommender Berichte in längeren Zeitabständen erneut aktualisiert; dort ist auch jeweils die vollständige Dokumentation nachzulesen..

Einige Ergebnisse der Auswertungen:

111 von 123 Probanden konnten durch Ernährungsumstellung – und ohne blutdrucksenkende Mittel zu nehmen – ihren Blutdruck auf höchstens 140/90 mm/Hg oder niedrigere Werte senken. Auch weitere 11 Probanden erzielten eine Verbesserung ihrer Werte. Einer (P. 83) erzielte gleiche Werte ohne wie vorher mit Medikation. Die Probanden berichten über zahlreiche Ausheilungen verschiedenster Beschwerden und über einen signifikanten Zugewinn an Gesundheit, Lebensqualität, körperlicher und geistiger Leistungsfähigkeit und Lebensfreude.

Nur 47 von 90 Probanden, die blutdrucksenkende Mittel genommen hatten, konnten mit diesen Medikamenten (unter bisheriger Zivilisationskost) den Blutdruck auf höchstens 140/90 mm/Hg oder niedrigere Werte senken. Diese 90 Probanden berichten über insgesamt 385 Beschwerden.

Bei 43 von 90 Probanden, die blutdrucksenkende Mittel genommen hatten, blieb der Blutdruck trotz Medikation oberhalb der Bluthochdruckgrenze (nach WHO) von 140/90 mm/Hg. 35 dieser 43 Probanden, bei welchen die Medikation erfolglos war, konnten nach Ernährungsumstellung und Absetzen der Medikation ihren Blutdruck auf höchstens 140/90 mm/Hg oder niedrigere Werte senken. Die restlichen Probanden erzielten Werte, die besser (niedriger) waren als vorher unter Medikation. Einer (P. 83) erzielte gleiche Werte (160/105) ohne wie vorher mit Medikation.

11 der 12 Probanden, die noch keine vollständige Normalisierung ihres Blutdrucks erreicht haben, konnten ihre Blutdruckwerte wesentlich verbessern und auf jegliche Medikation verzichten; und 11 Probanden berichten über ihr wesentlich verbessertes gesundheitliches Befinden. Es fällt auf, dass 11 von 12 jener Probanden, welchen die Blutdrucknormalisierung nach Ernährungsänderung n i c h t gelang, vorher blutdrucksenkende Medikamente genommen hatten. Diese Beobachtung ist ein Hinweis, dass medikamentöse Eingriffe mittels blutdrucksenkender Medikamente in die autonome Blutdruckregulation des Organismus diese möglicherweise nachhaltig schädigen.

Demgegenüber gelang sämtlichen Probanden die Normalisierung ihres Blutdrucks, welche es gar nicht erst mit Medikation versuchten, sondern sogleich und ausschließlich die Ernährungskorrektur vornahmen (mit Ausnahme von P. 136, der ‚nur' 142/84 erzielte).

Es muss daher als ärztlicher Kunstfehler angesehen werden, wenn auf die Diagnose „Bluthochdruck" nicht die Verordnung der hier als hochwirksam dokumentierten Ernährungstherapie erfolgt, sondern die Verordnung von nur symptomatisch wirkenden, aber nebenwirkungsreichen blutdrucksenkenden Medikamenten.

Die in den Büchern „Bluthochdruck heilen" und „Die kausale Therapie der essentiellen Hypertonie" empfohlene Ausheilung des Bluthochdrucks vor allem durch eine natürliche, artgerechte Ernährung kann als hoch effektiv gewertet werden. Sie ist der bisherigen symptomatischen Dauerbehandlung mit Pillen weit überlegen. Sie führt nicht nur zu einer Absenkung zu hohen Blutdrucks, sondern zu einer vollständigen Ausheilung des Bluthochdrucks.

Die Ernährungstherapie des Bluthochdrucks ist daher die Methode der Wahl, und sie ist als erste und zumindest zunächst o h n e blutdrucksenkende Medikation einzusetzen.

Häufigkeit von Beschwerden

Bei unbehandeltem Bluthochdruck wurden 1,87 Beschwerden pro Bluthochdruckpatient berichtet. Diese wurden durch die dann verordneten Bluthochdruckpillen nicht etwa verringert, sondern auf 4,28 Beschwerden pro Bluthochdruckpatient vermehrt!

Diese durch die Medikation vervielfachten Beschwerden erklären sich daraus, dass die Grenze der Möglichkeiten, die der Körper hatte, um verengte Gefäße und dicker gewordenes Blut durch einen höheren Blutdruck zu kompensieren, durch die Medikation künstlich herabgesetzt worden ist. Da hierdurch die Versorgung mancher Gewebe und Organe mit Sauerstoff und Energie noch mangelhafter wird, vermehren sich auch – logischerweise – die hierdurch verursachten Beschwerden.

Das erklärt auch, warum trotz aller Bluthochdruckmedikation immer noch jeder zweite Zivilisationsbürger an den Folgekrankheiten des Bluthochdrucks verstirbt, die Medikation also davor nicht schützt.

Erst die Richtigstellung der Ernährung und das Absetzen der Medikation haben die Probanden von ihren Beschwerden befreit – nur noch 0,1 Beschwerden pro Proband werden berichtet (bei gleichzeitiger Normalisierung ihres Blutdrucks ohne Medikation. Besonders deutlich wird das bei Umrechnung auf jeweils 100 Probanden:

Vergleich der Beschwerdenhäufigkeit pro 100 Probanden		
Vor Medikation	Unter Medikation	Unter empfohlener Ernährung (Medikation abgesetzt)
187 Beschwerden	428 Beschwerden	9 Beschwerden

Gleichzeitig berichten die Probanden in großem Umfang über eine grundlegende Verbesserung ihrer gesamten Gesundheit, Leistungsfähigkeit und Lebensfreude.

Ärzte: Wenig hilfreich bei der Gesundung

Der an Bluthochdruck leidende Patient (repräsentativ für ca. 30 Millionen Leidensgenossen allein im deutschen Sprachraum) bekommt in aller Regel von seinem Arzt mitgeteilt, dass Bluthochdruck unheilbar, die Ursachen unbekannt seien, und dass es keine Alternative zur lebenslangen Einnahme von blutdrucksenkenden Mitteln gebe, um sich vor den schwerwiegenden Folgekrankheiten und den damit verbundenen existenziellen Risiken zu schützen. Er solle sich also darauf einrichten, bis an sein Lebensende „mit der Krankheit zu leben“.

Findet sich der Patient damit ab – der Arzt hat ja schließlich studiert und sich regelmäßig fortgebildet, und muss es daher wissen – wird der Patient bald feststellen, dass sich seine Lebensqualität, seine Leistungsfähigkeit und sein Befinden mehr oder weniger verschlechtert haben, und er an den Folgen der Medikation leidet. Befragt er seinen Arzt, so wird dieser ihm sagen: „Das müssen Sie in Kauf nehmen; keine Wirkung ohne Nebenwirkung!“

Wenn der Patient sich aber nicht mit diesem Schicksal abfinden will, beginnt er selber zu suchen, ob es nicht noch bessere Methoden gibt – vor allem möglicherweise solche, welche die Heilung der Krankheit und damit die Befreiung aus der Abhängigkeit von ständiger Einnahme von Medikamenten und von deren Nebenwirkungen erlauben.

Wird der Patient nun fündig, wird er die Sache mit seinem Arzt besprechen wollen. Damit aber bringt er diesen in eine unangenehme Situation. Denn eigentlich wäre es die Aufgabe des Arztes gewesen, nach besseren Methoden und vor allem nach Heilungsmöglichkeiten zu suchen. Eigentlich hätte der Arzt es wissen müssen, wenn es noch andere und wirksamere, vor allem heilende Methoden gibt. Dass es diese tatsächlich gibt, beweist nicht erst diese Studie. Vielmehr wurde diese natürliche Methode bereits im Herbst 1987 auf der Medizinischen Woche Baden-Baden der Ärzteschaft einen ganzen Tag lang vorgestellt, mit geheilten Patienten, die vom Auditorium über ihre Erfahrungen befragt werden konnten. Gleichzeitig wurde die Methode in zwei Büchern veröffentlicht – eines für den Patienten, eines für den Arzt – und der Tagungsbericht der Medizinischen Woche wurde außerdem im gleichen Jahr in der Fachzeitschrift „Erfahrungsheilkunde“ veröffentlicht.

Diese Methode entspricht im übrigen genau der Empfehlung des großen griechischen Arztes Hippokrates (460-375 v. Chr.), auf den sich jeder Arzt so gerne als Maßstab seiner hochstehenden Berufsethik beruft: „Lasst Eure Nahrung Eure Heilmittel sein!“

Wie verhält sich nun der Arzt in dieser für ihn etwas peinlichen, unangenehmen Situation diesem Patienten gegenüber? Wird er erfreut für die ihm noch unbekannte Methode interessieren und sagen: „Das interessiert mich, das probieren wir!“? Oder etwas schwächer: „Sie können es ja mal probieren, wir werden ja sehen.“ Fügt er vielleicht hinzu: „Aber die Pillen müssen Sie auf jeden Fall weiter einnehmen!“ Oder sagt er – sein Wissensdefizit mit forschem Autoritätsgehabe verdeckend – „Bluthochdruck ist unheilbar, eine Alternative zur lebenslangen Einnahme von blutdrucksenkender Medikation gibt es nicht!“?

In unserer Studie wurden die Probanden danach befragt, ob ihr Arzt sie (1) voll, (2) nicht besonders, oder (3) überhaupt nicht unterstützt hat, und wie ihr Arzt sich dazu geäußert hat. Teils haben die Probanden nach einer ablehnenden Einstellung ihres Arztes den Arzt gewechselt; diese Fragen wurden auch im Bezug auf den zweiten Arzt gestellt.

122 der 150 Probanden der Studie haben ihren Arzt um Unterstützung gebeten. Weil sie dabei auf teils vollständige Ablehnung gestoßen sind, haben 29 dieser 122 Probanden einen zweiten Arzt um therapeutische Unterstützung angegangen, so dass von diesen 122 Probanden insgesamt 151 Ärzte um therapeutische Unterstützung bei der kausalen Therapie der essenziellen Hypertonie gebeten haben.

28 der 150 Probanden haben es gleich ganz bleiben lassen, ihren Arzt um therapeutische Unterstützung zu bitten, entweder, weil sie dessen ablehnende Einstellung gegenüber natürlichen Methoden und Fixierung auf

die schulmedizinische Doktrin von der Unheilbarkeit des Bluthochdrucks und der „Unumgänglichkeit“ lebenslangen Pillentherapie schon kannten – oder weil sie die Logik der natürlichen Zusammenhänge selbst erkannt hatten und daher keinen Arzt mehr brauchten, um gesund zu werden.

Die Ergebnisse der Befragungen zur ärztlichen Unterstützung im Rahmen dieser Bluthochdruckstudie waren:

Von den aufgesuchten 151 Ärzten leisteten nur 12 Ärzte einen aktiven therapeutischen Beitrag zur Gesundung, indem sie einige der empfohlenen kleinen Blutentnahmen (80 bis 100 ml, 1 x pro Woche, maximal 10 Wochen lang) durchführten. Diese sind in der Therapieanleitung für Ärzte „Die kausale Therapie der essentiellen Hypertonie“ detailliert beschrieben, welche die Patienten sich besorgen und ihren Ärzten (am besten nur leihweise) überlassen können. Diese Maßnahme holt die Bluthochdruckpatienten beschleunigt aus der Risikozone plötzlicher fataler Herz-Kreislauf-Ereignisse heraus und unterstützt die Normalisierung des Herz-Kreislauf-Systems durch die Ernährungsmaßnahmen beschleunigend. (Zum Mengenvergleich: Beim Blutspenden wird mit 500 ml die fünffache Menge entnommen – was hier unzweckmäßig wäre, weil es den Blutneubildungsmechanismus anstoßen würde).

Von insgesamt nur 40 der aufgesuchten 151 Ärzte berichteten die Probanden „volle Unterstützung“, die indessen meistens nur in mehr oder weniger wohlwollender Duldung der von den Probanden selbst durchgeführten Ernährungstherapie bestand.

„Nicht besonders unterstützt“ haben weitere 45 Ärzte die Probanden als ihre Patienten bei dem Bemühen, durch eine natürliche und artgerechte Ernährung ihr krank gewordenes Herz-Kreislauf-System von den Ablagerungen einer jahrelangen denaturierten und teils außerdem artfremden Zivilisationskost zu befreien.

Die mit 66 Ärzten größte Gruppe der aufgesuchten 151 Ärzte war jene, die ihre Patienten auf dem Weg natürlicher Gesundung „überhaupt nicht unterstützt“, sondern dies sogar teils harsch und arrogant abgelehnt hat.

Weitere 28 Ärzte wurden, überwiegend wegen ihrer schon bekannten ablehnenden Einstellung, im Bezug auf diese kausale Therapie schon gar nicht um Unterstützung gebeten.

Damit stehen 40 Ärzten (26,5 %), welche zu der Therapie einen aktiven (12) Beitrag geleistet oder das Bemühen der Patienten wenigstens moralisch (40) „voll unterstützt“ haben, auf der anderen Seite 111 Ärzte

(73,5 %) gegenüber, welche ihre Patienten auf dem Weg der natürlichen Gesundung „nicht besonders unterstützt“ (45) oder „überhaupt nicht unterstützt“ (66) haben oder wegen ihrer negativen Haltung (weitere 28) schon gar nicht konsultiert worden sind.

Im Detail können die von den Probanden mit Ärzten gemachten Erfahrungen in den vollständigen Auswertungen und in den einzelnen Fallberichten der Probanden im Internet nachgelesen werden:

http://www.dr-schnitzer.de/intrasearch.html#Bluthochdruck

Diese Zahlen und noch mehr die zum Ausdruck kommenden negativen Einstellungen der meisten Ärzte machen deutlich, dass die Medizin kein besonderes Interesse daran hat, die bisherige einträgliche lebenslange Pillenbehandlung der angeblich unheilbaren Hypertonie einzutauschen gegen die meist in wenigen Wochen mögliche dauerhafte Ausheilung dieser lebensbedrohenden Krankheit.

Denn einerseits versterben an den Folgen des Bluthochdrucks, den Herzkreislaufkrankheiten (Herzinfarkt, Embolie, Hirnschlag, Nierenversagen usw.) zwar etwa 50 % der gesamten Bevölkerung, und das trotz der schul-medizinischen „Standardtherapie des Bluthochdrucks“ mit bis zu 5 verschiedenen täglich lebenslang einzunehmenden Pillen.

Aber andererseits erzielen Ärzte und Pharmawirtschaft mit der Dauerbehandlung des Blutdrucks unter Leugnung seiner Heilbarkeit auch etwa 50 % ihrer gesamten, jährlich dreistellige Milliardenbeträge einspielenden Umsätze.

Da ist wohl am klügsten, was ein Proband so ausdrückte: „Arzt nicht angesprochen, da ich davon ausging, dass er die Maßnahmen schlecht reden würde. Weise Entscheidung, denn heute bin ich gesund, hurra.“

Diese Gegebenheiten zu verstehen, ist für jeden Bluthochdruckpatienten von großer Wichtigkeit. Denn erst dann kann der Patient sich frei machen von dem blinden Glauben an die Allwissenheit und Selbstlosigkeit des Arztes – der sich in Wirklichkeit in einer ganz anderen Interessenkonstellation befindet als sein Patient:

Die moderne Medizin kümmert sich um Ihre Krankheiten.

Von diesen lebt sie.

Um Ihre Gesundheit müssen Sie sich selber kümmern.

Von dieser leben Sie!

Zusammenfassende Feststellungen der Studie

- Bluthochdruck ist heilbar, nur nicht mit Pillen.
- Darüber hinaus bewirkt diese natürliche Ernährungstherapie insgesamt eine hoch signifikante Anhebung der Lebensqualität, der allgemeinen Gesundheit, des subjektiven Befindens, der körperlichen und geistigen Leistungsfähigkeit. Etwa bestehende weitere Krankheiten wie z.B. Diabetes werden parallel gebessert oder heilen aus.
- Dem gegenüber bewirkt die übliche Medikation blutdrucksenkender Mittel eine erhebliche bis gravierende Beeinträchtigung der Lebensqualität, lebenslange Abhängigkeit von täglicher Einnahme von Medikamenten, und kann Bluthochdruck nicht heilen.
- Die meisten Ärzte wissen das nicht, oder wollen es gar nicht wissen. Aufgrund dieser Studie muss eine überaus mangelhafte Unterstützung der gesundungswilligen Probanden durch ihre Ärzte festgestellt werden. Sogar dann, wenn unter der ärztlicherseits verordneten Medikation plus Ernährungsumstellung die Blutdruckwerte völlig im Normalbereich waren und die Patienten eine signifikante Verbesserung ihrer Gesamtgesundheit berichten konnten, bestanden Ärzte auf Fortsetzung der Medikation, anstatt diese schrittweise bis auf Null abzubauen.

Empfehlungen aufgrund der Studienergebnisse

An alle Patienten, die noch an Bluthochdruck leiden

Die Verantwortung für Ihre Gesundheit können Sie nicht an Ihren Arzt delegieren. Nehmen Sie es ganz bewusst wahr: Ärzte kümmern sich um Ihre Krankheiten. Von diesen leben sie. Um Ihre Gesundheit müssen Sie sich selber kümmern. Von dieser leben Sie. Mit dieser Studie ist für Sie ein breiter Weg zu Ihrer Gesundung angelegt. Gehen Sie ihn, und lassen Sie sich dabei von niemand aufhalten. Es erwartet Sie nicht nur die natürliche Normalisierung Ihres Blutdrucks, sondern darüber hinaus ein reicher Zugewinn an Gesundheit, Lebensqualität und Leistungsfähigkeit.

An alle Ärzte, die Bluthochdruckpatienten behandeln

Bluthochdruck ist heilbar. Sagen Sie es Ihren Patienten, bevor Ihre Patienten es Ihnen sagen müssen. Wenn Sie jetzt von der bisherigen Dauermedikation auf die Ausheilung Ihrer Bluthochdruckpatienten umsteigen, werden Sie zwar diese Patienten an die Gesundheit verlieren. Aber Sie werden sich einen Ruf erwerben, Bluthochdruck ausheilen zu können, was zu einem Ihre Existenzgrundlagen mehrenden Zulauf vieler gesundungswilliger Patienten von weither führen wird. Denn bisher haben Sie damit kaum kollegiale Konkurrenz. Eng wird es nur für jene Kollegen, die zu spät damit anfangen.

Nach dem Stand der hier dokumentierten und veröffentlichten Untersuchungsergebnisse ist diese Ernährungs-therapie die Methode der Wahl zur Ausheilung des Bluthochdrucks und zur Eliminierung der mit diesem verbundenen erhöhten Herz-Kreislauf-Risiken. Außerdem muss es aufgrund der hier dokumentierten Ergebnisse nunmehr als ärztlicher Kunstfehler angesehen werden, bei Bluthochdruck die Ernährungssituation des Patienten zu ignorieren und mit der ohnehin nur symptomatischen und die Risiken nicht mindernden Behandlung mit blutdrucksenkenden Mitteln zu beginnen

In rechtlicher Hinsicht ist es unterlassene bis verweigerte Hilfeleistung, wenn einem Bluthochdruckpatienten diese zur Ausheilung seines Leidens führende, überdies völlig risikolose und nebenwirkungsfreie natürliche Therapie vorenthalten wird; eine ärztliche Begründung hierfür gibt es nicht. Im Gegenteil.

Sie berufen sich in ethischer Hinsicht auf Hippokrates? Dieser lehrte: „Lasst Eure Nahrung Eure Heilmittel sein!“. Im „Eid des Hippokrates“, auf den sich jeder Arzt gerne beruft, steht: „Die diätetischen Maßnahmen werde ich nach Kräften und gemäß meinem Urteil zum Nutzen der Kranken einsetzen, Schädigung und Unrecht aber ausschließen.“ Warum tun Sie das nicht einfach, und heilen damit Ihre Patienten?

An alle Politiker,
besonders an jene, die „Gesundheitspolitik“ betreiben

Bluthochdruck ist der Hauptkostenfaktor innerhalb der Krankheitskosten, welche einen wesentlichen Teil der zu hohen Lohnnebenkosten ausmachen, welche zum Verlust internationaler Konkurrenzfähigkeit geführt haben. Allein mit der Eliminierung der Volkskrankheit Bluthochdruck können die Krankheitskosten um ungefähr 50 % gesenkt werden, mit weiteren Kostensenkungseffekten durch Verhütung der teuren Folgekrankheiten.

Packen Sie's an, und lassen Sie sich nicht mehr von der starken Lobby davon abhalten, die bisher Milliardeneinnahmen aus dieser einen Krankheit bezieht – so lange diese als unheilbar deklariert und mit lebenslanger Dauermedikation behandelt wird.

Dank an die Probanden

Großer Dank gebührt allen Probanden der Studie, die den Aufwand nicht scheuten, uns ihre Daten mit Hilfe des Fragebogens dieser Studie mitzuteilen. Jeder, der auf diese Weise seinen Bluthochdruck ausheilen und seine Gesundheit zurück gewinnen konnte, möge bitte das Gleiche tun. Der Fragebogen ist hier: http://www.dr-schnitzer.de/inquiry2.html .

Friedrichshafen, den 1. Dezember 2010

Dr. Johann Georg Schnitzer
Zeppelinstr. 88
D-88045 Friedrichshafen
Deutschland

Dr. Kurt Gruber
Wollengasse 5
CH-8910 Affoltern am Albis
Schweiz

(Ende des auszugsweisen Berichts über einige Ergebnisse der Studie)

Die vollständige, von Zeit zu Zeit um neu hinzugekommene Fallberichte erweiterte Bluthochdruckstudie mit den vollständigen und vollzähligen Probandenberichten und der kompletten wissenschaftlichen Auswertung mit allen Ergebnissen kann im Internet eingesehen werden:

<http://www.dr-schnitzer.de/intrasearch.html#Bluthochdruck>
<http://www.dr-schnitzer.de/bluthochdruckstudie02-auswertungen.html>
<http://www.dr-schnitzer.de/auswer02.pdf>
<http://www.dr-schnitzer.de/intrasearch.html#Fallberichte>

Erkenntnisse und Konsequenzen

Bluthochdruck ist heilbar!

Eine vollständige Dokumentation der laufenden Bluthochdruckstudie und die biometrischen Auswertungen befindet sich auf meiner Internet-Site. Der ganze Komplex „Bluthochdruck“, zu welchem die Studie gehört, ist am besten über die Index-Seite aufzufinden:

http://www.dr-schnitzer.de/bluthochdruck-index.html

Folgende Erkenntnisse zeichnen sich insgesamt ab:

- Bluthochdruck ist heilbar, in der Regel innerhalb der relativ kurzen Zeit von 8-12 Wochen – auch wenn er vorher teils Jahre oder Jahrzehnte bestanden hat.
- Die Heilung beruht auf einem multikausalen Ansatz, weil Bluthochdruck mehrere Ursachen hat. Das gleiche gilt für die Gesundheit. Auch sie hat mehrere Ursachen.
- Schon wenig mehr als die Anwendung der Hälfte dieser Maßnahmen führt oft schon zur Normalisierung des Blutdrucks. Das bedeutet, dass nach Überschreiten der „Null-Linie“ von der Krankheit zur Gesundheit noch ein weites Feld bisher ungekannter Gesundheits- und Lebensqualitäten zur Erforschung einlädt.
- Die Ausschaltung der Ursachen des Bluthochdrucks und die gleichzeitige Wiederherstellung der Ursachen der Gesundheit führen weit über die Normalisierung des Blutdrucks hinaus zu einer grundlegenden Wiederherstellung natürlicher Gesundheit, höherer Leistungsfähigkeit, und zu natürlichem Wohlbefinden.
- Bluthochdruck *ist nicht Ursache* der ihm zugeschriebenen Folgekrankheiten, sondern *selbst bereits Folge* der dem ganzen Komplex zugrunde liegenden gemeinsamen Ursachen.
- Die bisher gelehrte, Millionen von Patienten lebenslänglich verordnete „Standardtherapie des Bluthochdrucks“ mit Betablockern, Kalziumantagonisten, Cholesterin-Senkern, Gerinnungshemmern, Blutverdünnern und Diuretika muss nach den jetzt vorliegenden Erkenntnissen als wirkungsarm, nebenwirkungsreich und obsolet (überholt, veraltet, out) abgelehnt werden. Sie beruht auf falschen Annahmen und mangelhafter Kenntnis der Zusammenhänge.

Die Konsequenzen

Solche Erkenntnisse haben weitreichende Konsequenzen: Für die Betroffenen, für Noch-Gesunde, für den Arzt, für die Wirtschaft, für die Politik, und für die Zukunft der ganzen Bevölkerung

... für Bluthochdruck-Kranke: Sie haben jetzt eine Alternative zur lebenslänglichen Pillenbehandlung: Die Ausheilung des Blutdrucks innerhalb weniger Wochen, mit Befreiung von allen Pillen und ihren Nebenwirkungen – durch Wiederherstellung ihrer natürlichen Gesundheit.

... für alle Noch-Gesunden: Die gewonnenen Erkenntnisse erlauben die Ausschaltung des größten persönlichen Risikos in der Zivilisation, der Herz-Kreislaufkrankheiten – durch Sicherung der natürlichen Gesundheitsgrundlagen.

... für Ärzte: Diese hoch wirksame, zur Ausheilung des Blutdrucks führende, die Folgekrankheiten verhütende Therapie erlaubt jetzt die Ausheilung der bisher chronisch unheilbaren Bluthochdruckpatienten und ihre Herausführung aus dem kardiovaskulären Risikobereich. Ärzte sollten das ihren Patienten mitteilen, bevor diese es ihren Ärzten mitteilen. Dazu verpflichtet der Eid des Hippokrates ebenso wie der § 1 der ärztlichen Berufsordnung: „Der Arzt ist zum Dienst an der *Gesundheit* des Einzelnen und der Allgemeinheit berufen".

... für die Wirtschaft: Jetzt kann ein wesentlicher Teil der bisherigen Krankheitskosten und damit der Lohnnebenkosten eingespart werden. Das kann ein wesentlicher Impuls für einen neuen Aufschwung werden – auch deshalb, weil gleichzeitig die bisher durch „Nebenwirkungen" von Bluthochdruckpillen bei Millionen von Mitarbeitern erzeugte ständige Müdigkeit und Energielosigkeit von neuer Frische, Energie und Innovationsfreudigkeit abgelöst werden. Eine gesundheitliche Überprüfung und Anpassung des Angebots der Betriebskantine hat direkte Auswirkung in Form eines besseren Betriebsergebnisses!

... für die Politik: Parlament, Regierung und Gesundheitsausschüsse können ihre angeschlagene Glaubwürdigkeit zurückgewinnen, wenn sie aufgrund der neuen Erkenntnisse sich jetzt von den hemmenden Einflüssen der von Krankheiten lebenden Lobbies befreien und eine Gesundheitspolitik einleiten, die eine gesunde Bevölkerung mit ausreichend gesundem Nachwuchs zur Folge hat – oder sie werden ihre Glaubwürdigkeit ganz verlieren, wenn sie das auch jetzt nicht tun.

Je mehr Medizin, desto mehr Krankheiten. Wieso?

Angenommen, ein Industrieunternehmen hätte eine Abteilung, die zuständig wäre für eine höchstmögliche Qualität der produzierten Güter, bei gleichzeitig niedrigstmöglichen Kosten dieser Abteilung.

Diese Abteilung würde sich prächtig entwickeln. Sie würde wachsen und wachsen, laufend mehr Personal einstellen, und inzwischen 20 % der gesamten Bruttoerlöse des Unternehmens zur Abdeckung ihrer Kosten beanspruchen. Die Reklamationen der Kunden jedoch würden nicht weniger, im Gegenteil: Sie nähmen laufend weiter zu. Die wirtschaftliche Existenzfähigkeit des Unternehmens geriete in Gefahr.

Was würden die Eigentümer des Unternehmens wohl in einem solchen Fall tun? Sie würden den Geschäftsführer des Unternehmens ebenso feuern wie den Manager und das Personal der Abteilung „Qualitätskontrolle", und würden diese von Grund auf neu organisieren.

In den meisten hochzivilisierten Gesellschaften beansprucht die „moderne Medizin" über das von ihr gesteuerte „Gesundheitswesen" die alleinige Zuständigkeit für die höchstmögliche Qualität der Gesundheit der Bevölkerung. Allerdings bereits ohne ein Wort über geringstmögliche Kosten dieser „Gesundheits-Qualitätskontrolle" zu verlieren. Im Gegenteil: Man schwört: „Gesundheit hat eben ihren Preis".

Angenommen, das wäre wahr – wo ist dann all diese teuer bezahlte Gesundheit? Denn wie jede Morbiditäts- und Mortalitätsstatistik beweist, nehmen die chronischen Krankheiten zu, die Leute erkranken früher und leiden länger daran, und mehr Leute sterben schließlich an solchen Krankheiten. Nur noch weniger als 1 % erreichen ihre natürliche Lebenserwartung. Und das, obwohl das „Gesundheitswesen" in vielen Ländern an die 20 % des gesamten Bruttosozialprodukts verschlingt.

Was sollte der Souverän – nach demokratischen Verfassungen also das Volk – in diesem Falle tun? Es sollte ebenso den „Geschäftsführer" (den Regierungschef) feuern wie den „Top-Manager" der Gesundheits-Qualitätskontrolle (den oder die Gesundheitsminister/in) und das übrige Management des Gesundheitsministeriums und „Gesundheitswesens".

Aber nichts dergleichen geschieht, obwohl der schlechte Gesundheitszustand der Bevölkerung, der dadurch beeinträchtigte Leistungswille und die hohen „Lohnnebenkosten" die Konkurrenzfähigkeit auf internationalen Märkten beeinträchtigen, hohe Arbeitslosigkeit und hohe Staatsverschuldung die Folgen sind und die wirtschaftliche Existenzfähigkeit des gesamten Gemeinwesens gefährdet ist. Irgend etwas muss da ganz gewaltig falsch laufen. Aber was?

Es war einmal vor langer Zeit, da war Gesundheit der normale Zustand der Menschen. Vorgeschichtliche Naturvölker und auch die Völker der frühen Hochkulturen waren im wesentlichen gesund, von schöner Gestalt und mit prächtigen, in wohlgeformten Reihen stehenden Zähnen ausgestattet. Man kann das heute noch an Skelettfunden z.B. aus Pompei erkennen, das im Jahre 79 nach Christi Geburt von einem heftigen Ausbruch des Vesuv verschüttet wurde. Auch in den sehr genauen Berichten des römischen Kaisers Caesar über seine Feldzüge findet man keine Krankheiten erwähnt. Gesundheit war selbstverständlich.

Einige Naturvölker konnten ihre natürliche Gesundheit bis in die erste Hälfte des letzten Jahrhunderts bewahren, wie Dr. Weston A. Price auf seinen Forschungsreisen von 1924 bis 1936 feststellte und in seinem Buch „Nutrition and Physical Degeneration“ dokumentierte. Der Titel weist gleichzeitig darauf hin, dass etwas Neues eingetreten war: Körperliche Degeneration. Dr. Price hatte sich auf die Suche nach Bevölkerungen mit gesunden Zähnen begeben, und hatte dabei gesunde Menschen und die Ursache der Degeneration der heutigen Zivilisationsmenschen gefunden: Die Denaturierung der Nahrung.

Die frühen, durchweg gesunden Hochkulturen – China, Indien, Ägypten, Äthiopien, Rom, Griechenland, Inkas, Azteken – basierten alle auf Getreiden: Reis, Mais, Kamut, T'eff, Dinkel, Weizen, Hirse, Roggen, Hafer, Gerste, Sorghum, Amaranth, Quinoa u.a.m.. Welche besonderen Eigenschaften der Getreide dies ermöglicht haben, zeigt Prof. Dr. W. Kollath in seinem Buch „Getreide und Mensch, eine Lebensgemeinschaft“. Erst als diese aufgekündigt wurde, hielten chronische Krankheiten und Degeneration Einzug. Ausgelöst wurde die Veränderung durch die „Industrielle Revolution“. Großmühlen erlaubten das Mahlen auf Vorrat. Weil gelagertes Mehl durch Oxidation der Keimöle ranzig wurde, siebte man Keim und Randschichten aus. Endprodukt: „Feines Auszugsmehl“.

Unterstützt wurde dieser Irrweg durch eine einseitige und oberflächliche „analytische“ Forschung, falsche Rückschlüsse und eine unheilige Allianz zwischen Nahrungsindustrien und Ernährungsforschung. Mögliche langfristige Folgen wurden überhaupt nicht untersucht.

Weiteren Schaden richtete die sich entwickelnde „moderne Medizin“ an, mit ihren Forderungen nach „Keimfreiheit“ durch Kochen, Sterilisieren, Pasteurisieren etc., was die Denaturierung der Nahrung abrundete, und nach tierischen Nahrungsprodukten aufgrund eines simplen Denkfehlers in der Eiweißforschung. Eiweißmast und Denaturierung der Nahrung sind heute die Hauptursachen der verbreitetsten Zivilisationskrankheiten: Bluthochdruck, Herzinfarkt, Embolie, Diabetes, Nierenversagen, Fettsucht, Gicht, Allergien, Arthrosen, Rheuma, Gicht, Krebs.

Zugegeben, es war schwer, direkte Zusammenhänge zu erkennen: Erst 1966 wiesen T. L. Cleave und G. D. Campbell nach, dass ein Verzögerungsfaktor von 20 Jahren zwischen den Ernährungsänderungen und dem Anstieg chronischer Krankheiten die Ursachen bisher verschleierte.

Die große Chance zur Wiederherstellung der natürlichen Gesundheit in den modernen Zivilisationen und zur Verhütung von Degeneration des Nachwuchses bestand nach dem Ende des Zweiten Weltkrieges. Wissenschaftler aus der ganzen Welt hatten einmalige Erfahrungen zusammentragen können. Sie gründeten die Internationale Gesellschaft für Vitalstoffe und Zivilisationskrankheiten. In jährlichen Resolutionen an alle Regierungen versuchten sie, den drohenden Anstieg chronischer Krankheiten zu verhindern. Sie stießen auf taube Ohren der Verantwortlichen.

Anfang der 1960er erkannte ich die der deutschen Bevölkerung drohende Gefahr am bereits einsetzenden Anstieg von Krankheiten und Degeneration. In einem Schreiben an den Gesundheitsausschuss des Deutschen Bundestages und alle damaligen 1800 deutschen Politiker warnte ich im Januar 1964 (s. <http://www.dr-schnitzer.de/agdb001.htm>) vor der Zunahme chronischer Krankheiten und den fatalen volkswirtschaftlichen Folgen. Keiner der Verantwortlichen zog irgendwelche Konsequenzen. Damit nahm das Unheil seinen Lauf. Heute, 4½ Jahrzehnte später, ist das einstige Wirtschaftswunderland das mit dem geringsten Wirtschaftswachstum, den höchsten Lohnnebenkosten und Krankenkassenbeiträgen und der höchsten Arbeitslosenquote in Europa!

Inzwischen trat auch ein, was Prof. Dr. W. Kollath mir Ende der 1960er Jahre (er verstarb 1970) noch persönlich sagte: „Sie werden es noch erleben, dass die Mesotrophie nicht vor dem Gehirn Halt macht!"

Mesotrophie (Kollath) = „halbwertiges Leben im Zustand chronischer Krankheiten". Ursache: Eine „innere Selbstversorgung" des Organismus aus den eigenen Organen mit jenen überlebensnotwendigen Vitalstoffen, die mit der denaturierten Zivilisationskost nur unzureichend oder überhaupt nicht zugeführt werden. Folgen: Fehlfunktionen, Erkrankungen und Degeneration der solchermaßen „ausgeplünderten" Organe.

Dass Mesotrophie auch schwere Fehlfunktionen des Gehirns bewirkt, zeigen a) die täglichen Nachrichten über Lernschwäche, Aggressionen, Amokläufe, Terrorismus, b) die Unfähigkeit der Verantwortlichen zu erkennen, wohin die Menschheit abdriftet und welche Kräfte es bewirken.

Da die Ursachen der Krankheitsflut von der sogenannten „Gesundheits"politik (Krankheitslobby-Politik) nie angetastet wurden, brauchte es immer mehr Ärzte. Mit der Zahl der Ärzte und Krankenhäuser stiegen die Sozialabgaben, um sie zu bezahlen. Schon 1980 (bei ca. 60 Mio. Einwohnern) waren die chronischen Krankheiten in Deutschland die wirtschaftliche Existenzgrundlage für ca. 100.000 Ärzte und ca. 30.000 Zahnärzte. Nur 2 Jahrzehnte später (2001, 83 Mio. Einwohner) ernährten die chronischen Krankheiten bereits 294.676 Ärzte und 62.120 Zahnärzte!

Wie 2002 nach einer Mitteilung der TU Dresden die HYDRA-Studie in ca. 2000 Arztpraxen an deren etwa 45.000 Patienten ergab, leidet jeder zweite Patient an Bluthochdruck, jeder fünfte an Diabetes, und jeder zehnte an beiden Krankheiten. Würden also diese Patienten über die Heilbarkeit dieser Krankheiten informiert und geheilt, so müssten 75 % der Arztpraxen wegen Wegfalls der Existenzgrundlage schließen.

Zahnärzte werden hauptsächlich durch Industriezucker und Auszugsmehle „ernährt". Würden diese gesundheitsschädlichen Industrienahrungsmittel durch gesunde Lebensmittel ersetzt, so müssten schätzungsweise 90 % der Zahnarztpraxen schließen. Wohl deshalb lenkt man lieber davon ab und propagiert, dass „zweimal täglich Zähneputzen, zweimal jährlich zum Zahnarzt" und die (fragwürdige, gefährliche und nutzlose!) Fluorprophylaxe die Zähne gesund erhalten würden!

All diese Ärzte, Zahnärzte, Apotheker, Labors, Krankenhäuser, Pharma- und Gerätefirmen sind aber nun einmal da, und die Krankheiten sind ihre Existenzgrundlage. Sie leben davon. Sie können es sich gar nicht mehr leisten, etwas zur Verringerung der Erkrankungsziffern zu unternehmen; denn sie „würden sich den Ast absägen, auf dem sie sitzen". Wer es doch versucht, wird zur Gefahr und wirtschaftlichen Bedrohung für die ganze Krankheitsökonomie. Infolgedessen wird, wer den Menschen zu natürlicher Gesundheit verhelfen will, als „Außenseiter", „Nestbeschmutzer", „Scharlatan" usw. verunglimpft, berufspolitisch verfolgt, und durch die systematische Vernichtung seiner wirtschaftlichen Existenzgrundlagen „system-unschädlich" gemacht.

Dieser auf dem Nährboden chronischer Krankheiten florierende Wirtschaftsbereich hat einen solchen Umfang angenommen, dass es zur ersten

Bürgerpflicht geworden zu sein scheint, chronisch krank zu sein. Wohin sonst mit drei Vierteln aller Ärzte und Zahnärzte und deren Zulieferer und Hilfskräfte? Wohin mit den Aktien der Pharmaindustrie, wenn deren „shareholder value“ mangels weiteren Krankheitenanstiegs die Schwindsucht bekommt? Weil das aus der Sicht dieser Lobby nicht passieren darf, wird mit „gezielter Desinformation“ Verunsicherung ausgestreut. Die chronischen Krankheiten werden nicht geheilt, sondern lebenslänglich „behandelt“. Die Patienten werden dahingehend indoktriniert, dass sie eben lernen müssten, „mit ihrer Krankheit zu leben“.

Die Medizin kümmert sich also um Ihre Krankheiten. Von diesen lebt sie. Wer aber rettet Ihre Gesundheit? Niemand rettet sie, wenn Sie es nicht selbst tun! Was Sie dazu brauchen?

Um Ihre Gesundheit zu retten, sind entsprechendes Wissen und praktisches „Gewusst wie“ nötig. Deshalb habe ich mich über 4 Jahrzehnte hinweg der nicht geringen Mühe unterzogen, Wege zur Wiederherstellung der natürlichen Gesundheit zu entwickeln, und dieses Wissen in leicht verständlichen Büchern für Sie verfügbar zu machen. Wie ich selbst auf diese Zusammenhänge gestoßen bin? Das steht im Internet:

<http://www.dr-schnitzer.de/autorcv4.htm>.

Bei diesen Rettungsbemühungen geht es um jeden Einzelnen, Sie als Leser dieses Buches eingeschlossen – aber es geht auch um mehr: Um jede Familie, um jede Bevölkerungsgruppe, um den Nachwuchs, um die Zukunft der Menschheit.

Sollen unsere Nachkommen Generationen von kranken, behinderten, körperlich wie geistig unharmonischen, lethargischen bis aggressiven Menschen sein, die vor allem dafür arbeiten müssen – soweit sie überhaupt arbeitsfähig sind und Arbeit finden – um die Behandlung ihrer Krankheiten und den Unterhalt für zahllose Arbeitslose und Arbeitsunfähige zu finanzieren? Darauf läuft die gegenwärtige Entwicklung hinaus.

Oder sollen unsere Nachkommen gesund, körperlich wie geistig harmonisch, freundlich, hilfsbereit, aktiv, ausdauernd, zielbewusst, erfolgreich sein und in einer blühenden Zivilisation und Umwelt leben? Darauf läuft es gegenwärtig nicht hinaus. Deshalb müssen Sie etwas dafür tun. Warum gerade Sie? Weil Sie sonst auch kein Recht haben, es von Anderen zu erwarten. Greifen Sie ein! Überlegen Sie, was Sie tun können. Gehen Sie mit gutem Beispiel voran, und informieren Sie alle Anderen.

Friedrichshafen, im Jahr 2011 *Dr. Johann Georg Schnitzer*

Einige weiterführende Informationen

Dr. Schnitzer's Geheimnisse der Gesundheit im Internet

Umfangreiche Internet-Site mit deutschem und englischem Teil. Informationen zu gesundheitlichen Fragen, an die Sie sonst nicht herankommen. Vorbeugung und Ausheilung von Krankheiten durch Gesundheit.

Internet-Adresse (URL): <http://www.dr-schnitzer.de>.

Buchbestellungen

Alle verfügbaren Bücher von Dr. Johann Georg Schnitzer können über das Internet (oder per Fax/Post bei der Buchauslieferungsadresse auf Seite 4) bestellt werden. Von den Bestellseiten aus führen Links zu den einzelnen Buchbesprechungen mit Abbildung des jeweiligen Buchtitels.

Einfache Bestellseite: <http://www.dr-schnitzer.de/besteug2.htm>,
Büchershop: <http://www.dr-schnitzer-buecher.de>.

Gesundheits-Suchmaschine

Suchhilfe zu allen Fragen, die in Dr. Schnitzer's Geheimnissen der Gesundheit behandelt sind – und ein Verzeichnis mit Links zu allen Internet-Seiten dieser Site. URL: <http://www.dr-schnitzer.de/intrasearch.html>.

Gesundheit – Getreide - Welternährung

Die Ergebnisse dieser Grundlagenforschungen zeigen, warum Getreide und ihre intelligente Nutzung für Ernährung und Gesundheit des Menschen und der Menschheit unentbehrlich sind.

Dr. Johann Georg Schnitzer (Herausgeber), mit Prof. Dr. Werner Kollath „Getreide und Mensch, eine Lebensgemeinschaft", Prof. Dr. Herbert Warning „Kollath wissenschaftliche Arbeiten" und „Das Leben Werner Kollaths", und Frédéric Stahl „Sicherung der Eiweißversorgung durch intelligente Kombination pflanzlicher Lebensmittel".

416 Seiten, 18 Tabellen, 2 Tafeln, 32 AbbildungenURL:

<http://www.dr-schnitzer.de/gesundheit-getreide-welternaehrung.htm>.

Bluthochdruck heilen

Risikofaktur Hypertonie – lebensbedrohend, aber heilbar!

Die „essentielle Hypertonie" ist der Hauptkiller: Jeder zweite Zivilisationsmensch verstirbt plötzlich an einer ihrer Folgen – Herzinfarkt, Hirnschlag, Embolie. Dieses Buch klärt Sie über die wahren Ursachen des Bluthochdrucks auf und zeigt Ihnen den Weg, wie Sie zügig diese Risikozone verlassen, von den Pillen mit ihren oft unangenehmen Nebenwirkungen loskommen – und Ihren Blutdruck in 8-12 Wochen dauerhaft auf natürliche Weise normalisieren können. 352 Seiten.

URL: <http://www.dr-schnitzer.de/bhd002.htm>.

Die kausale Therapie der essentielle Hypertonie

Bisher kennen die wenigsten Ärzte diese hochwirksame Heilbehandlung ohne Medikamente und ohne negative Nebenwirkungen. Ihr Arzt wird diese Anleitung für den Therapeuten bestimmt aufmerksam lesen, wenn Sie das Buch zum nächsten Termin mitbringen (besonders dann, wenn Sie es nicht schenken, sondern nur kurz ausleihen), und Sie bei der dauerhaften Ausheilung Ihrer Hypertonie dann tatkräftig und beschleunigend unterstützen (falls nicht, sollten Sie wechseln). 80 Seiten.

URL: < http://www.dr-schnitzer.de/bhd004.htm>

Diabetes heilen

Biologische Heilbehandlung der Zuckerkrankheit und ihrer Spätfolgen

800.000 Beinamputationen bei Diabetikern sind genug! So viele sind allein in Deutschland in den letzten zwei Jahrzehnten durchgeführt worden. Meist unnötigerweise, wie der Verfasser überzeugt ist. Denn 1977 fand er – bei einem dramatischen Fall um Rat gebeten – einen Weg, ein von Gangrän befallenes Bein zu retten. Danach heilte auch die Zuckerkrankheit selbst aus. Er entdeckte, dass es die eiweißreiche Diabetesdiät selbst ist, welche die Zuckerkrankheit unheilbar macht und die sogenannten „Spätfolgen“ erzeugt: Gangrän, Bluthochdruck, Nervendegeneration, Gefühlsverlust, Impotenz, Erblindung, Leberdegeneration, inneres Verbluten durch Oesophagusvarizen, Nierenversagen.

Wer selbst Diabetes hat oder Diabetespatienten in der Familie oder im Freundeskreis, und wer sich vor dieser am raschesten zunehmenden Zivilisationskrankheit wirksam schützen will, sollte sich diese Offenbarung der wahren Ursachen, der Heilungs- und Verhütungsmöglichkeiten und die Berichte von Ärzten und Patienten über erfolgreiche Heilungen nicht entgehen lassen. Lesen Sie hier weiter, wie Diabetes und sogenannte „Spätfolgen“ verhütet und geheilt werden können! 272 S.

URL: <http://www.dr-schnitzer.de/bhz001.htm>.

Der alternative Weg zur Gesundheit

Verhütung und Heilung von Krankheiten durch natürliche Gesundheit. Wenn „Behandlung" nicht heilt: Wiederherstellung der Gesundheitsgrundlagen statt Krankheitsbekämpfung. Aus dem hoch brisanten Inhalt: Wer „normal" lebt, wird krank - Die Alternative zu 1000 Krankheiten: Gesundheit - Krankheiten sind sinnvolle Gegenreaktionen - Die wichtigsten Verfahren der biologischen Medizin, ihre Wirkungsweisen und Anwendungsgebiete - Kontrolle des eigenen Gesundheitsgrades - Maßnahmen und Erfolgsaussichten bei den verschiedenen akuten und chronischen Krankheiten - Wie man ein gesundes Wunschkind plant - Prinzipien gesunder Ernährung. 336 Seiten.

URL: <http://www.dr-schnitzer.de/awg001.htm>

Das volle Leben

Die wenigsten Menschen kennen die Voraussetzungen, um ihre biologisch mögliche Lebensspanne auch tatsächlich zu nutzen. Deshalb erreichen die meisten nur knapp die Hälfte der möglichen Lebensjahre, und verbringen diese auch noch zu einem wesentlichen Teil mit chronischen Leiden. Dieses Buch untersucht die Ursachen anhand von Daten des Statistischen Bundesamtes in Wiesbaden, des deutschen Gesundheitsministeriums und der OECD Health Data. Es dokumentiert die Ineffektivität des „Gesundheitswesens", und es vermittelt die wirklichen Voraussetzungen eines Lebens in der Zivilisation, das voll an Jahren und voll an Lebensfreude und Gesundheit ist. 14 Tabellen, 144 Seiten.

URL: <http://www.dr-schnitzer.de/dvl001.htm>

Schnitzer-Intensivkost, Schnitzer-Normalkost

Köstliche Zubereitungen gesunder Kost werden an Beispielen eines 14-Tage-Menüplanes genau beschrieben. Auch Kalorien, Joule und Broteinheiten sind mit angegeben. Mahlzeiten dieser Kost sättigen nachhaltig, verleihen vitale Energie und regenerieren den Organismus. Die Kost ist aus der frugivoren menschlichen Urnahrung entwickelt, auf welche der Stoffwechsel des Menschen nach wie vor programmiert ist. Deshalb normalisieren sich auch die meisten entgleisten Stoffwechselabläufe, sobald der Organismus wieder „die richtigen Stoffe zum Wechseln" bekommt – worüber im ersten Teil des Buches auch viele praktische Erfahrungen berichtet werden. 144 Seiten, Format 25,5 x 20,5 cm.

URL: <http://www.dr-schnitzer.de/sin001.htm>.

Backen mit Vollkorn

Das Buch entstand aus den ersten Vollkorn-Entwicklungen Dr. Schnitzers ab 1963 und seinen Wochenendkursen „Backen mit Vollkorn“. Die erste Auflage erschien 1978. In 9 Auflagen erreichte es eine Gesamtauflage von 76.000 Exemplaren. 2001 überarbeitete Dr. Schnitzer das Buch vollständig, so dass es wieder verfügbar wurde. 2004 und 2010 folgten weitere Auflagen. Bei allen Rezepten ist gleichermaßen Wert auf größtmöglichen gesundheitlichen Nutzen wie auf Wohlgeschmack und ansprechendes Äußeres gelegt. Die Rezepte haben sich in hunderttausendfachen Anwendungen praktisch bewährt. Wer nach diesen Rezepten selbst bäckt, weiß, was in seinem Brot drin ist (und auch, was nicht drin ist, angesichts über 1000 nicht deklarierungspflichtiger „Backhilfsmittel“). 10 Lektionen Know How, 14 Brot- und Gebäckaren, 96 Seiten.

URL: <http://www.dr-schnitzer.de/backen-mit-vollkorn.htm>.

Doping? Alternative Naturnahe Leistungskost

Die übliche eiweißreiche Sportler-Ernährung bringt das Risiko eines Leistungsknicks im Trainingsaufbau mit sich: Da ist die Versuchung zu Doping oder doping-ähnlichen „Tricks“ dann eben so groß wie die Gefahr von Frühinvalidität oder Sekundentod. Diese Schrift zeigt die Zusammenhänge auf und vermittelt einen natürlichen Weg zu jenem Mehr an sportlicher Leistungsfähigkeit, das Weltbestleistungen ausmacht. 64 S.

URL: <http://www.dr-schnitzer.de/doping-alternative.htm>.

Zahnprobleme und ihre Überwindung

Zahnschäden und Gebissverfall sind teuer, ihre Verhütung kostet wenig. Wer Zahnbehandlung nötig hat, erwirbt mit diesem für den Patienten geschriebenen Buch nützliches Wissen, um Qualität und Dauerhaftigkeit vorgeschlagener Maßnahmen selbst beurteilen zu können. Denn Zahnprobleme werden zum Fass ohne Boden, wenn jeweils nur die Schäden auf „kassenwirtschaftlichste“ Weise repariert werden und die ursächliche Stoffwechselsituation die gleiche bleibt. Dann geht der Verfall weiter, oft bis zu totaler Zahnlosigkeit. Zähneputzen ändert daran wenig! Dieses Buch informiert Sie über die wahren Ursachen und zeigt die Möglichkeiten dauerhafter Sanierung von Schäden und vollständiger Verhütung weiteren Gebissverfalls. 336 Seiten, 125 Abbildungen.

URL: <http://www.dr-schnitzer.de/zpr001.htm>

Suchregister

A

Abendland 209; Abgeschlagenheit 136; Abhängigkeit 139, 206, 273, 276, 322, 326; Ablagerungen 324; Absenkung 284, 321; Absturz 249; Abwärtsspirale 178; Abwehrkräfte 339; Aderlass 44, 64, 292; Adrenalin 35; Aggressionen 34, 336; Aggressivität 136; Akkumulation 237; Akne 339; Akupunktur 234, 237; Allesfresser 51, 52; Allgemeinzustand 99, 105, 186, 187, 300; Allwissenheit 325; Alpträume 152; Altersdiabetes 31, 249; Alterskrankheit 187, 227; Alterskrankheiten 249; Altersschwäche 19; Alzheimer'sche Krankheit 53; Amalgamvergiftung 33; American Society of Hypertension 122; Aminosäuren 27; anaerob-glykolytisch 30; Anamnese 108, 242; anerkannt 49; Angina pectoris 99; Angina-pectoris-Beschwerden 99, 107; Angiotensin 40; Angst 45, 265; ankeimen 76, 77; Anpassung 50, 332; Anstrengung 63, 200, 209, 212, 254; Anstrengungen 28, 30, 64, 94, 183, 249, 256; Antibiotika 170; Antihomotoxische Therapie 67; Antrieb 123, 127, 178; antriebslos 110; Antriebslosigkeit 288; Apathie 277, 280; Apotheke 241, 242; Appetit 76, 79, 85, 87, 91, 92; Appetitlosigkeit 33; Arbeitnehmer 232, 296; Arbeitshypothese 50, 51, 55, 119; Arbeitskollegen 34; Arbeitslose 296, 337; Arbeitslosenquote 335; Arbeitslosigkeit 232, 333; Arbeitsplätze 34, 296, 297; Arbeitsunfähige 337; Arthrosen 46, 50, 335; Arzneikosten 14; Arzneimittelforschung 115, 192; Ärzteschaft 67, 237, 323; Arztfern leben 13, 245; Arztpraxen 146, 172, 243, 296, 297, 336; Arztpraxis 15, 242; Assimilation 25; Atemaussetzer 224, 226, 227; Atemnot 108, 210, 212; Atmung 35, 36; Auditorium 146, 323; Aufbautraining 57; aufgeregt 152; Aufschwung 332; Ausdauersport 188, 191, 192, 222, 261, 262, 269; Ausdauertraining 220; Ausgewogenheit 204, 207; Ausgrabungsfunde 119; Außenseiter 177, 217, 336; Außensteuerung 115, 116; Autoaggressionskrankheit 40; Autoritätsmeinungen 319;

B

Ballaststoffe 48, 49; Basalmembran 21, 22, 24, 33, 36; Bauchspeicheldrüse 77; Bauchweh 78; Bedrohung 336; Beeinträchtigungen 107, 127, 139, 156, 170, 280, 312, 326; Befreiung 34, 302, 308, 310, 314, 322, 332; Begleiterscheinungen 16, 20, 122; Begleitkrankheiten 96; Behandlungsbedürftigkeit 296; Behandlungsergebnisse 96; Behandlungsfehler 170, 171, 177; Behandlungsmethoden 14, 110; Behandlungstätigkeiten 118; Beharrungsvermögen 146; Beinamputation 178, 340; Beinmuskulatur 64; Bekämpfung 110, 232; Belastungsdyspnoe 108; Benommenheit 101, 103, 105, 107, 277, 280, 312; Bequemlichkeitsfehler 22; Bernhard Schöneck 31; Berufsethik 237, 323; Berufsordnung 118, 332; Berufung 117; Betriebsergebnisse 332; Betriebskantine 332; Betriebsunfälle 280; Bevölkerungsdurchschnitt 14; Bevölkerungsgruppe 316, 337; Bevölkerungsgruppen 316; Bevölkerungsreduktionsprogramm 316; Bewegung 37, 159, 161; Bill Clinton 192; Bindegewebe 237; Biofeldenergie 235; Blähungen 78; Blutdruckmedikamente 170, 206, 305, 314; Blutdruckmessgerät 20, 130, 217; Blutdruckregulation 320; Blütenpollen 85; Blutentnahme 43, 44; Blutfettwerte 205; Blutfließgeschwindigkeit 23; Blutflüssigkeit 22, 23; Blutfülle 64, 249, 292; Blutgefäße 21, 24, 35, 36, 37, 64, 65; Blutgefäßsystem 14; Blutgerinnsel 37; Blutgerinnung 37; Bluthochdruckfalle 139, 156; Bluthochdruckmedikamente 168; Bluthochdruckmedikation 314, 321; Bluthochdruckpillen 146, 161, 171, 196, 245, 249, 297, 321, 332; Blutkapillaren 21, 23, 30, 64, 217, 268; Blutneubildungsmechanismus 43, 324; Blutspenden 43, 324; Blutverdickung 21, 29, 35; Blutverdünner 331; Blutverdünnung 44; Blutviskosität 21, 29, 39; Blutwäsche 139; Blutwerte 142, 144, 146; Blutzellen 22, 24, 29, 43, 63, 172, 338; Blutzuckerschwankungen 31, 220, 223; Bodybuilder 63; Brustbein 108; Bruttosozialprodukt 333; BSE 53, 338, 339; Bundesgesundheitsministerium 11; Bundesregierung 11; Bundestagsabgeordnete 298; Bundesversicherungsanstalt 12; Bürgerpflicht 337; Bypass 192, 297;

C

Caesar 54, 334; Calciumcitrat 22; Carnivore 51; Catapressan 109; Chefärzte 281; Chemiedünger 316; Chiropraktik 58; Chlorophyll 23; Cholesterin 29, 99, 101, 103, 108, 109, 141, 144, 168, 294, 331; Cholesteringehalt 19, 180; Cholesterinspiegel 12, 183, 294; Circulus vitiosus 20, 22, 37, 44, 63, 145, 213; Coronary Thrombosis 46, 258; Cortison 168, 170; Cortisonbehandlung 166, 171; Credo 117; Cui bono 16;

D

Darmentzündung 281, 284; Dauerbeanspruchung 57; Dauerbehandlung 224, 242, 296, 297, 302, 321, 325; Dauereinnahmequelle 171, 208; Dauerlauf 58, 220; Dauermedikation 12, 191, 207, 217, 305, 327, 328; Dauerpatientenstamm 146, 243; Dauerstress 34; Dauertherapie 157; Degeneration 51, 55, 334, 335; Degenerationserscheinungen 46, 47, 51; Degenerationsmerkmale 53, 55; Denaturierung 47, 334, 335; Denkansätze 97; Denkfehler 335; Denkschema 20; Dentinkanälchen 24; Depressionen 141, 143, 145; 152, 214, 217, 277; Desinformation 45, 48, 56,201, 249, 337; Diabetes 19, 27, 31, 32, 33, 46, 50, 96, 131, 170, 173, 176, 177, 197, 201, 232, 238, 247, 249, 258, 298, 326, 335, 336, 340, 341; Diabetesdiät 31, 340; Diabetesgangrän 32, 33, 178; Diabetiker 46, 96, 176; Diabetikerschleife 176; Diagnosen 310; Dialyse 139, 178, 297, 298; Dieter Menninger 55; Digitalpräparate 109; Dissertation 118, 165; Dogma 48, 49, 97, 115, 116, 139, 145, 146, 165, 192; Dogmatiker 68; Dogmen 45, 68, 97, 145, 146; Doktortitel 253; Doktorväter 165; Doktrin 276, 324; Doping

338; Dr. med. dent. A. Roos, 28; Dr. Eugen Roth 39; Dr. med.Hans Heinrich Reckeweg 67, 151; Dr. med. Heinrich Kuhn 96, 108; Dr. Kurt Gruber 313, 319, 328; Dr. med. M. O. Bruker 196; Dr. med. Helmut Weiss 49, 78, 96; Dr. med. dent. Richard Lehne 51, 52, 75, 118; Drogenabhängigkeit 218; Druckgefühl 141, 145, 233; ductus thoracicus 65; Duldung 324; Dunstkreis 237; Durchblutungsstörungen 220, 223, 297; Durcheinanderessen 78; Durchfall 281, 284; Durchschlafstörungen 218, 219, 222; Durchschnittsalter 297; Durchschnittsbevölkerung 13; Durchschnittswert 22; Durstgefühl 205; Dysstress 35;

E

Ehepartner 34; Eid des Hippokrates 201, 327, 332; Eigenblutspritzen 103, 105; Eigenregie 183, 242, 276; Einflussbereich 232; Eingriffe 24, 170, 320; Einkaufsverhalten 252; Einstellungen 325; Eiscremes 33; Eisen 23; Eiweißaufnahme 111; Eiweißgehalt 22, 27; Eiweißminimum 26; Eiweißschwamm 33; Eiweißspeicherung 139; Eiweißüberschüsse 26, 29, 30, 31, 32, 33, 36, 44, 63, 65, 94; Eiweißversorgung 27; Ejakulation 168, 172; Embolie 11, 14, 20, 33, 36, 40, 43, 115, 116, 131, 213, 249, 297, 325, 335, 340; Empfindliche 78, 79; Endangiitis obliterans 33; Energielosigkeit 332; Entscheidung 325; Entzugserscheinungen 59, 215, 218; Erblindung 31, 178, 341; Erbsubstanz 316; Erderwärmung 306; Erektion 168; Erektionsfähigkeit 166, 171, 172; Erfahrungsheilkunde 15, 40, 96, 323, 340; Erforschung 11, 49, 265, 331; Ergometerleistungsgrenze 190; Ergometerwerte 310; erholsam 154, 156; erkältet 147, 150; Erkältungen 149, 204, 339; Erkenntnisfähigkeit 132; Erkrankungsziffern 336; Ernährung als Basistherapie 49; Ernährungsfehler 132, 177, 253; Ernährungsforschung 48, 334; Ernährungsgewohnheiten 50, 157, 205, 216, 222, 242; Ernährungslehre 25; Ernährungstherapie 96, 302, 314, 321, 324, 326; Ernährungsumstellung 66, 120, 168, 172, 212, 239, 242, 253, 267, 269, 320, 326; Ernährungsverhalten 122; Ernährungsweise 14, 30, 150, 155, 205, 237, 242, 247, 261, 313, 315; Ernährungswissenschaft 25, 26, 27, 45, 48, 49, 50, 53; Erschöpfungszustand 107; Erschöpfungszustände 220, 224; Erythrozyten 23; essentiell 111; Essgewohnheiten 60, 176, 252; Establishment 242; Ethik 40, 340; Evolution 50, 52; Existenzfähigkeit 333, 334; Existenzgrundlagen 327, 336; Extraktion 25, 47;

F

Fahrrad 23, 231; Familie 46, 337, 341; FAO 26, 306; Fehlbehandlung 139; Fehlfunktionen 335, 336; Fernost 157, 208; Fettsäuren 23, 74, 87; Fischindustrie 26; Fisher-Test 319; fit 37, 134, 154, 156, 175, 297, 339; Fitnessmaßnahmen 67; Fitnesstraining 57; Fitnesszustand 37; Fleischfresser 51, 52; Fleischnahrung 52; Fliegerarzt 11, 120; Fließproblematik 23; Fluchtweg 157; Flugschein 11; flugtauglich 11; Flugtauglichkeit 11, 120; Flugtauglichkeitsbescheinigung 11; Fluorprophylaxe 336; Flüssigkeitsstau 65; Folgekrankheiten 14, 29, 115, 116, 232, 297, 321, 322, 328, 331, 332; Förderung 12, 192; Forscher 11, 47, 97, 258, 315; Forschungsansätze 117; Forschungsaufträge 26, 45, 140, 177, 281; Forschungsaufwand 20; Forschungsetats 177; Forschungsmittel 53; Forschungsreisen 47, 118, 334; Fortbildung 116, 187, 281; Fragebogen 15, 68, 122, 193, 204, 328; Frédéric Stahl 26, 27, 28; Fresswelle 22, 46; Freude am Leben 126, 296; frisch einkaufen 75; Frische 332; Frischkostanteil 77; Fruchtesser 52; Frugivore 52; Frühinvalidität 338; Frührentner 11; Frühwarnung 131; Fußschmerzen 147, 150; Fütterungsversuche 47;

G

G. D. Campbell 46, 258, 335; Gazpacho 83; Gebisskonstruktionen 51, 52; Gebissverfall 28, 55, 119, 120, 121, 276; Geburt 56, 108, 334; Gedächtnis 231, 232; Gefäßinnenwand 37; Gefäßputzersubstanzen 37; Gefäßveränderungen 29, 63; Gefäßverengungen 35, 38, 64; Gefäßverschluss 32, 33, 36, 43; Gefäßwandverdickung 36; Gehirn 54, 64, 65, 315, 335; Gehirnblutung 65; Gehirn 27, 150, 217, 249, 253, 315, 336; Geldrollenbildung 23, 44; Gelenkbeschwerden 103; Gemeinwesen 334; Generationen 25, 51, 337, 340; Genesis 52, 272, 311; Genprogramm 53; Genussmittel 242; Gereiztheit 201; Gericht 83, 177, 284; Gerichtsinstanzen 177; Gerinnungsfaktoren 44, 65; Gerinnungsneigung 19, 37, 66; Gerinnungswerte 38, 66; Geruch 149; Gesamteiweißgehalt 44; Gesamtsituation 156, 157; Gesamtübergewicht 46; Geschäftsführer 333; Geschmackspapillen 33; Gesetze 298; Gesichtsfarbe 108, 235, 237; Gesundheitsausschuss 28, 332, 335; Gesundheitsbereich 254, 261, 262, 284; Gesundheitsdienst 311, 314; Gesundheitsgrundlagen 14, 28, 49, 56, 65, 116, 183, 208, 254, 315, 316, 332; Gesundheitsmasche 45; Gesundheitsminister 333; Gesundheitsministerium 333; Gesundheitspolitik 120, 146, 232, 327, 332; Gesundheitspolitiker 208; gesundheitspolitisch 120; Gesundheitswesen 39, 117, 177, 208, 232, 333; Gesundung 31, 63, 67, 68, 96, 116, 146, 192, 201, 227, 322, 324, 325, 326, 339; Gesundungsoption 151; Gesundungsprozess 151, 191; Gesundungsverlauf 15, 242; Gewerbe 45; Gewicht 58, 160, 205, 206, 230, 231, 257, 312; Gewichtsabnahme 182, 257; Gewichtsreduktion 108, 168, 268; Gewichtsreduzierung 137, 205, 270; Gewichtsverlust 143, 149; Gewichtszunahme 126, 147, 150; Gewissen 192, 201; Gewohnheiten 60; Gift 36, 59; Glaubwürdigkeit 40, 332, 340; Gleichgewichtsgefühl 231, 232; Gleichgewichtsorgan 150; Gliederschmerzen 214, 217; Gliedmaßenverlust 31; Global Governance 315; Glutaminsäure 27; Gomstal 28; Gottfried Gülicher 55; Graf Dracula 52; Grasfresser 51, 52; Grippe 170, 176, 204, 339; Großmühlen 334; Grundkonzeption 232; Grundnährstoffe 48; Grundursachen 20, 29; Gutachter 177, 281;

H

Haarausfall 235, 237, 266; Haare 230, 232; Haarwachstum 149; Hämatokrit 22, 37, 38, 43, 44, 62, 65, 66, 108, 109, 168, 172, 338; Hämoglobin 23, 36; Hämorrhoiden 292; Harnsäure 30, 94; Hauptkiller 12, 340; Hauptkostenfaktor 327; Hauptwirkungen 145, 236; Haut 149, 151, 170, 197, 230, 232, 279, 339; Heilerfolg 140, 312; Heilmittel 237, 323, 327; Heilungen 201, 341; Heilungsmöglichkeiten 323; Heilungsverlauf 135, 205, 212; Heilversuche 311; Heimtrainer 159; Heißhungerattacken 220, 223; Henry Ford 277; Herausforderung 314; Herbivore 51; Herniotomie 108; Herz 12, 13, 14, 19, 20, 29, 33, 35, 38, 39, 40, 46, 63, 65, 67, 108, 131, 146, 150, 151, 160, 161, 192, 213, 223, 237, 305, 314, 324, 327, 332; Herzinfarkt 11, 14, 19, 20, 27, 33, 36, 40, 43, 46, 115, 116, 124, 131, 173, 175, 176, 178, 188, 189, 191, 192, 213, 249, 297, 325, 335, 340; Herzinsuffizienz 109; Herzklappen 63; Herzklappenoperation 63; Herzklopfen 152, 161, 163, 209, 210, 212, 277; Herzkranzgefäße 64, 192; Herz-Kreislauf-Ereignisse 13, 33, 40, 305, 324; Herz-Kreislauf-Krankheiten 14, 19, 20, 29, 39, 46, 131, 146, 160, 161, 314, 332; Herzmuskel 62, 63, 64, 150, 220; Herzpoltern 147, 150; Herzrasen 136, 266, 268; Herzrhythmus 171; Herzrhythmusstörungen 123, 171, 256, 257; Herzschmerzen 64, 123; Herzschrittmacher 166, 171, 297; Herzschrittmacherkontrolle 170; Herzstechen 141, 143, 145, 173; Herzstolperer 123; Herztod 12, 13, 234; Herztod-Risiko 12; Heuschnupfen 312; Hilfeleistung 201, 327; Hilfsbereitschaft 302; Hippokrates 237, 323, 327; Hirninsuffizienz 50; Hirnschlag 11, 14, 19, 20, 36, 40, 115, 116, 131, 213, 249, 297, 325, 340; Hirnzellen 53; Hitzebehandlung 47, 118; Hochkulturen 55, 334; Hochleistungssportler 30, 338; Homöopathie 67, 171, 237, , 289, 292; Hörsturz 40; HYDRA-Studie 336; Hyperurikämie 109; Hyperventilation 265;

I

Idealfigur 172; Immunsystem 150, 170, 207; Impfung 40; Impotenz 19, 38, 96, 171, 172, 297, 341; Indien 46, 93, 256, 258, 334; Industrie 45, 140, 157, 192, 208, 241, 297; Industrienahrungsmittel 336; Industrieunternehmen 333; Infektionen 150; Infektionskrankheiten 46, 339; Ingenieur 21, 145, 212; Inkompetenz 156, 222; Inkubationszeit 46; Innovationsfreudigkeit 332; Insider 12, 277; Institutschefs 177, 277; Insulin 173, 200; Insulinbedarf 199, 200; Intensivkost 91, 121, 308, 309; Intensivstation 213; Interessengruppen 16, 45, 122; Interessenkonstellation 325; Interessenlage 296; Interstitium 30, 64; Interventionsgruppe 12; Intima 21; Irrlehren 15, 50; Irrweg 334;

J

Joghurt 110; Journalismus 40; Juristenzeitung 48, 177;

K

Kalorienmengen 31, 76; Kaltschweißigkeit 147, 150; Kalziumantagonisten 331; Kantinen-Menüs 298; Kapillargefäße 150; Kapillarwände 23; Katastrophe 13, 39, 213, 315; Katzen 47; Keimfreiheit 334; Keimöle 334; Ketonkörperbildung 33; Kieferorthopädie 47; Kliniken 281; Kniegelenksentzündung 108; Knochenstruktur 37; Kochsalz 32, 33; Kochtopf 52, 80, 81; Kohlendioxid 24, 30, 36; Kohlenhydrate 29, 30, 33, 35, 48, 117, 196; Kohlenmonoxid 36; Kompensationsanstrengungen 217; Kompensationsfähigkeit 38, 65; Kompetenz 192; Kondensationsphasen 151; Konditionierung 222; Konkurrenz 31, 157, 327; Konkurrenzfähigkeit 28, 56, 328, 333; Kontaminierung 284; Kontrollgruppe 12, 319; Konzentrationsschwäche 105, 132, 135; Konzentrationsstörungen 219, 222; Kopfkribbeln 233, 236; Kopfschmerzen 103, 105, 107, 108, 110, 111, 127, 129, 130, 132, 134, 135, 136, 138, 147, 149, 150, 213, 214, 217, 228, 231, 238, 240, 246, 288, 312; Körpereiweiß 27; Körpergewicht 32, 140, 256, 312; Koryphäen 126, 177, 192, 277; Kostenbelastungen 232; Kraft 55, 59, 151, 168, 207, 230, 232, 242; Kräftezuwachs 168; Krankenkassenbeiträge 296, 335; Krankenversicherung 296; Krankheitsbereich 254, 262, 284; Krankheitsbild 206; krankheitserzeugend 45; Krankheitsflut 336; Krankheitskosten 242, 327, 332; Krankheitsökonomie 336; Krebs 19, 33, 46, 50, 335; krebserregend 36; Krebszellen 30; Kriegsernährungskommission 28; Kriminalfall 51; Kriminalität 177; Kündigungsschutz 232; Kunstfehler 177, 321, 327; Kurt G. Blüchel 177; Kurzatmigkeit 136, 152, 209, 212, 256;

L

Lake Placid 31; Landwirtschaft 16, 45; Langzeitstudie 12, 245; Lebenschancen 339; Lebenseinstellung 241; Lebensenergie 187, 235, 237; Lebenserwartung 19, 59, 60, 64, 88, 94, 333; Lebensfreude 127, 143, 296, 308, 320, 322, 339; Lebensführung 311; Lebensgefahr 36, 223; Lebensgefühl 251, 253; Lebensgemeinschaft 47, 334; Lebensgewohnheiten 252; Lebensglück 111; Lebenspartner 34; Lebensqualität 60, 139, 150, 296, 320, 322, 326, 331; Lebensstil 158; Lebensumstände 123, 126; Leberdegeneration 341; Leberkrankheiten 19; Leberschäden 38; Leberzirrhose 178; Legionäre 54; Lehrdogma 201; Lehrgebäude 165; Lehrmeinung 13, 45, 115, 116, 121, 139, 165, 177, 183, 192, 217, 222, 253, 280, 319; Lehrstuhlinhaber 281; Leidensgenossen 16, 322; Leidensgeschichte 179; Leidensweg 177, 178, 183; Leistungsanforderung 37, 76; leistungsfähig 57, 154, 156, 173, 191, 280; Leistungsfähigkeit 56, 57, 58, 112, 135, 138, 149, 152, 156, 157, 188, 190, 204, 207, 215, 218, 257, 276, 280, 292, 296, 307, 308, 310, 320, 322, 326, 331, 339; Leistungsgrenze 30; Leistungsknick 338; Leistungsschwäche 173; Leistungswille 333; Lepra 196, 197; Lepra-Studie 196; Lernschwäche 336; Leuchtgasvergiftung 36; Leukämie 170; Libidoverlust 38; Lichtenergie 23;

Lifestyle 158; Limonaden 33; Lobbies 122, 332; Lobby 16, 45, 249, 328, 337; Lobbyisten 298; Logik 49, 280, 324; Lohnnebenkosten 28, 296, 327, 332, 333, 335; Lungenkrebs 59; lustlos 110, 233, 236; Lymphe 64, 65; Lymphstauungen 64, 77;

M

Machtinteressen 28, 29; Machtposition 192; Magen- und Darmkrankheiten 46; Magen-Darm-Leiden 50; Magen-Darm-Trakt 77, 79; Magengeschwür 120; Magenschmerzen 303; Magnesium 23; Management 333; Manager 333; Mangelernährung 53; Mangelkost 25; Manipulation 49, 316; Märkte 157, 249; Massenproblem 157; Matrix 15, 16, 40, 135, 207, 253, 280, 281; Max Planck 15, 50; Medicus, quo vadis? 40, 340; Medien 16, 178, 315; Medikamentenabhängigkeit 276, 314; Medikamentendosierungen 20, 69, 70, 98, 100, 102, 104, 106; Medizinbetrieb 40, 277; Mediziner 19, 39, 165, 172, 222, 237, 292, 313; medizinertypisch 192; Medizinpäpste 192; Medizinprofessoren 277; Medizinsystem 140, 222; Meerwasserlösung 44; Meinungsäußerung 48, 177; Meinungsbildung 48, 177; Menopause 64, 108, 139, 292; Menschheit 47, 55, 56, 176, 178, 315, 316, 336, 337; Mesotrophie 54, 315, 335, 336; Methan 54, 306; Migräne 238, 239; Milchsäure 30; Milliardenmarkt 115; Ministerien 298; Missstände 296; Mittagsmahlzeit 90, 91, 92; Mittagsschlaf 152, 304; Mobbing 34; Mönchweiler 119; monokausal 27; Monopoly 29; Moral 40, 340; Morbidität 333; Mortalitätsstatistik 333; Mucopolysaccharide 29, 32, 33; Müdigkeit 127, 130, 132, 135, 152, 184, 185, 187, 193, 220, 224, 290, 312, 332; Multiple Sklerose 53; Multis 316; Muskelgewebe 37; Muskelkater 30, 64, 147, 150, 168; Muskeln 30, 64, 150, 223; Myasthenie 166, 170; Myocardinfarkt 109;

N

Nachkommen 315, 337; Nachwuchs 25, 47, 48, 51, 53, 306, 316, 332, 335, 337; Nagetiere 52; Nährboden 336; Nahrungsbasis 46; Nahrungsergänzungspräparate 258; Nahrungsindustrien 334; Nahrungspflanzen 119, 258, 306, 316; Naomi Klein 316; Nasenbluten 64, 161, 288, 292; Nasenschleimhäute 65; Naturheilverfahren 67, 237; Naturkostladen 87, 241; Naturvölker 47, 51, 55, 118, 121, 334; Nephrologe 222, 223; Nervenfasern 292; Nervosität 201, 218, 220, 222, 224; Netzwerk 15, 40; Netzwerkstruktur 15; nichtärztliche 12; nichtmedikamentöse 12, 192; Nichtraucher 59; Nichtwissen 201; Niedergang 45, 56; niedriger Puls 147, 151; Nieren 46, 53, 94, 131, 140; Nieren- und Lebererkrankungen 46; Nierenfunktion 139; Nierenversagen 14, 40, 115, 116, 139, 178, 297, 325, 335, 341; Nierenwerte 205; Nikotin 35, 36; Nitratverseuchung 48; Nobelpreis 111; Normalwert 22; Notfall 146; notfallmäßig 144; Notmaßnahme 24, 292; Nutrition and Physical Degeneration 47, 118, 334; Nutztiere 54;

O

Obstipation 99, 107; Oesophagusvarizen 341; Offenkundigkeit 192; Ohr-Akupunktur 59; Ohrenrauschen 136, 147, 149, 150, 219, 222; Ohrensausen 107, 166, 171, 172, 218, 222; Ohrgeräusche 64, 220, 224; Omnivore 51, 52, 53; Omnivorengebiss 53; Operation 63, 120, 192, 297; Oxidation 47, 76, 83, 87, 334;

P

Palmström 172; Panikattacken 277, 280; Parästhesien 223; Parlament 332; Patientenunterlagen 66; Pawlow'schen Reflexhandlung 222; Pestizide 316; Pflanzenfresser 51; Pflegeversicherung 28; Pfründe 201; Pfunde 235, 237; Pharmaindustrie 16, 111, 177, 281, 337; Pharmakologie 12, 97; Pharmasektor 146; Philosoph 208; philosophus 208; Photosynthese 23; Pickel 339; Pillenbehandlung 116, 253, 292, 297, 325, 332; Pillenkonsum 302; Pillenmedikation 192; Pillentherapie 122, 200, 324; Pillenverordner 292; Piloten 11; Pilotenlizenz 11; Politik 48, 56, 122, 296, 332, 336; Polyarthritis 103; Pompei 55, 334; Ponerologie 34, 316; Potenz 110; Potenzpillen 298; Potenzpillenpräparate 171; Potenzprobleme 152; Potenzstörungen 111; Pottenger 47; Praxisroutine 292; Price-Pottenger Nutrition Foundation 47; Prof. Baldur Preiml 30; Prof. Dr. H. A. Schweigart 26, 27, 28, 46; Prof. Dr. jur. Dr. phil. Erich Fechner 48, 177; Prof. Dr. med. Lothar Wendt 29, 62, 64, 223; Prof. Dr. med. Werner Kollath 47, 53, 119, 265, 315; Prof. Dr. Toivo Rautavaara 28; Prof. Frédéric Vester 28; Prof. Vincent 88, 94; Promoten 281; Prostatavorsorge 170; Puls 57, 171, 265; Pulsfrequenz 57, 220, 223, 256; Pulsschlag 233; Pumpendruck 145, 212; Pumpfrequenz 268;

Q

Quälgeister 34; Qualität 280, 319, 333; Qualitätskontrolle 333; Quark 31, 110;

R

Raffination 47; Randschichten 334; Rastlosigkeit 218, 222; Raubtiere 52; Rauchen 33, 36, 59, 60; Raucher 33, 36, 59; Raucherbein 36, 59; Reaktionsphasen 151; Referenten 281; Reformen 298; Regelblutung 64, 139, 292; Regeneration 151, 292; Regierung 28, 332; Regierungsmitglieder 28; Regulations-Chaos 249; Regulationssystem 191, 218, 249, 253; René Descartes 116; Rentenalter 287; Restaurants 291; Rettung 179, 183; Rettungsbemühungen 337; Rheuma 46, 50, 335; Rinderwahnsinn 53, 339; Risiken 19, 20, 131, 192, 205, 322, 327, 332, 339; Risiko 11, 12, 20, 33, 39, 43, 61, 65, 131, 160, 161, 208, 302, 305; Risikobereich 14, 43, 62, 63, 65, 66,

67, 292, 332; Risikofaktor 13, 17, 19, 20, 109, 144, 145, 232, 274, 276, 294; Risikofaktoren 19, 33, 109; Risikovergleich 19; Risikozone 40, 43, 131, 324, 340; Rollschuhlaufen 182; Roter Kopf 246; Rückenschmerzen 58, 136, 138, 238; Ruhelosigkeit 293; Russisches Roulette 213;

S

Saatgut 316; Saccharine Disease 46, 258; Sackgassen 116, 117, 127, 140, 156; Salizylsäurepräparate 24; Sauerstoffbindungsfähigkeit 44; Sauerstoffdruck 23; Sauerstoffmangel 23, 29, 30, 35, 36, 44, 64; Sauerstoffversorgung 23, 64, 150, 151; Säugetierarten 51; Säugetiere 53, 55; Schädel-Innendruck 65; Schädelkapsel 65; Schädigung 327; Schärfeverlust 288; Scharlach 108; Scheideweg 305; Scheinlogik-Trick 68; Schicksal 29, 47, 96, 172, 322; Schlaf 58, 101, 159, 160, 161, 250, 253, 286; Schlaflosigkeit 293, 298; Schlafqualität 220, 224; Schlafstörungen 275; Schlaganfall 124; Schlankheit 170; schlapp 110, 233, 236; Schlappheit 152; Schnarchen 224, 226, 227; Schokolade 164, 196; Schöpfungsgeschichte 52, 54, 272, 315; Schuhsohlen 231; Schulmedizin 126, 131, 135, 171, 177, 178, 183, 222, 237, 319; Schulmeinung 97; Schulnoten 56; Schulterschmerzen 300; Schwächeanfall 188, 191; Schwächezustände 38; Schwangerschaft 56, 238; Schwangerschaftsgestose 219, 223; Schweißbildung 149; schweißgebadet 152; Schwellungen 129; Schwindel 101, 107, 136, 138, 141, 145, 147, 149, 150, 209, 210, 212, 277, 280; Schwindelattacken 219, 222; Schwindelgefühl 213, 214, 217, 279, 302; Schwindelgefühle 277, 288; Schwindelzustände 64; Schwitzen 265; Sehprobleme 290; Sehstörungen 64; Sekundentod 338; Selbständiger 287; Selbstheilungskräfte 291; Selbsthilfe 208; Selbstlosigkeit 325; selbstmörderisch 35; Selbstmord-Gen 316; Selbstschutz 339; Senioren 227; shareholder value 337; Sicherheitspolster 272; Siechtum 151; Sinus-Syndrom 166; Sodbrennen 281, 284; Souverän 333; Sozialabgaben 336; Sozialversicherung 28; Spaß am Leben 182, 183; Spätfolgen 31, 32, 96, 340, 341; Speiseröhren-Varizen 178; Spermien 316; Sport 12, 56, 147, 149, 150, 152, 181, 182, 183, 205, 268; Sportarten 58; Sprechstunde 241; Spurenelemente 26, 44, 86; Sri Lanka 196; Staatsexamen 165; Staatsverschuldung 232, 334; Standesorganisation 28; Standortvorteil 296; Steaks 33; Sterbefälle 131, 232; Sterblichkeit 131; Steueraufkommen 232; Steuereinnahmen 232; Steuererhöhungen 232; Steuersenkungen 297; Stimmungslage 110; Stimmungsschwankungen 201; Stirnhöhlenentzündungen 147, 150; Stoffwechsel 24, 30, 50, 306, 341; Stoffwechselabläufe 53, 77, 94, 306, 341; Stoffwechselentgleisung 49; Strafgesetzbuch 201; Straßenverkehr 280; Stress 34, 35, 37, 259, 261, 293; Stressbewältigung 205; Stressfaktor 200; Stresshormone 34; Stresstoleranz 261; Strömungswiderstand 38, 145, 150, 151, 212, 223; Struma-Resektion 108; Studenten 123, 187; Studium 26, 51, 118;

Stuhlgang 99, 190; Stuhlverstopfung 99, 237, 242; Suchtgift 35; Südafrika 46, 258; Suizidgedanken 141, 145; Süßigkeiten 205;

T

T. L. Cleave 46, 258, 335; Tabakrauch 35, 59; Tagesbedarf 26, 76; Teerstoffe 36; Teufelskreis 20, 22, 35, 145, 213; Theodor Heuss 36; Therapieanleitung 67, 172, 252, 324; Thrombose 108; Todesfälle 12; Todesursache 19, 46, 232; Todesursachengruppe 131; Topfen 31; Trainingsaufbau 338; Trainingsplan 58; Transportzeit 30; Treibhauseffekt 48, 54; Trinkwasser 94; Trugschluss 131;

U

Übelkeit 173, 175, 213, 214, 217; Überdruckventil 64, 65, 139, 237, 292; Übergangsdiät 78; Übergewicht 32, 33, 46, 58, 156, 161, 172, 191, 237, 238, 240, 269, 305, 306; Übersäuerung 30; Umfeld 34, 130, 132, 207; Umgewöhnung 272, 313; Umwelt 28, 337; Umweltprobleme 117; Unachtsamkeiten 205; Unausgeglichenheit 288; Unfähigkeit 141, 145, 336; Unheil 335; Unheilbarkeit 97, 120, 292, 324; Universitäten 116, 140, 187, 281; Unrecht 327; Unruhe 152, 201, 215, 218, 220, 222, 224, 233, 234, 307; Untergebene 34; Unterhautbindegewebe 32; Unternehmen 296, 306; Untersuchungsergebnisse 327; Unterzuckerungen 176; Unverträglichkeitserscheinungen 77; Unwohlsein 110, 277; Ursachenerkundung 21; Ursachenkette 24;

V

Veganer 53; Vegetarier 53, 165; Verantwortliche 335, 336; Verantwortung 123, 174, 268, 272, 326; Verbände 298; Verbrechen 176, 178; Verdauungsbeschwerden 99, 107; Verdauungsprobleme 233, 275; Verdauungsstörungen 99, 220, 224; Verdummung 207; Vergleichende Gebissanatomie 51, 118; Verifikation 289; Verjüngung 227; Verlaufsstudie 319; Vermarktung 115; Verschlechterung 146, 155; verschlimmbessert 217; Verstand 280; Verstopfung 147, 150, 238, 241, 242; Verträglichkeit 196; Verunsicherung 337; Verzögerungsfaktor 306, 335; Vesuv 55, 334; Via dolorosa 178; Viskosität 22, 23, 64, 212; vital 134, 143, 144; Vitalstoffe 53, 335; Vitalstoffgesellschaft 28; Vitamine 25, 49, 73, 86, 87, 117; Volksgesundheit 48, 177, 311; Volkskrankheit 328; Volkswirtschaft 280; Völlegefühl 147, 150; Vollwerternährung 49; Vollwertkost 121; Volumenprozent 22, 43, 62, 172; Volvic 44, 88, 94; Vorgesetzte 34; Vorrat 74, 334;

W

Wachstumsbranchen 139; Währungsreform 22, 46; Warnsymptome 64; Warnzeichen 22, 30; Wasserausscheidung 300; Wasserbindefähigkeit 32;

Wasserlassen 136, 138; Wechseljahre 234, 236, 237; Wechseljahrsbeschwerden 64; Weißmehl 78, 301; Weizensuppendiät 111; Weltbestleistungen 339; Weltbevölkerung 48, 55, 315; Welternährungskommission 26, 306; Welternährungsproblem 48; Weltgetreideernte 54; Weltgetreideproduktion 54; Weltkrieg 22, 26, 27, 28, 298; Weltmarkt 157; Weltnahrungsproduktion 48; Werbefachleute 45; Werbesprüche 45; Weston A. Price 47, 118, 334; Wettbewerbsbedingungen 157; Wettbewerbsfähigkeit 296; Wiedergesundung 148, 151, 208; Wiederherstellung 14, 19, 28, 65, 67, 116, 208, 254, 331, 332, 335, 337; Wirbelsäulensyndrom 108; Wirkungsweise 306; Wirtschaft 28, 45, 48, 208, 296, 297, 298, 332; Wirtschaftsbereich 192, 336; Wirtschaftsbereiche 178; Wirtschaftskraft 12, 242; Wirtschaftsmisere 157; Wirtschaftsräume 157; Wirtschaftswachstum 335; Wirtschaftswunder 242; Wirtschaftswunderland 335; Wissenschaft 13, 15, 25, 49, 50, 97, 131, 165, 311, 313; Wissenschaftler 13, 25, 28, 48, 117, 335; Wissenslücke 196; Wissensquellen 232; Wohlbefinden 203, 204, 207, 215, 275, 302, 331; Wunden 230, 232; Wurst 26, 32, 110;

Z

Zahnarzt 47, 51, 117, 118, 274, 276, 277, 336; Zahnarztpraxen 336; Zahnbelag 149; Zähne 46, 47, 51, 55, 112, 117, 118, 120, 149, 196, 274, 276, 287, 336; Zahnextraktion 36; Zahnfehlstellungen 55; Zahnmedizin 47; Zahnschäden 119; Zellmembranen 31; Zentralisation 35; Zentrifuge 22; Zerstörungsangriff 196; Zigarette 36, 59; Zigarettenkonsum 12; Zimperlein 150; Zittern 215, 218, 265; Zivilisationen 51, 335; Zivilisationsbürger 116, 213, 321; Zivilisationsernährung 45; Zivilisationskrankheiten 11, 14, 19, 28, 29, 45, 46, 50, 51, 55, 60, 65, 115, 227, 232, 258, 311, 335; Zivilisationsmensch 340; Zucker 49, 78, 182, 196, 238; Zuckerkrankheit 96, 340; Zuckerwerte 182; Zusammenbruch 205; Zuversicht 312, 314.

-----o-----o-----o-----